CLASES DE BAILE

GUÍA PRÁCTICA PARA APRENDER A BAILAR PASO A PASO EL VALS, QUICK STEP, FOXTROT, TANGO, SAMBA, SALSA, MERENGUE Y LAMBADA

PAUL BOTTOMER

LIBSA

© 2012, Editorial LIBSA
C/ San Rafael, 4
28108 Alcobendas. Madrid
Tel.: (34) 91 657 25 80
Fax: (34) 91 657 25 83
e-mail: libsa@libsa.es
www.libsa.es

ISBN: 978-84-662-2484-0

Derechos exclusivos de edición para todos
los países de habla española.

Traducción: Noemí Marcos Alba y Juan Echenique

© MMXI, Anness Publishing Ltd

Título original: How to dance!

Contenido

Introducción

Bailar es el pasatiempo social más artístico y, a su vez, el pasatiempo artístico más social. En todas las sociedades, bailar forma una parte integral del estilo de vida; bailar no es solo un reflejo de la vida, sino también una expresión humana básica de la vida en sí misma. Mientras que la motivación inicial para bailar es a menudo social, una vez pasada la barrera del aprendizaje, son muchos los que encuentran en la música, la atmósfera y el baile la oportunidad de convertirse en una persona nueva; en un instante, el bailarín puede transportarse mental y emocionalmente a casi cualquier escenario de su elección: un baile de rancho en Texas, un elegante salón de gala en Viena, una fiesta caribeña en la playa, una cena fina con baile en el West End de Londres, un bar de barrio en Buenos Aires, un carnaval en Copacabana, una bodega en La Habana Vieja, una corrida de toros en Valencia, un club nocturno de Nueva York o un café parisino. La música y el lugar crean la atmósfera, pero es el bailarín el que expresa su propia individualidad a través del lenguaje del baile.

Cualquiera que sea tu gusto musical o preferencias personales, la gran variedad de bailes asegura que existe alguno para ti. No necesitas ser un gran bailarín para disfrutar del baile, la música, la atmósfera y, por supuesto, la vida social. Bailar es accesible a todos, independientemente de la edad o habilidad; algunos de los momentos más conmovedores y gratificantes en el mundo del baile han sido con bailarines discapacitados física y mentalmente.

Bailar es una manera fabulosa de mantenerse en forma física y mental, y lo recomiendan los profesionales de la medicina. No obstante, si tienes una enfermedad que te impida caminar a paso ligero, deberías consultar a tu médico antes de emprender algún programa de baile.

A la vez que trabajas con este libro, relájate y aprende a un ritmo constante adaptado a tus necesidades. Si fuera necesario, lee cada sección varias veces hasta que te hayas familiarizado con el movimiento. Recuerda también que algunas informaciones importantes se encuentran en la sección introductoria de cada baile. Concéntrate en lo que sabes en vez de en lo que no, y evita ponerte unos objetivos demasiado altos en un periodo corto; todo el mundo necesita tiempo. Para progresar en cualquier estilo de baile, necesitarás compromiso, diligencia y tanta práctica como sea posible, pero las recompensas pueden enriquecer profundamente la calidad de vida en muy variadas y valiosas maneras. Y lo mejor es que ¡es muy divertido!

Así que, disfruta de este libro sobre los bailes más populares del mundo y recuerda que cuanto antes comiences a bailar, más tiempo tendrás de disfrutarlo. No pasará mucho tiempo antes de que tú, al igual que muchos otros, ¡te hayas vuelto completamente loco por el baile!

Bailes de salas de fiesta

Las salas de fiesta, en las cuales suele haber un estilo de baile predominante, constituyen una forma popular de disfrutar del que más nos guste. Así es posible progresar más rápidamente en un estilo determinado y pasar enseguida a ser un bailarín experimentado.

Aunque en estas salas las parejas son bienvenidas, los bailarines tienden a acudir a ellas individualmente; y en lo que respecta al abanico de edades, cabe decir que es a menudo más amplio de lo que podría esperarse. Es frecuente que en ellas también se ofrezcan lecciones de baile.

En un club de Tango el evento estará ampliamente enfocado al Tango argentino, pero puede incluir una ocasional Milonga y el Vals-Tango, que se baila a tiempo de Vals, de la misma manera que muchas discotecas de Salsa ponen esta música continuamente intercalada con algún ocasional Merengue.

Los clubes de Rock 'n' Roll pueden ofrecer en diferentes noches música en directo y también estilos distintos de Jive, incluyendo el Lindy Hop, el Bugui-Bugui, el Swing y el llamado Jive francés.

Uno de los estilos más populares de baile en salas de fiesta de muchos lugares del mundo es el Baile en Línea americano, que se realiza en eventos llamados «ranchos de baile». En ellos las lecciones suelen estar incluidas y no se necesita ningún compañero. Sin embargo, existen decenas de millares de diferentes Bailes en Línea, de modo que pueden ser necesarias unas cuantas sesiones de baile hasta crearte un buen repertorio.

Los movimientos que se explican en este libro te proveerán de una base segura para desarrollar tus habilidades.

Grupo Uno

El Retroceso - La Salida - La Cunita - La Resolución

El primer grupo de figuras combina algunos de los movimientos básicos del Tango argentino. Una vez que domines este grupo básico, estarás capacitado para bailar, practicar y disfrutar del Tango continuamente. En el baile del Grupo Uno realizarás, aproximadamente, un cuarto de vuelta (o 90°) a la izquierda.

El Retroceso

El movimiento de apertura del Tango se denomina la Salida. Sin embargo, la Salida incorpora muchos elementos de comienzo variados, por lo que el movimiento de apertura aquí se separa del resto de la Salida para que se vea más claramente. El Retroceso es uno de los comienzos más fáciles, más prácticos y más populares. Tanto el hombre como la mujer comienzan con los pies juntos. El hombre se posiciona con su pie izquierdo y la mujer le corresponde con el derecho.

1

CUENTA - LENTO

Hombre Da un paso corto hacia atrás con el pie derecho.

Mujer Da un paso adelante con el pie izquierdo.

2

CUENTA - LENTO

Hombre Da un paso lateral con el pie izquierdo más amplio que la mujer.

Mujer Da un paso lateral con el pie izquierdo más corto que el hombre.

La Salida

Es importantísimo que el hombre no gire en el paso 1 de la Salida. Esto se puede evitar asegurándose de que la mujer no dé un paso lateral demasiado amplio durante el Retroceso. En el paso 2 el hombre estrecha a la mujer en un abrazo y la guía para que se aparte de él.

1

CUENTA - LENTO

Hombre Da un paso adelante con el pie derecho entre vosotros. Asegúrate de que no se te gira el cuerpo.

Mujer Da un paso atrás con el pie izquierdo.

2

CUENTA - RÁPIDO

Hombre Da un paso adelante con el pie izquierdo y gira el cuerpo un poco a la derecha.

Mujer Da un paso atrás un poco más largo con el pie derecho y girando ligeramente el cuerpo también a la derecha. Asegúrate de que los hombros quedan paralelos a los del hombre.

3

CUENTA - RÁPIDO

Hombre Junta el pie derecho con el izquierdo y finaliza apoyándote en el pie derecho.

Mujer Cruza el pie izquierdo enfrente del derecho, pero que no sea un cruce tenso. Finaliza apoyándote en el pie izquierdo.

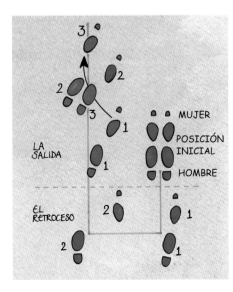

La Cunita

Esta sencilla figura comprende un paso seguido de una puntada cruzada que produce un movimiento de vaivén, que da su nombre al paso. Esta figura es particularmente útil porque se puede repetir para evitar a otros bailarines y maniobrar hacia un espacio vacío en una pista abarrotada. Desde el final de la Salida, la pareja rota suavemente hacia el sentido contrario en el primer paso de la Cunita, por lo que bailan esta figura uno al lado del otro, evitando así el peligro de tropezarse con los pies del compañero.

3

CUENTA - LENTO

Hombre Da un paso atrás con el pie derecho.

Mujer Da un paso adelante con el pie izquierdo.

1

CUENTA - LENTO

Hombre Camina hacia delante con el pie izquierdo.

Mujer Camina hacia atrás con el pie derecho.

2

CUENTA - Y

Hombre Apoya el peso sobre el pie izquierdo y da con la punta del pie derecho atrás y en cruz con respecto al izquierdo.

Mujer Apoya el peso sobre el pie derecho y da con la punta del pie izquierdo atrás y en cruz con respecto al derecho.

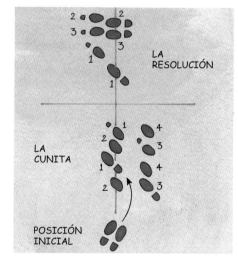

4

CUENTA - Y

Hombre Apóyate sobre el pie derecho y da con la punta del pie izquierdo adelante y en cruz con respecto al derecho.

Mujer Apóyate sobre el pie izquierdo y da con la punta del pie derecho por detrás y en cruz con respecto al izquierdo.

La Resolución

En este movimiento el hombre y la mujer «resuelven» los movimientos anteriores y, de nuevo, están unidos. Este movimiento a veces se denomina «el Cierre». Este grupo, como muchos de los mejores Tangos, debería resolverse solo, suavemente, como si fuese una caricia, y sin juntarse o cerrarse los pies fuertemente bajo ninguna circunstancia. Si bien existe una variedad de movimientos que se puede utilizar para finalizar una figura, esta es la más común y práctica porque deja a los bailarines posicionados sobre el pie apropiado, listos para comenzar el siguiente grupo en el Retroceso.

1

CUENTA - RÁPIDO

Hombre Da un paso adelante con el pie izquierdo y comienza a girar a la izquierda.

Mujer Da un paso atrás con el pie derecho y comienza a girar a la izquierda.

2

CUENTA - RÁPIDO

Hombre Da un paso lateral con el pie derecho y continúa el giro.

Mujer Da un paso lateral con el pie izquierdo y continúa el giro.

3

CUENTA - LENTO

Hombre Junta el pie izquierdo con el derecho.

Mujer Junta el pie derecho con el izquierdo.

LA RESOLUCIÓN

LA CUNITA

POSICIÓN INICIAL

Consejo de estilo

Durante el paso 3 el pie se arrastra; primero el talón pasa por el suelo y después se coloca suavemente para, con las piernas rectas, juntar los pies. En cuentas «lento», las almohadillas del pie tocan el suelo primero.

Grupo Dos

El Retroceso - La Salida - El Ocho - La Resolución

En el segundo grupo, la Cunita se reemplaza por una de las más populares figuras del Tango: el Ocho. Se llama así porque la mujer describe de manera seductora un número ocho en el suelo delante del hombre. En el Tango hay muchas figuras en las que el movimiento se alterna del hombre a la mujer, y viceversa. El Ocho es una de esas figuras, donde la pareja no está bailando los pasos opuestos del otro. Primero baila el Retroceso y la Salida; entonces el hombre tiene ahora los pies cerrados y está colocando su peso sobre el pie derecho. La mujer ha cruzado el pie izquierdo enfrente del derecho y tiene su peso sobre el pie izquierdo.

El Ocho

1
CUENTA - Y

Mujer Levanta la pantorrilla derecha hasta que esté paralela al suelo y asegúrate de que las rodillas están firmemente juntas. Mueve el pie derecho a la derecha, causando que el cuerpo gire en el sentido contrario de las agujas del reloj a la vez que giras sobre el pie izquierdo.

2
CUENTA - LENTO

Mujer Con las rodillas juntas todavía, apunta el pie derecho delante entre vosotros y hacia el exterior del lado derecho del hombre.

3
CUENTA - Y

Mujer Transfiere el peso hacia adelante y colócate sobre el pie derecho, con las rodillas todavía juntas. Ahora levanta el pie izquierdo hasta que se encuentre paralelo al suelo. Mueve la pierna izquierda hacia la izquierda, provocando así que el cuerpo rote en el sentido de las agujas del reloj a la vez que giras sobre el pie derecho.

Consejos de estilo

Comienza a mejorar la imagen y el carácter de tu Tango mejorando el estilo. Cuando bailes caminando hacia adelante o hacia atrás, o dando un paso lateral en una cuenta de música «lento», el estilo mejorará si el cuerpo permanece quieto mientras el pie se coloca en su posición. Cuando se ha hecho esto, los pies deben permanecer quietos mientras el cuerpo se mueve de un pie al otro. Esto otorga a los movimientos del Tango su cualidad felina característica y fuerza interior.

En las cuentas «lento», las almohadillas del pie normalmente tocan el suelo primero, lo que a veces llaman «bailar sobre cristales rotos». El resultado de todo esto es que el baile aparece con un orden y un propósito.

Como regla general, cuando los pies se juntan firmemente, las piernas se ponen rectas en el paso precedente, y así quedan durante el cierre o la cruzada firme de pies. Un buen ejemplo de esto ocurre en los pasos 2 y 3 de la Salida y pasos 2 y 3 de la Resolución.

Los movimientos del hombre

Mientras la mujer hace el Ocho, el hombre se coloca en posición con los pies juntos, relajando un poco las rodillas y en espera de que la mujer complete el movimiento. Alternativamente, puede unirse al movimiento y transformar la figura en el Doble Ocho.

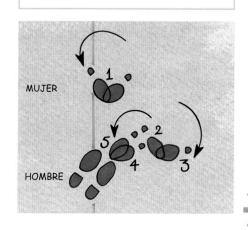

CUENTA - LENTO

Mujer Con las rodillas juntas todavía, pon delante la punta del pie izquierdo, entre vosotros.

CUENTA - Y

Mujer Transfiere el peso adelante y colócate sobre el pie izquierdo con las piernas todavía juntas. Levanta un poco el pie derecho y gira sobre el izquierdo hasta estar frente al hombre.

El Doble Ocho

En esta figura los pasos de la mujer son los mismos.
Cuando el hombre percibe que la mujer gira al comienzo
del Ocho, se une a ella.

Sugerencia musical

Delusión, de Orchestra Tango Café (Sounds Sensational), es un Tango excelente con un pulso musical claro y un tempo constante, ideal para el bailarín principiante.

CUENTA - Y

Hombre Con los pies todavía juntos, gira sobre el pie derecho para mantener los hombros paralelos a los de la mujer.

CUENTA - LENTO

Hombre Echa la punta del pie izquierdo hacia atrás y colócala a la misma altura que el pie y la pierna derechos de la mujer.

CUENTA - Y

Hombre Traspasa el peso corporal sobre el pie izquierdo de nuevo y pon recta la pierna para prepararla para el cierre.

CUENTA - LENTO

Hombre Junta el pie derecho con el izquierdo con las piernas rectas.

CUENTA - Y

Hombre Mantén la posición mientras llevas a la mujer frente a ti.

Concluye el Grupo Dos con la Resolución. Ahora prueba a bailar el Grupo Uno y el Dos de forma alterna. Si lo bailas correctamente, estarás bailando haciendo un cuadrado.

Llevar

Se han dicho muchas cosas absurdas acerca del «llevar». Al contrario de la imagen popular, llevar no es que el hombre haga que la mujer baile una figura o movimiento particular, sino que, más bien, una buena llevada del hombre meramente deja claro a la mujer sus intenciones, la cual le sigue desde ese momento. El bailarín de Tango Juan Carlos Copes dijo una vez sobre el llevar: «El hombre siempre debería recordar que está bailando con una señorita». Es un buen consejo.

MANTENER LOS HOMBROS PARALELOS

El ingrediente principal de una buena llevada para el hombre es realizar los movimientos claramente y con confianza. La claridad del hombre es lo más importante ya que permite que la mujer detecte la velocidad, la dirección y el carácter de una figura lo suficientemente pronto para poder responder apropiadamente. La mujer sabrá generalmente adónde y cómo se está moviendo el hombre siguiendo la línea de sus hombros y tratando de mantener una posición paralela entre sus hombros y los de él. Prueba a bailar los Grupos Uno, Dos y Tres sin agarrarte a tu pareja, usando únicamente como guía el mantenimiento de los hombros en paralelo.

UNA ESTRUCTURA FIRME

Los brazos y torso del hombre conforman una estructura firme en la cual se sujeta la mujer suavemente. El hombre no debe permitir que los brazos se muevan independientemente de su tronco ya que esto destruiría la estructura. Nunca debe ser visto conduciendo a la mujer con los brazos. Las llevadas son una comunicación sutil pero clara entre los bailarines y no debe ser percibida por los demás.

La mujer nunca anticipará las intenciones del hombre, sino que ha de esperar para aceptar y seguir la conducción de su pareja. En algunas figuras específicas, el hombre apretará firmemente a la mujer entre sus brazos para realizar, por ejemplo, un giro, como sucede en la Parada. Llevadas como estas se tratan en las secciones de figuras que hacen uso de ellas. Al mismo tiempo que exploramos el Tango argentino, siempre hay algo nuevo e inesperado. De manera única en el Tango, algunas llevadas se pueden hacer con el pie o la pierna; estas se llaman Sacadas.

La mujer, para guiarse, sigue la línea de los hombros del hombre.

El tronco y los brazos del hombre son el «marco» con el que llevar a la mujer.

Orientación

Es importante, especialmente en las primeras lecciones de Tango, que sigas las orientaciones o alineamiento de las figuras, ya que las distorsiones se ven y quedan poco elegantes. En el paso 2 del Retroceso, el hombre da un paso lateral sin giro. La posición de su pie izquierdo determina en ese punto la línea del recorrido de lo que queda del grupo.

Grupo Tres

El Retroceso - Salida Modificada -
El Ocho Abierto - La Resolución

Habiendo practicado un poco el Ocho, puedes probar una versión más expresiva: el Ocho Abierto. Comienza este grupo con el Retroceso y luego baila una Salida Modificada. Presta atención al cambio de tiempo que se produce al modificarse la Salida.

Salida Modificada

1

CUENTA - RÁPIDO

Hombre Da un paso adelante con el pie derecho entre vosotros.

Mujer Da un paso atrás con el pie izquierdo.

2

CUENTA - RÁPIDO

Hombre Da un paso adelante con el pie izquierdo, pero gira el cuerpo una octava de vuelta hacia la derecha.

Mujer Da un paso atrás con el pie derecho manteniendo los hombros paralelos a los del hombre.

3

CUENTA - LENTO

Hombre Mantén la posición con el pie derecho atrás. Flexiona la rodilla izquierda y gira hacia ese mismo lado con el pie izquierdo, manteniendo los hombros paralelos a los de la mujer. No extiendas ningún brazo, pues la mujer va a bailar el Ocho.

Mujer Camina adelante con el pie izquierdo, cruzando el pie derecho hasta la línea del hombre.

El Ocho Abierto

1

CUENTA - Y

Hombre Mantén la posición. Gira sobre el pie izquierdo para alinear los hombros.

2 ▶

CUENTA - LENTO

Hombre Mantén la posición. Gira sobre el pie izquierdo para alinear los hombros.

3

CUENTA - Y

Hombre Mantén la posición. Pon la pierna izquierda recta.

5

CUENTA - Y

Hombre Mantén la posición y guía a la mujer hasta que esté frente a ti.

4

CUENTA - LENTO

Hombre Junta el pie derecho con el izquierdo con las piernas rectas.

1-5

CUENTAS - Y, LENTO, Y, LENTO, Y

Mujer Baila un Ocho enfrente del hombre.

Concluye el Grupo Tres con la Resolución. Para clarificar exactamente cuándo junta los pies el hombre, sirve de ayuda contar sus pasos, comenzando al principio. El Grupo Tres cuenta con diez pasos y el hombre junta los pies en el paso 7.

Estilos de Tango

Si bien se suele decir que hay tantos estilos de Tango como bares en Buenos Aires, en realidad solamente hay tres estilos predominantes.

Tango de salón

En este estilo los movimientos se hacen a lo largo de una línea, como los del Grupo Uno, Dos y Tres. También se puede bailar, si no se hace la Resolución, para pasar por una pista mediana o grande como un salón de baile. Este Tango de salón tiene un estilo un poco más formal que el Tango orillero.

Tango fantasía

Quizás el estilo más visto por el público es el Tango fantasía, que es la versión de Tango impactante que se ve en las series de Broadway y producciones de Tango del West End. Esta es una variante estilizada para escenario, y son los otros dos estilos los más comunes en Buenos Aires y las salas tangueras, sus escuelas, salones y milongas de todo el mundo. Aquellos vienen bajo el gran título «Tango de salón» y es este estilo en el que se encuentra la magia del Tango.

Tango orillero

Este es el estilo más adecuado para pistas pequeñas, como las de las cafeterías y bares. En este tipo de Tango el hombre y la mujer entrelazan figuras complicadas del uno al otro sin apenas ocupar espacio. Definitivamente, este estilo es el más íntimo.

Grupo Cuatro

El Retroceso con la Ronda - La Revolución - El Doble Ocho - La Resolución - Los Tres Ochos

La siguiente figura que se introduce es la Revolución, que requiere muy poco espacio y consiste en que el hombre y la mujer se mueven alrededor de sí como si se exploraran íntimamente. Como anteriormente, este grupo también incluye algunos movimientos con los que ya estás familiarizado. Este movimiento es típico del estilo orillero.

El Retroceso con la Ronda

1

CUENTA - LENTO

Hombre Da un paso atrás con el pie derecho y la rodilla flexionada, dejando el pie izquierdo en su lugar.

1-2

CUENTA - LENTO, LENTO

Mujer Baila el Retroceso como habitualmente.

2

CUENTA - LENTO

Hombre Haz un círculo con el pie izquierdo en el sentido contrario de las agujas del reloj hasta juntarlo con el pie derecho, pero sin hacer transferencia de peso sobre el pie izquierdo. Como este paso es parte de un movimiento continuo, las rodillas permanecen flexionadas.

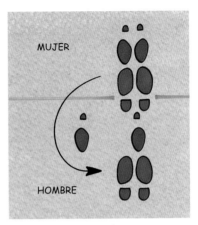

La Revolución

1

CUENTA - LENTO

Hombre Extiende el pie izquierdo hacia adelante pasando por el lado izquierdo de la mujer y apunta hacia a su talón.

Mujer Extiende el pie izquierdo hacia adelante pasando por el lado izquierdo del hombre y apunta a su talón.

2

CUENTA - LENTO

Hombre Transfiere el peso hacia adelante, sobre el pie izquierdo, y gira hasta estar frente a la mujer. Junta el pie derecho con el izquierdo, con las piernas rectas. Finaliza apoyándote sobre el pie derecho.

Mujer Lleva tu peso adelante sobre el pie izquierdo, girando la cara hacia la del hombre y acercando el pie derecho al izquierdo, con las piernas rectas. Finaliza con el peso sobre el pie izquierdo.

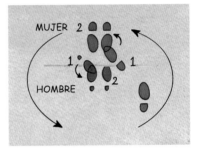

Resumen de las vueltas

El Retroceso con la Ronda – sin giro.
La Revolución – medio giro (o 180°) en sentido contrario a las agujas del reloj.
El Doble Ocho – un cuarto de giro (o 90°) en sentido contrario a las agujas del reloj.
La Resolución – un cuarto de giro (o 90°) en sentido contrario a las agujas del reloj.

Consejo de estilo

No es necesario, ni siquiera de buen estilo, potenciar el giro del paso 2.

Sigue girando un cuarto más en el sentido contrario a las agujas del reloj y completa el grupo bailando el Doble Ocho y la Resolución como se han descrito anteriormente, o bien los Tres Ochos.

Los Tres Ochos

Esta figura comprende tres Doble Ochos. Para realizarla baila el Retroceso con la Ronda y la Revolución.

1

CUENTA – Y

Hombre Continúa dando otro cuarto de vuelta (o 90°) en el sentido contrario a las agujas del reloj, girando hacia la izquierda con el pie derecho.

2 ▼

CUENTA – LENTO

Hombre Con los hombros paralelos a los de la mujer, echa el pie izquierdo para atrás con la punta hacia el suelo, apoyando el peso sobre el pie derecho.

3 ▶

CUENTA – Y

Hombre Transfiere el peso al pie izquierdo.

Los movimientos de la mujer

Baila tres Doble Ochos de manera normal pero girando un poco más con el pie izquierdo para mantener la misma posición que el hombre. Para terminar enfrente de él al final de cada Ocho, haz los pasos al frente un poco más cortos con el pie derecho, y un poco más largos con el pie izquierdo.

4

CUENTA – LENTO

Hombre Junta el pie derecho con el izquierdo. Pon las piernas rectas y termina apoyado sobre el pie derecho.

5

CUENTA – Y

Hombre Mantén la posición y guía a la mujer para que quede frente a ti. Repite los movimientos 1-4 dos veces más, girando muy suavemente hacia la izquierda. El hombre no debe dar más de medio giro en esta figura.

Completa esta variante del Grupo Cuatro con la Resolución.

Cortes

Ya hemos tocado el tema del carácter del Tango cuando los bailarines exploran su relación a través del baile. Cada uno de ellos, en su turno, puede llevar e improvisar muchos pasos, aunque estas improvisaciones deben de mantener el carácter del Tango. En su transcurso puede surgir algún conflicto de intención y, en tales circunstancias, el baile puede detenerse hasta que se resuelva el conflicto. Esta parada, que no es una figura en sí misma, se llama corte. Para el que está mirando, el corte sirve para aumentar el suspense antes de que la interpretación continúe. Pero en realidad, el hombre ahora debe indicar y clarificar a la mujer sus intenciones, y viceversa. Existen muchas maneras de hacer esto sin perder el carácter del baile y muchos recursos se han inventado a lo largo de los años.

◢ La Lustrada

Supongamos que la pareja ha bailado el Retroceso cuando de repente el hombre siente que la mujer tiene dudas sobre qué pie debe emplear en el siguiente movimiento. La pareja se detiene en un corte. Ahora el hombre indica a la mujer qué pie tiene libre para, con ello, mostrarle qué pie debe usar ella. En la Lustrada, el hombre permanece sobre el pie izquierdo con la rodilla levemente flexionada y arrastra el pie derecho despacio arriba y abajo por la pantorrilla de su pierna izquierda, como si estuviera dándole brillo al zapato. No hay una duración concreta para este gesto, sino que basta con decir que la pareja retoma el baile al mismo tiempo que la música.

◣ La Puntada del Pie

En un mismo gesto que la Lustrada, el pie libre golpea el suelo repetidamente. La Puntada también la puede hacer la mujer cuando el hombre hace la Lustrada para mostrar su irritación por la espera.

Sugerencia musical

El amanecer, de Carlos di Sarli (MH/Sicamericana Corp.). La leyenda cuenta que el compositor Roberto Firpo se inspiró para escribir este Tango mágico mientras iba de camino a casa tras su actuación en una fiesta que había durado toda la noche. Escucha los violines cuando recrean el coro del amanecer.

El Ocho (después del Sándwich)

1
CUENTA - LENTO

Hombre Mueve el lado izquierdo del cuerpo hacia adelante, sobre el pie izquierdo.

Mujer Da un paso al frente con el pie derecho pasando la altura del pie izquierdo del hombre y sin realizar ningún giro.

2
CUENTA - Y

Hombre Gira un poco hacia la derecha con el pie izquierdo para mantener contacto con la mujer y llevarla en su vuelta. Mantén la pierna izquierda recta.

Mujer Gira a la derecha con el pie derecho haciendo un Ocho.

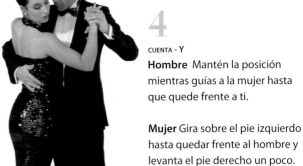

3
CUENTA - LENTO

Hombre Cierra el pie derecho con el izquierdo. Acaba con el peso sobre el pie derecho.

Mujer Apunta el pie izquierdo adelante en una posición frente al hombre con las piernas juntas. Pon el peso sobre el pie izquierdo.

4
CUENTA - Y

Hombre Mantén la posición mientras guías a la mujer hasta que quede frente a ti.

Mujer Gira sobre el pie izquierdo hasta quedar frente al hombre y levanta el pie derecho un poco.

> *Completa el Grupo Cinco con la Resolución.*

La Llevada

El Tango está repleto de firuletes muy emocionantes que son divertidos de bailar e impresionantes de ver; algunos parecen muy difíciles pero en realidad, cuando sabes cómo se hacen, son bastante fáciles. Un firulete de la Parada es la Llevada, el cual también se conoce como Barrida o Corrida del Pie. En el siguiente ejemplo, la Llevada se baila entre la Parada y el Sándwich.

1
CUENTA - Y

Hombre Transfiere el peso al pie derecho posicionándote frente a la mujer. Golpea suavemente el interior del pie izquierdo de la mujer con el interior del tuyo.

Mujer Mantén la posición de la Parada.

Consejo para el hombre
Tras completar la Parada te habrás quedado sobre el pie izquierdo y habrás tocado con el derecho el pie izquierdo de la mujer. El paso 3 de la Llevada resulta más cómodo si flexionas la rodilla derecha y levantas el talón del suelo a la vez que mueves el pie de la mujer. Si el pie que sirve de apoyo se interpone en el paso de la mujer, no retrocedas, da un paso más amplio para crear el suficiente espacio.

Consejo para la mujer
Es importante que muestres resistencia cuando el pie del hombre arrastre el tuyo. El efecto de muchas Llevadas se ha arruinado por culpa de la anticipación de la mujer.

2

CUENTA - LENTO

Hombre Todavía frente a la mujer, da un paso lateral con el pie izquierdo alrededor de ella. Es importante dar el paso rodeando vuestro círculo.

Mujer Mantén la posición de la Parada.

3

CUENTA - LENTO

Hombre Sobre el pie izquierdo con la rodilla flexionada, utiliza el pie derecho para arrastrar el izquierdo de la mujer alrededor de vuestro círculo. Finaliza con las rodillas juntas y el pie derecho cruzado y apuntando adelante, como en el final de la Parada.

Mujer Ofrece un poco de resistencia a mantener contacto y deja que el hombre mueva tu pie izquierdo mientras giras sobre el derecho.

La figura se puede repetir hasta tres veces antes de continuar con el Sándwich.

Cadencia

Es cierto que el tiempo de los movimientos en el Tango argentino se puede alterar según la preferencia de los bailarines, el carácter y las demandas de la música. En esta sección los tiempos que se dan son aquellos que, por experiencia, parecen ser los más adecuados en todo tipo de circunstancias, y muy pocas veces existe una buena razón para alterarlos. Los tiempos y descripciones que se ofrecen permiten a los principiantes saber qué y cómo hacerlo para experimentar el éxito, la satisfacción y el placer al bailarlo.

No obstante, hay que decir que mejora el estilo si se comienzan y terminan los movimientos con el fraseo musical, la cadencia. Un tanguero con experiencia llega a conseguirlo empleando hábiles combinaciones de figuras, cortes y adornos. Mientras los grupos Uno, Dos y Tres corresponden a cuatro barras de música y, por ello, encajan con el fraseado si se comienza al principio de este, el Grupo de la Parada dura cinco barras. Para realizar cadencia, un bailarín seguirá el Grupo de la Parada con el Retroceso, la Salida y la Resolución, que dura tres barras musicales. Las cinco barras del grupo de la Parada y las tres de la combinación Retroceso-Salida-Resolución serán igual a ocho barras y coincidirán con el fraseo musical o cadencia.

Grupo Seis

El Retroceso - La Sentada - El Ocho - La Resolución

La Sentada es otra figura popular y clásica del Tango argentino. La mujer se posiciona en el lado izquierdo del hombre sugiriendo que está sentada en su rodilla, de ahí el nombre de «sentada». Comienza con el ya familiar Retroceso; pero el hombre, para llevar la Sentada da un paso un poco más amplio y mueve el pie izquierdo un poco hacia adelante en el paso 3. La rodilla izquierda se flexiona mientras la pierna izquierda permanece recta.

La Sentada

La llevada en la Sentada es diferente a la de la Parada. En esta, la pareja queda de cara en el paso 3 y el hombre aprieta a la mujer con sus manos. En la Sentada, el hombre rota su marco, provocando que la mujer gire.

1
CUENTA - LENTO

Hombre Mantén los pies en posición. Lleva a la mujer al giro rotando el cuadro corporal en el sentido contrario a las agujas del reloj.

Mujer Sobre el pie derecho, gira un cuarto (o 90°) hacia la izquierda. Da un paso atrás dentro del límite del cuerpo con la pierna izquierda y relaja la rodilla.

2
CUENTA - Y

Hombre Mantén la posición.

Mujer Continúa girando un poco sobre el pie izquierdo y relaja la rodilla para hacer contacto con la rodilla izquierda del hombre como si te fueras a sentar, pero sin apoyar el peso. Levanta el pie derecho hasta hacer contacto con el lado de la rodilla izquierda, y con los dedos de los pies apuntando al suelo.

3
CUENTA - LENTO

Hombre Mantén la posición. Conduce a la mujer al giro rotando el marco corporal en el sentido de las agujas del reloj.

Mujer Baja el pie derecho al suelo y da un paso pequeño adelante.

Sugerencia musical

A media luz, *de Olivia Molina (Indoamérica). Este Tango suave, pero apasionado, se recoge perfectamente en esta excelente versión vocal. Si prefieres una versión instrumental, prueba Gran Orquesta Típica (Orfeón).*

4
CUENTA - Y

Hombre Manteniendo los pies en su lugar, estira la pierna izquierda.

4-6
CUENTAS - Y, LENTO, Y

Mujer Continúa haciendo un Ocho y finaliza sobre el pie izquierdo y enfrente del hombre.

5
CUENTA - LENTO

Hombre Con las piernas rectas, cierra el pie derecho con el izquierdo. Finaliza sobre el pie derecho.

6
CUENTA - Y

Hombre Mantén la posición mientras guías a la mujer para que se coloque enfrente de ti.

Continúa con la Resolución o el Doble Ocho o Tres Ochos como se bailan siguiendo la Revolución en el Grupo Cuatro.

Merengue

El Merengue se ha establecido como uno de los bailes latinoamericanos más populares. Proviene de la República Dominicana, en el Caribe, la cual se ha convertido en los últimos años en uno de los destinos vacacionales preferidos; el carácter del Merengue refleja precisamente ese ambiente vacacional. Como su ritmo y los pasos no pueden ser más sencillos, su demanda en las salas y escuelas de bailes latinos crece continuamente. Su música es viva y popular, incluso entre la gente que no lo baila. Uno de los artistas responsables del mejor Merengue es Juan Luis Guerra y su banda 4.40. El éxito musical *La bilirrubina* y *El costo de la vida* se han convertido rápidamente en clásicos del Merengue.

El ritmo es un uno-dos marcado, que se interpreta en dos pasos con el característico «bombeo» del Merengue. No hay variaciones de este ritmo simple, así que los pasos son muy fáciles; una ventaja cuyo resultado ha sido que la gente se levante y baile Merengue sin haber asistido a ninguna clase. Si puedes andar, puedes bailar Merengue. No se progresa alrededor de la pista sino que más bien se permanece en el mismo punto, siendo el hombre el que conduce a su pareja a bailar una variedad de movimientos suaves, normalmente de ocho pasos, que hacen una rotación lenta. Los bailarines con más experiencia pueden salpimentar su Merengue bailándolo en cuatro pasos,

que es como se une el movimiento con la música fabulosa que aporta el disfrute del Merengue.

MOVIMIENTO DEL MERENGUE

Casi todos los pasos emplean el característico movimiento del Merengue; en el primer paso, el pie se posiciona con presión sobre el suelo por el lado interior de las almohadillas del pie, pero sin apoyar el peso corporal sobre el pie. En el segundo paso, el peso corporal se deposita en el pie y se levanta el talón del otro, haciendo que la rodilla de esta pierna se mueva enfrente de la rodilla de la pierna que mantiene el peso. Este movimiento de «bombeo» no se debe exagerar. Los pasos del Merengue normalmente se bailan con los pies un poco separados.

Sus pasos básicos son sencillos.

Merengue básico

El ritmo básico del Merengue, uno-dos, hace que los pasos sean muy sencillos, ya que más o menos marcan el tiempo. Verás cómo bailas el contagioso ritmo del Merengue en un momento. Empezad con agarre pegado, el hombre posicionándose sobre el pie derecho y la mujer sobre el izquierdo.

1

CUENTA - LENTO

Hombre Da un paso en el sitio con el pie izquierdo.

Mujer Da un paso en el sitio con el pie derecho.

2

CUENTA - LENTO

Hombre Da un paso en el sitio con el pie derecho.

Mujer Da un paso en el sitio con el pie izquierdo.

3-8

Hombre y mujer
Repetid los pasos 1-2 hasta ocho veces.

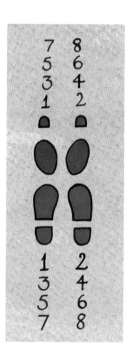

Consejo de estilo
Cuando bailes Merengue, la imagen y el sentimiento de tus movimientos mejorarán si mantienes el tronco tan quieto como puedas y pones la atención en las piernas, lo que tendrá como resultado un movimiento de caderas seductor.

El movimiento básico se puede repetir e intercambiar entre ambas direcciones a lo largo de las ocho cuentas.

Pasos laterales del Merengue

Puedes bailar los pasos laterales del Merengue con agarre pegado o con doble agarre de manos. En esta figura el movimiento se dirige primero a la izquierda del hombre y después a su derecha. Para comenzar, el hombre se apoya en su pie derecho y la mujer, en el izquierdo. Haz uso del movimiento del Merengue para proporcionar más estilo a estos simples pasos.

1

CUENTA - LENTO

Hombre Da un paso corto lateral con el pie izquierdo.

Mujer Da un paso corto lateral con el pie derecho.

2

CUENTA - LENTO

Hombre Junta el pie derecho con el izquierdo.

Mujer Junta el pie izquierdo con el derecho.

3-4

CUENTAS - LENTO, LENTO

Hombre y mujer Repite los pasos 1-2.

5-8

CUENTAS -LENTO, LENTO, LENTO, LENTO

Hombre Da un paso en el sitio con el pie izquierdo y muévete lateralmente dando un paso corto con el pie derecho. Junta el pie izquierdo con el derecho y muévete lateralmente dando un paso corto con el pie derecho.

Mujer Da un paso en el sitio con el pie derecho y muévete lateralmente dando un paso corto con el pie izquierdo. Junta el pie derecho con el izquierdo y muévete lateralmente dando un paso corto con el pie izquierdo.

La Caída

La Caída no es que sea una figura, sino más bien un adorno del Merengue básico.

Izquierda: Para realizar este divertido movimiento debes flexionar las rodillas y agacharte hasta quedar casi sentado, y regresar a la altura normal mientras bailas el Merengue básico. Durante la Caída la pareja puede intercambiar el paso básico.

Derecha: Cuando la fiesta está en su apogeo, un bailarín puede, contoneándose, hacer la Caída echándose hacia atrás como un bailarín de Limbo.

LA SEPARACIÓN Y EL AGARRE DE MANOS DOBLE

Para llegar a este agarre, el hombre separa a la mujer con la mano derecha, resbalándola por el brazo izquierdo de ella hasta acabar en un agarre de manos doble. Durante la «separación» se sigue bailando el Merengue básico yendo gradualmente hacia atrás, separándose el uno del otro mientras se cambia al agarre de manos. La separación debe durar las ocho cuentas usuales.

La Vuelta Idéntica

En este movimiento típico de Merengue, el hombre lleva a la mujer en una vuelta por debajo de las manos agarradas, y luego el hombre copia a la mujer. Comienza con un doble amarre de manos. Como siempre, el hombre está apoyado sobre el pie derecho y la mujer sobre el izquierdo. Sigue bailando los pasos básicos mientras giras. En los pasos 1-8 el hombre permanece de cara al mismo lado mientras la mujer gira; y en los pasos 9-16 la mujer permanece de cara al mismo lado mientras el hombre gira.

Turnos de llevadas

Date cuenta de que la llevada en el giro se mueve inicialmente en la dirección opuesta de este, lo que sugiere que es el hombre el que lleva a la mujer en un momentáneo giro entre sus brazos que la empuja a dar la vuelta. Habiendo comprendido esta idea, no es necesario empujar forzosamente los brazos o tirar de la mujer en ningún sentido.

1-2

Hombre Junta las manos y muévelas abajo y arriba hacia la izquierda para indicar a la mujer que va a dar la vuelta.

Mujer El hombre unirá tus manos y las moverá a tu derecha. Esta es la indicación de que te va a dar la vuelta hacia la izquierda.

3-8

Hombre Sigue bailando los pasos básicos frente a la mujer. Haz un círculo con las manos en dirección contraria a las agujas del reloj por encima de la cabeza y llévalas de vuelta a la altura de la cintura en la cuenta 8. Ahora tienes las manos cruzadas.

3-8

Mujer Sigue bailando los pasos básicos enfrente del hombre mientras giras en dirección contraria a las agujas del reloj hasta terminar de nuevo frente al hombre en la cuenta 8.

9-15

Hombre Sigue bailando los pasos básicos. Gira en dirección a las agujas del reloj moviendo las manos unidas, todavía juntas, sobre la cabeza y bajándolas de nuevo a la altura de la cintura.

Mujer Sigue bailando los pasos básicos de Merengue enfrente del hombre y facilítale el giro frente a ti.

16

Hombre Termina enfrente de la mujer.

Mujer Termina con las manos a la altura de la cintura.

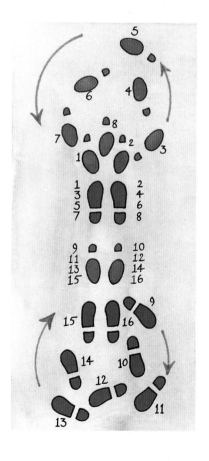

Ahora podéis bailar la Vuelta Idéntica de nuevo o continuar con otro movimiento. Una alternativa popular es finalizarla con la Yunta.

La Yunta

La Yunta es una conclusión suave, seductora y lograda de la Vuelta Idéntica. Para crear el mejor efecto, baila la figura completa de la Vuelta, repite los pasos 1-8, pero deja esta vez las manos agarradas sobre la cabeza de la mujer. Ahora los brazos de ella parecen una yunta, de ahí su nombre a este imponente movimiento.

9-16

Hombre y mujer En esta cuenta de ocho el hombre coge la mano derecha de la mujer y...

1-8

Hombre y Mujer El hombre suelta su mano derecha y, usando únicamente la izquierda, mueve las manos de la mujer –que todavía están juntas– sobre su cabeza y las coloca en su nuca; acabad agarrados y pegados.

... la pareja termina agarrada gradualmente.

Puedes regresar a tu programa de baile con cualquiera de los movimientos básicos del Merengue; pero uno particularmente bueno para bailar aquí son los pasos 1-3 de la Cucaracha (descrita en la sección de Mambo de este libro) con un movimiento de Caída antes de continuar con los pasos 4-8 del Merengue básico.

Vueltas

El Merengue tiene mucho que ver con el movimiento y los giros, así que veamos algunas vueltas típicas de este baile. Como siempre, el hombre comienza con el pie izquierdo y la mujer con el derecho. Los giros se pueden bailar en cuenta de cuatro o de ocho, dependiendo de cómo encajen con los demás movimientos.

MEDIA VUELTA A LA IZQUIERDA

En la media vuelta a la izquierda el hombre levanta su mano izquierda mientras tiene la derecha a la altura de la cintura. Entonces, lleva a la mujer en su giro moviendo la mano izquierda hacia la derecha. En el paso 8 la mujer ya habrá girado a la izquierda y acabado sobre el brazo derecho del hombre, en el lado derecho de este. Para salir, simplemente realiza el mismo proceso pero al revés en otra cuenta de ocho.

MEDIA VUELTA A LA DERECHA

En la media vuelta a la derecha el hombre levanta la mano derecha mientras tiene la izquierda a la altura de la cintura. Entonces, lleva a la mujer a que gire moviendo la mano derecha hacia la izquierda. En el paso 8 la mujer ya habrá girado a la derecha y acabado sobre el brazo derecho del hombre, en el lado izquierdo de él. Para salir, simplemente realiza el mismo proceso pero al revés en otra cuenta de ocho.

Combinación de vueltas

Media vuelta a la izquierda con vuelta a la derecha con las manos unidas

Hacer la media vuelta a la izquierda en ocho pasos y salir en cuatro pasos, asegurándose de que la mujer está frente al hombre al final del paso 12. La mano izquierda de él está alzada y la derecha, a la altura de la cintura. Ahora el hombre conduce la vuelta a la derecha con las manos unidas en cuatro pasos y finaliza en el paso 16. Salir como de costumbre.

Media vuelta a la derecha con vuelta a la izquierda con las manos unidas

Hacer la media vuelta a la derecha en ocho pasos y salir en cuatro pasos, asegurándose de que la mujer está frente al hombre al final del paso 12. La mano derecha de él está alzada y la izquierda, a la altura de la cintura. Ahora el hombre conduce la vuelta a la izquierda en cuatro pasos con las manos unidas y finaliza en el paso 16. Salir como de costumbre.

VUELTA A LA IZQUIERDA CON LAS MANOS COGIDAS

El hombre levanta la mano derecha mientras mantiene la izquierda a la altura de la cintura y aleja la mano derecha de la mujer. El hombre lleva a la mujer en la vuelta a la izquierda girando la mano derecha. Durante este movimiento el hombre gira un cuarto de vuelta (90°) a la derecha y la mujer hace media vuelta (180°) a la izquierda. Para salir, realizar el proceso contrario.

VUELTA A LA DERECHA CON LAS MANOS COGIDAS

El hombre levanta la mano izquierda mientras mantiene la derecha a la altura de la cintura y aparta de él la mano izquierda de la mujer. El hombre lleva a la mujer en la vuelta a la derecha girando la mano izquierda. Durante este movimiento el hombre gira un cuarto de vuelta (90°) a la izquierda y la mujer hace media vuelta (180°) a la derecha. Para salir, se realiza el proceso contrario.

El Nudo

Este título describe con precisión el rato divertido que puedes pasar mientras intentas hacer y deshacer este movimiento más avanzado. Para bailar el Nudo, comienza con un agarre doble de manos, con el hombre sobre el pie derecho y la mujer sobre el izquierdo.

1-8

Hombre y mujer
Realizad el paso de la Vuelta a la derecha con las manos unidas en ocho pasos; pero esta vez el hombre da media vuelta (180°) hacia la derecha sobre el sitio, levantando su mano derecha sobre la cabeza para finalizar espalda con espalda con la mujer.

9-12

Hombre y mujer
Moveros hacia la izquierda para terminar a la derecha del compañero, espalda con espalda todavía.

13-16

Hombre y mujer Dad los pasos 9-12 al revés para moveros a la derecha, espalda con espalda. El hombre levanta el brazo izquierdo sobre la cabeza de ella en el paso 16.

17-20

Hombre y mujer Ahora el hombre lleva a la mujer hacia su espalda y coloca la mano izquierda sobre su cabeza. Él gira gradualmente sobre sí mismo hacia la derecha hasta estar frente a la mujer.

21-28

Hombre y mujer Con la mano izquierda levantada, el hombre lleva a la mujer a una media vuelta a la derecha sobre su eje en cuatro pasos. Luego, el hombre suelta la mano derecha y gira a la mujer sobre su eje bajo su mano izquierda, y finalizan con un doble agarre de manos.

Se pueden bailar los pasos 25-28 sin acabar agarradas las manos, y también se pueden repetir antes de terminar finalmente agarrados de las manos o, si se prefiere, con un agarre pegado.

La Silla Giratoria

La Silla Giratoria introduce un nuevo carácter a tu Merengue y es una excelente figura para disfrutar en pistas de bailes llenas de gente. La mujer hace una serie de giros alrededor del hombre mientras el movimiento que se crea rota a un ritmo constante en el sentido contrario a las agujas del reloj. Comenzad agarrados; el hombre apoyado sobre su pie derecho y la mujer, sobre el izquierdo. No olvidéis el paso de Merengue durante este movimiento.

1

CUENTA - LENTO

Hombre Da un paso en el sitio con el pie izquierdo.

Mujer Da un paso en el sitio con el pie derecho.

2

CUENTA - LENTO

Hombre Muévete lateralmente con el pie derecho y gira un poco a la izquierda para llevar el giro de la mujer a la derecha.

Mujer Sobre el pie derecho, gira hacia la derecha para finalizar en ángulo recto con el hombre, y da un pequeño paso adelante con el pie izquierdo.

Consejo de estilo

Para la mujer, el giro que la deja frente al hombre será un poco más agudo que la vuelta que la aleja de él. Algunas mujeres prefieren bailar el paso dando una patada breve con el pie izquierdo. Pruébalo una vez te sientas cómoda con el movimiento.

3

CUENTA - LENTO

Hombre Junta el pie izquierdo con el derecho y lleva a la mujer frente a ti.

Mujer Pasa el peso del cuerpo sobre el pie izquierdo y gira a la izquierda hasta estar frente al hombre. Coloca el pie derecho un poco más adelante.

4

CUENTA - LENTO

Hombre Da un paso lateral con el pie derecho, y gira un poco a la izquierda para conducir el giro de la mujer a su derecha.

Mujer Gira a la derecha con el pie derecho para finalizar en ángulo recto con el hombre. Da un paso corto adelante con el pie izquierdo.

5-7

CUENTA - LENTO, LENTO, LENTO

Hombre y mujer Repetid los pasos 1-3.

8

CUENTA - LENTO

Hombre Da un paso en el sitio con el pie derecho.

Mujer Transfiere el peso corporal al pie izquierdo y termina enfrente del hombre.

Salsa

Cuando en 1928 Ignacio Piñeiro dijo la frase «¡Échale salsita!» para titular con ella una nueva pieza musical cantada, todavía no conocía el impacto que iba a tener medio siglo después; más tarde, la frase se simplificó a «Salsa». Varios cantantes y músicos añadieron en sus canciones referencias a ella y, a mitad de los sesenta, el locutor de radio venezolano Danili Phidias Escalona empleó esa palabra para titular su programa. Sin embargo, no fue hasta principios de los setenta cuando se acuñó como término genérico para una diversidad de estilos y ritmos de música latina, anteriormente conocidos como «Son» (Guaracha Danzón, Chachachá, Pachanga, Rumba, Mambo, etc.). Esta simple palabra de repente hizo que la música latina fuera más comercial y que aumentara su demanda.

Los países latinos del Caribe –Cuba, Puerto Rico, Haití, República Dominicana– y los de Centro y Sudamérica –México, Venezuela y Colombia– comparten la cultura y el fuerte orgullo latino; sin embargo, la influencia y contribución de la música afrocaribeña a la Salsa es indiscutible. Mientras muchos de los estilos de música nacían en los campos de Cuba, las necesidades económicas en varios puntos de la historia cubana dieron lugar al éxodo rural. Al igual que el Tango argentino, la Salsa y sus predecesores se convirtieron en un reflejo de los barrios bajos de la ciudad; todos se podían identificar con la música y encontrar en ella una expresión personal, un reflejo de su vida o una oportunidad para olvidar las preocupaciones mundanas.

La guerra de Independencia de Cuba contra el mandato colonial español, de 1868 al 1878, destruyó prácticamente la importante industria azucarera y abolió la esclavitud. Habiendo visto la devastación de su base económica, los afrocubanos emigraron del campo a las ciudades para ganarse el pan a duras penas. Con ellos vino la Guajira, música que al principio se consideró vulgar, pero que poco a poco ganó la aceptación y se sumó a la larga historia de la Salsa.

Después vino el Son, nuevo estilo musical afrocaribeño que tendría un efecto profundo en la dirección que tomaría todo el futuro de la música cubana. El Son se las arregló para combinar las tradiciones musicales afrocubanas y latinocubanas creando así un estilo nuevo que satisficiera al pueblo y ganara popularidad durante la Primera Guerra Mundial. Sin embargo, las autoridades no estaban tan contentas con las letras de las canciones, pues trataban de las privaciones del pueblo; alrededor de 1917, el Son fue prohibido. En 1920 la prohibición fue revocada ya que su ritmo había prendido en la clase alta.

El Son continuó prosperando durante las siguientes dos décadas y recibió más ímpetu aún tras la Segunda Guerra Mundial con el advenimiento de la televisión, aunque otras influencias comen-

zaron a pesar sobre su estilo original. Durante los años treinta, el Jazz empezó a distorsionar la pureza de la música tradicional cubana; después de la guerra, las bandas de Jazz la tocaban más a su estilo que al cubano. Pérez Prado, cubano de nacimiento con residencia en México, se las arregló para combinar el sabor de Cuba con la tradición del Jazz.

El Danzón, otro baile cubano, absorbió otras influencias rítmicas, y la música, de la mano de Pérez Prado, evolucionó a lo que hoy se denomina Mambo. En 1948, una nueva pieza musical de Enrique Jorrín llamada *Engañadora* sugirió un nuevo ritmo que enseguida fue aprovechado por los bailarines dando lugar al nacimiento del Chachachá. Cuando finalmente se grabó y distribuyó a principios de los cincuenta, su ritmo contagioso le aseguró una popularidad duradera. En 1959, las tropas revolucionarias de Fidel Castro entraron en La Habana; una era llegaba a su fin y, mientras muchos cantantes, músicos y compositores decidieron quedarse en la isla, otros tantos se marcharon cerrando así un capítulo en Cuba y abriendo otro en Nueva York.

Allí la música cubana se mezcló con las variaciones musicales de Puerto Rico y Jazz americano. Los trombones se unieron a las trompetas, y los instrumentos tradicionales caribeños se conservaron en las secciones rítmicas, otorgando así una nueva dimensión al desarrollo de la Salsa. Entonces, en 1962, con el lanzamiento de *Love me do*, los Beatles lo cambiaron todo; se convirtieron en la nueva sensación, y la música latina decaía. Para el comienzo de los setenta, Fania Records debía promocionar nuevos artistas y repertorio. Para ello, necesitaba un nombre con el cual el producto se pudiese reconocer fácilmente, y de ahí salió la palabra «salsa». Desde entonces, la fuente principal de la Salsa continúa siendo Puerto Rico, con la influencia colombiana que cada día se nota más.

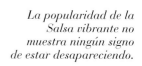

La popularidad de la Salsa vibrante no muestra ningún signo de estar desapareciendo.

La cuenta musical

La Salsa tiene generalmente un ritmo de cuatro compases en una barra musical. Esto se interpreta en el baile con tres pasos y un toque que se corresponde a los cuatro golpes de música. Sin embargo, cuando hayas progresado más allá de los movimientos básicos, el ritmo de los cuatro compases se puede interpretar en el baile con solo tres pasos por barra musical; en este caso, los bailarines harán una cuenta de «rápido, rápido, lento». Un «rápido» es igual a un golpe de música, mientras que un «lento» es igual a dos. Esto suena complicado, especialmente para un principiante; pero si escuchas el ritmo, pronto te acostumbrarás a él y bailar al compás vendrá solo.

A veces verás bailarines de Salsa realizando el primer paso de cada movimiento en el segundo golpe de música, lo que significa que el toque se ha hecho en la primera cuenta. Esto no significa necesariamente que están bailando a destiempo con la música. La Salsa es una síntesis de varias músicas y bailes; en algunas clases de música el segundo golpe está acentuado y hay bailarines a los que les gusta responder a este acento rítmico. Debido a esta diversidad de la Salsa, no es posible definir un golpe musical común en el que el baile deba comenzar y, de todas formas, esto es más un asunto técnico que no concierne al principiante o al que baila en las fiestas para pasárselo en grande; es más importante atrapar el carácter de la música y salir a disfrutarlo sobre la pista de baile.

Izquierda: En la década de 1950, en Nueva York, las trompetas tocaban en las bandas de Salsa junto a instrumentos caribeños tradicionales.

Izquierda y arriba: Los instrumentos de percusión, como los bongos y las maracas, dan ritmo a la Salsa.

Los movimientos

Como los movimientos de Salsa normalmente no los han inventado bailarines profesionales, es raro que tengan nombre propio. Para el propósito de este libro, se han inventado títulos descriptivos para las figuras o se han cogido prestados de otros bailes o estilos. Así que no te sorprendas si en el lugar de Salsa al que vayas no tienen ni idea de qué quieres decir al usar los nombres que se dan aquí; si los conocen, será porque también han leído este libro.

Las descripciones de las figuras no intentan indicar un único estilo, sino que son una base para comprender los movimientos de algún estilo que se haya visto en salas de Salsa.

El estilo de la Salsa se mejora muchísimo practicando el movimiento de la pierna hasta que parezca completamente natural. Lo mismo sucede con movimientos como la Figura de Ocho con doble agarre de manos.

El baile

No está claro cómo evolucionaron los movimientos de Salsa o de dónde proceden exactamente. El baile de la Salsa es idéntico a su forma musical. Es una síntesis de muchos ritmos y bailes similares. De manera inevitable, algunos movimientos provienen de danzas tradicionales, algunos se adaptaron de otros estilos de baile y otros se inventaron. Además, aparecen constantemente movimientos nuevos. El estilo de la danza es afrocaribeño, lo cual otorga una sensación de relax a los movimientos. El ritmo es una repetición de cuatro golpes que los bailarines interpretan cambiando el peso en tres cuentas y, o bien dan un toquecito en el cuarto, o bien incorporan el cuarto en el tercero para hacer una cuenta tercera lenta. Los movimientos en sí mismos son fáciles pero, como siempre sucede en el baile, no es lo que haces, sino cómo lo haces. En Salsa, el tronco debe permanecer quieto y erguido durante el baile, mientras las caderas oscilan rítmicamente como resultado del movimiento de las piernas. Fíjate que la oscilación de la cadera es producto del buen movimiento de las piernas más que una acción en sí misma.

1 Los bailarines dan un paso a la derecha o a la izquierda en la primera cuenta. Los movimientos van a la par.

2 El peso corporal cambia al otro pie...

3 ... y de nuevo al primero.

4 El último paso es un toque.

Agarres

Hay dos tipos de agarres generales en Salsa: uno en el que la pareja está en contacto directo y otro en el que están bailando separados o en una posición abierta.

Agarre con contacto directo

El hombre agarra a la mujer alrededor de la cintura con su brazo derecho, con la mano derecha separada de la espalda. La mujer pone su mano izquierda en la parte alta del brazo del hombre, el hombro, la espalda o el cuello; la mano derecha en la izquierda de él, a la altura de los ojos. Ella se coloca ligeramente a la derecha del hombre, de modo que el pie izquierdo de él se sitúa junto a la parte externa del derecho de ella, y el derecho está entre los pies de su compañera.

Agarre abierto

Este agarre varía. La pareja se posiciona dejando una separación como el largo del brazo. Los brazos de la mujer están algo tensos, para que cuando el hombre la lleve del brazo lo note mejor. Pueden darse las manos, la izquierda con la derecha, la derecha con la izquierda, o agarrarse ambas. En el estilo cubano el hombre agarra las muñecas de la mujer; en el colombiano, se prefiere el doble agarre de manos. Si solo se usa una mano, el brazo que queda libre se debe flexionar y sostener al lado.

Movimiento básico

Toma la posición del agarre con contacto directo. El hombre pone el peso en el pie derecho y la mujer en el izquierdo. Es costumbre que el hombre comience el baile dando un toque con el pie izquierdo en la cuenta número cuatro.

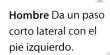

1

Hombre Da un paso corto lateral con el pie izquierdo.

Mujer Da un paso corto lateral con el pie derecho.

2 ▶

Hombre Tuerce el pie derecho hacia el izquierdo, sin juntarlos.

Mujer Tuerce el pie izquierdo hacia el derecho, sin juntarlos.

3

Hombre Da un paso corto lateral con el pie izquierdo.

Mujer Da un paso corto lateral con el pie derecho.

7

Hombre Da un paso corto lateral con el pie izquierdo.

Mujer Da un paso corto lateral con el pie derecho.

5

Hombre Da un paso corto lateral con el pie derecho.

Mujer Da un paso corto lateral con el pie izquierdo.

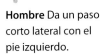

6

Hombre Tuerce el pie izquierdo hacia el derecho, sin juntarlos.

Mujer Tuerce el pie derecho hacia el izquierdo, sin juntarlos.

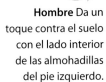

8 ▶

Hombre Da un toque contra el suelo con el lado interior de las almohadillas del pie izquierdo.

Mujer Da un toque contra el suelo con el lado interior de las almohadillas del pie derecho.

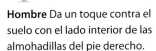

4

Hombre Da un toque contra el suelo con el lado interior de las almohadillas del pie derecho.

Mujer Da un toque contra el suelo con el lado interior de las almohadillas del pie izquierdo.

Sugerencia musical

Yamulemao, de Joe Arroyo (World Circuit), es una canción de Salsa popular con un tempo tranquilo, ideal para practicar los movimientos básicos.

Entender el carácter de la salsa

El carácter de la salsa se transmite en el primer movimiento, en el que se combina el mantenimiento del tronco perfectamente quieto y la concentración de la energía en la cintura y las piernas. Este movimiento es muy importante porque es el que produce el característico balanceo de caderas de la Salsa. Por su parte, el movimiento de caderas es un producto de la acción correcta de las extremidades inferiores y no un movimiento independiente.

El movimiento de las piernas

Veamos el movimiento imprescindible de piernas en los pasos 1-4 del movimiento básico del hombre, que es el mismo que los pasos 5-8 de la mujer. El mismo movimiento se repite en los pasos restantes, los cuales se dirigen a la dirección contraria.

1 ▶

Da un paso lateral corto con el pie izquierdo. No levantes mucho el pie, sino que lo debes arrastrar un poco. Flexiona la rodilla izquierda de manera que solo el lado interior de las almohadillas del pie esté en contacto con el suelo. Mantén la rodilla derecha bastante recta, pero no rígida. Imagina que estás bajando el peso corporal, pero que encuentras cierta resistencia y tienes que empujar el pie hacia abajo. Al tiempo que transfieres el peso al pie izquierdo, la rodilla izquierda se pone más recta, y la derecha se flexiona ligeramente.

2

Tuerce el pie derecho hacia el izquierdo. La rodilla derecha ya está flexionada. Mantenla así y mueve el pie derecho más a tu izquierda, sin cerrar el paso. Deja que el lado interior de las almohadillas del pie se apoye en el suelo. Imagina cierta resistencia mientras el pie derecho empuja hacia abajo. Al tiempo que transfieres el peso al pie izquierdo, la rodilla izquierda se pone más recta y la derecha se flexiona ligeramente.

3

Repite el paso 1.

4

Da un toque en el suelo con el borde interior de las almohadillas del pie derecho. La rodilla derecha está flexionada.

Eliminar el toque

En varios movimientos, particularmente cuando el peso corporal va adelante y atrás, se aconseja eliminar el toque. Cuando esto sucede, el tercer paso de la barra de música se convierte en cuenta «lento». No obstante, para mantener el movimiento de Salsa, el pie se posiciona en la tercera cuenta, pero el traspaso del peso al pie se retrasa hasta la cuarta cuenta. Esto ilustra la importancia del toque en la cuenta 4 más que en la cuenta 1, como a veces se propone. La cuenta 4 se añade a la 3 para convertirse en un «lento». Si el toque sucediese en la cuenta 1, y esta se juntase con la 4 para ser un «lento», entonces se saldría de la barra musical y el bailarín estaría «fuera de ritmo».

Consejo de estilo

En general, la regla consiste en que cuando el peso corporal se deposita sobre el pie durante el movimiento básico, la misma rodilla se pone un poco recta y la otra se flexiona. Cuando se transfiere el peso al pie, no se le deja caer. Esto se controla con la rodilla y el tobillo que producen algo parecido a un «bombeo» de piernas. Resulta vital para la Salsa realizar un buen movimiento básico, pero al principio puede parecer un poco complicado. La práctica no solo hace la perfección, sino también lo hace posible; así que practica hasta que salga de manera natural. Puedes bailar Salsa con o sin pareja, pero asegúrate de mantener el tronco quieto. Cuando practiques solo, pon los brazos y las manos a la altura de la cintura.

Movimiento básico hacia atrás

Este movimiento se usa para dar inicio a otras figuras. Al final del último movimiento, el hombre ha dado un toque con el pie izquierdo y la mujer con el derecho. Él está apoyado sobre el pie derecho y la mujer sobre el izquierdo. Para comenzar este movimiento, el hombre empuja suavemente a la mujer y quedan en la posición abierta o separados.

1

Hombre Echa el pie izquierdo hacia atrás y no desplaces el derecho, solo levanta el talón y flexiona la rodilla derecha. La pierna izquierda se pone recta cuando el peso corporal se deposita sobre ella.

Mujer Echa el pie derecho hacia atrás y no desplaces el izquierdo, solo levanta el talón y flexiona la rodilla izquierda. La pierna derecha se pone recta cuando el peso corporal se deposita sobre ella.

2

Hombre Transfiere el peso corporal hacia adelante, sobre el pie izquierdo, y ejerce presión sobre él. La pierna se pone recta cuando el peso se deposita sobre el pie.

Mujer Transfiere el peso corporal hacia adelante, sobre el pie derecho, y ejerce presión sobre él. La pierna se pone recta cuando el peso se deposita sobre el pie.

3

Hombre Junta el pie izquierdo con el derecho con el movimiento de Salsa.

Mujer Junta el pie derecho con el izquierdo con el movimiento de Salsa.

4

Hombre Da un toque al lado del pie izquierdo con el lado interior de las almohadillas del pie derecho.

Mujer Da un toque al lado del pie derecho con el lado interior de las almohadillas del pie izquierdo.

5

Hombre Echa el pie derecho para atrás y deja el izquierdo en su sitio con el talón levantado y la rodilla flexionada. Pon la rodilla derecha recta cuando transfieras el peso.

Mujer Echa el pie izquierdo para atrás y deja el derecho en su sitio con el talón levantado y la rodilla flexionada. Pon la rodilla izquierda recta cuando transfieras el peso.

6

Hombre Transfiere el peso corporal hacia adelante, sobre el pie izquierdo, y ejerce presión sobre él. Pon la pierna recta cuando el peso se deposite sobre el pie.

Mujer Transfiere el peso corporal hacia adelante, sobre el pie derecho, y ejerce presión sobre él. Pon la pierna recta cuando el peso se deposite sobre el pie.

7

Hombre Junta el pie derecho con el izquierdo con el movimiento de Salsa.

Mujer Junta el pie izquierdo con el derecho con el movimiento de Salsa.

8

Hombre Da un toque al lado del pie izquierdo con el lado interior de las almohadillas del pie derecho.

Mujer Da un toque al lado del pie derecho con el lado interior de las almohadillas del pie izquierdo.

Movimiento básico adelante y atrás

Este movimiento se puede bailar agarrados con contacto directo o con posición abierta. Si se opta por un doble agarre de manos, el hombre puede atraer a la mujer soltando la mano derecha de ella y acercándola en el último movimiento de la figura anterior. Él se coloca sobre su pie derecho y ella sobre el izquierdo.

1

Hombre Da un paso adelante con el pie izquierdo y no muevas el derecho.

Mujer Da un paso atrás con el pie derecho y no muevas el izquierdo.

2

Hombre Pon el peso corporal sobre el pie derecho otra vez y no muevas el izquierdo.

Mujer Pon el peso adelante sobre el pie izquierdo y no muevas el derecho.

3

Hombre Da un paso hacia atrás con el pie izquierdo y ponlo a la altura del derecho (no hay necesidad de juntarlos).

Mujer Da un paso hacia adelante con el pie izquierdo y ponlo a la altura del derecho (no hay necesidad de juntarlos).

4

Hombre Da un toque al lado del pie izquierdo con el lado interior de las almohadillas del pie derecho.

Mujer Da un toque al lado del pie derecho con el lado interior de las almohadillas del pie izquierdo.

5

Hombre Da un paso atrás con el pie derecho y no muevas el izquierdo.

Mujer Da un paso atrás con el pie izquierdo y no muevas el derecho.

6

Hombre Pon el peso adelante sobre el pie izquierdo y no muevas el derecho.

Mujer Pon el peso corporal sobre el pie derecho y no muevas el izquierdo.

7

Hombre Da un paso hacia adelante con el pie izquierdo y ponlo a la altura del derecho (no hay necesidad de juntarlos).

Mujer Da un paso hacia atrás con el pie izquierdo y ponlo a la altura del derecho (no hay necesidad de juntarlos).

8

Hombre Da un toque al lado del pie derecho con las almohadillas del pie izquierdo.

Mujer Da un toque al lado del pie izquierdo con las almohadillas del pie derecho.

Consejo de estilo

Durante el movimiento básico adelante y atrás, se debe realizar el movimiento de Salsa. No obstante, el efecto es ligeramente diferente cuando se va adelante o atrás; cuando vayas hacia adelante, trata de rodear el borde del pie con el peso corporal, comenzando por el lado interior de las almohadillas del pie y finalizando con la pierna presionando contra el borde exterior del pie. En ese momento, estira la rodilla un poco. Esto provoca el giro de la cadera alrededor del pie. Prueba lo mismo cuando vayas hacia atrás.

Preparar el giro

Tras haber practicado y estar familiarizado con los movimientos básicos, es momento de explorar algunas de las variaciones básicas e introducirse en una Salsa más profesional. Los giros son la clave de la Salsa. Los mejores salseros generan la vuelta durante el movimiento precedente con objeto de que salga más natural. En una variación básica, se puede conseguir gradualmente repitiendo el movimiento precedente tres o cuatro veces con la música, incrementando cada vez el momento del giro, lo cual da un signo claro a la mujer de lo que viene a continuación. La idea de repetir los movimientos una y otra vez es algo constante en la Salsa y refleja la naturaleza repetitiva de su música en cada frase musical; uno se acostumbra a encajar el baile con las frases musicales escuchando la música.

En este movimiento, deja que los pasos te lleven y ve adelantándote gradualmente al siguiente realizando la transición casi sin esfuerzo. Baila tres o cuatro movimientos básicos hacia atrás con las siguientes modificaciones.

Arriba: En cada paso 5 sucesivo, el hombre debe empujar el lado izquierdo de la mujer suave pero firmemente e incrementar su propio giro a la derecha.

Arriba: En el paso 5 el hombre debe utilizar la mano derecha para empujar suavemente a la mujer hacia atrás.

Derecha: Al siguiente paso 1 el hombre pone la mano derecha en el lado izquierdo de la cadera de la mujer.

Los movimientos de la mujer
En el paso 5, deja que el hombre te separe y haz su misma vuelta. Cuando la cantidad de giro se ha desarrollado hasta un punto donde la pareja está bailando espalda con espalda, se puede cambiar fácilmente a la siguiente figura.

Figura de Ocho

Esta figura es un giro común y popular en la Salsa. En ella, el hombre hace un giro cruzado enfrente de la mujer, y luego es el turno de ella. La pareja adopta la posición de doble agarre de manos, pero lo hace muy ligeramente para facilitarles que adquieran diferentes posturas durante el movimiento. El hombre se coloca sobre su pie izquierdo y la mujer, sobre el derecho una vez bailados los pasos 1-4 del movimiento básico hacia atrás.

2

3

1

CUENTA - RÁPIDO

Hombre Da un paso hacia atrás con el pie derecho y deja el izquierdo quieto. Usa la mano derecha para mover a la mujer hacia atrás y termina con la mano libre.

Mujer Da un paso hacia atrás con el pie izquierdo y deja el derecho quieto, asegurándote de que terminas con la mano izquierda libre.

CUENTA - RÁPIDO

Hombre Transfiere el peso corporal al pie izquierdo y comienza un giro a la izquierda, cruzando la mano derecha libre frente al cuerpo y por encima de las manos cogidas.

Mujer Transfiere el peso corporal al pie derecho y comienza un giro a la derecha.

CUENTA - LENTO

Hombre Da un paso lateral con el pie derecho, con lo que se ha dado un cuarto de vuelta (90°) a la izquierda, y se termina de espaldas a la mujer. Sigue agarrado con la mano izquierda.

Mujer Da un paso lateral con el pie izquierdo, con lo que se ha dado un cuarto de vuelta (90°) a la derecha, y se termina de espaldas al hombre. Sigue agarrada con la mano derecha.

4

CUENTA - RÁPIDO

Hombre Da otro cuarto de vuelta (90°) a la izquierda. Suelta la mano izquierda y da un paso atrás con el pie izquierdo. Toma la mano izquierda de la mujer con tu izquierda.

Mujer Continúa girando y completa otro cuarto de vuelta (90°) a la derecha y da un paso hacia atrás con la derecha, dejando el pie izquierdo quieto. Mantén la mano izquierda a la altura de la cintura.

5

CUENTA - RÁPIDO

Hombre Transfiere el peso corporal hacia adelante sobre el pie derecho y comienza un giro a la derecha mientras llevas a la mujer a que gire en el sentido contrario de la misma manera que hiciste en el paso 2.

Mujer Transfiere tu peso hacia adelante sobre el pie izquierdo y comienza a girar a la izquierda. Cruza la mano derecha frente a ti y sobre las manos unidas.

6

CUENTA - LENTO

Hombre Da un paso lateral a la izquierda con un cuarto de giro (90°) a la derecha. Finaliza detrás de la mujer y sujeto de la mano derecha.

Mujer Da un paso lateral a la derecha con un cuarto de giro (90°) a la izquierda. Finaliza con el hombre a tu espalda y sujeta de la mano izquierda.

7

CUENTA - RÁPIDO

Hombre Continúa girando en el sentido de las agujas del reloj hasta dar otro cuarto de giro (90°) a la derecha. Suelta la mano derecha y da un paso hacia atrás con el pie derecho sin mover el izquierdo. Coge la mano derecha de la mujer con tu izquierda.

Mujer Continúa girando en el sentido de las agujas del reloj hasta dar otro cuarto de giro (90°) a la izquierda. Suelta la mano izquierda y da un paso hacia atrás con el pie izquierdo sin mover el derecho. Mantén la mano derecha a la altura de la cintura.

8

CUENTA - RÁPIDO

Hombre Transfiere el peso corporal hacia adelante sobre el pie izquierdo. Ahora toma la posición de agarre apropiada según la siguiente figura.

Mujer Transfiere el peso corporal hacia adelante sobre el pie derecho.

9

CUENTA - LENTO

Hombre Junta el pie derecho con el izquierdo.

Mujer Junta el pie izquierdo con el derecho.

Sugerencia musical

Llorarás y Me dejó, *de Óscar D'León (Codiscos), que es uno de los artistas más populares en la escena de la Salsa. Llorarás es una de las canciones favoritas en las pistas de baile. Me dejó es algo más lenta e ideal para practicar.*

Figura de Ocho con Doble Agarre de Manos

Una vez domines la Figura de Ocho, aprende una nueva forma de agarre. Comienza con la versión básica de la figura. El hombre se coloca sobre el pie izquierdo y la mujer sobre el derecho tras haber bailado los pasos 1-4 del movimiento básico hacia atrás. El doble agarre de manos se retiene, pero el hombre tiene ahora las palmas de las manos boca arriba y la mujer las tiene boca abajo. El contacto se hace con los dedos.

1

CUENTA - RÁPIDO

Hombre Da un paso atrás con el pie derecho y deja el izquierdo en el sitio. Empuja con las dos manos suavemente.

Mujer Baila los pasos del hombre 4-6 seguidos de los pasos del hombre 1-3. Baila el movimiento básico pero hacia atrás, comenzando con el pie izquierdo y eliminando el toque.

2

CUENTA - RÁPIDO

Hombre Transfiere el peso corporal hacia adelante sobre el pie izquierdo y comienza a girar hacia ese mismo lado. Levanta el brazo derecho.

3

CUENTA - LENTO

Hombre Da un paso lateral con el pie izquierdo para dar un cuarto de giro (90°) a la izquierda y acabar de espaldas a la mujer. Baja la mano derecha de la cabeza a la altura de la cintura. Continúa de la mano con la mujer, con tu derecha y su izquierda.

4

CUENTA - RÁPIDO

Hombre Suelta la mano izquierda y extiende el giro a otro cuarto de vuelta más (90°) hacia la izquierda y échate hacia atrás, sobre el pie izquierdo, sin mover el derecho. Toma la mano derecha de la mujer con tu izquierda y acaba en un doble agarre de manos.

5

CUENTA - RÁPIDO

Hombre Transfiere el peso adelante, sobre el pie derecho, y comienza a girar a la izquierda. Levanta el brazo izquierdo y crúzalo delante de la mujer y sobre su cabeza para que gire en el sentido contrario a las agujas del reloj.

6

CUENTA - LENTO

Hombre Da un paso lateral con el pie izquierdo y un cuarto de giro (90°) hacia la derecha, acabando detrás de la mujer. Suelta la mano derecha y baja el brazo izquierdo a la altura de la cintura en el lado izquierdo de la mujer.

7

CUENTA - RÁPIDO

Hombre Sigue girando en el sentido de las agujas del reloj y da otro cuarto de giro (90°) más a la derecha. Termina con un doble agarre de manos y da un paso atrás, sobre el pie derecho, dejando el derecho quieto.

8

CUENTA - RÁPIDO

Hombre Transfiere el peso corporal al pie izquierdo. En este punto, haz el agarre pertinente, según la figura que le siga.

9

CUENTA - LENTO

Hombre Adelanta el pie derecho y ponlo a la altura del pie izquierdo.

El Giro con Cambio de Posición

Este giro es una manera útil de finalizar muchos movimientos en posición abierta. Pruébalo en lugar de los pasos 7-9 de la Figura de Ocho. Tras el paso 3, sigue con el movimiento básico de Salsa hacia atrás, comenzando en el paso 5.

1

CUENTA - RÁPIDO

Hombre Da un paso atrás con el pie izquierdo; deja el derecho quieto y sostén la mano derecha de la mujer con tu izquierda, con la palma hacia arriba.

Mujer Da un paso hacia atrás con el pie derecho y deja el izquierdo quieto.

2 ▼

CUENTA - RÁPIDO

Hombre Transfiere el peso hacia adelante, sobre el pie derecho, y comienza a girar a la izquierda. Levanta el brazo izquierdo y crúzalo delante de la mujer y sobre su cabeza para que gire en el sentido contrario a las agujas del reloj.

Mujer Transfiere el peso hacia adelante, sobre el pie izquierdo, y comienza a girar en el sentido contrario a las agujas del reloj.

3

CUENTA - LENTO

Hombre Da un paso lateral con el pie izquierdo y un cuarto de giro (90°) hacia la derecha, acabando detrás de la mujer. Baja el brazo izquierdo a la altura de la cintura en el lado izquierdo de la mujer.

Mujer Gira a la izquierda por debajo del brazo del hombre, colócate con el pie derecho y termina enfrente del hombre.

Llevar y seguir

En contraste con otros estilos de baile donde la pareja suele bailar con una constancia regular, en la Salsa se suele bailar con una variedad de parejas. Por ello, es muy importante que el hombre sea capaz de llevar a la compañera de una manera clara y cómoda.

Izquierda: Si el hombre quiere girar a la mujer a la derecha, comenzará a llevar cuando se eche hacia atrás sobre el pie derecho.

Derecha: Como principio general, los giros se llevan a partir de un movimiento básico hacia atrás. Si el hombre quiere llevar a la mujer a que gire a la izquierda, tendrá que llevarla cuando dé el paso hacia atrás con el pie izquierdo.

Vuelta a la Izquierda con Llave

Este es otro giro característico de la Salsa. Se denomina así por razones obvias. Comienza con un doble agarre de manos. El hombre se coloca sobre el pie derecho y la mujer sobre el izquierdo.

1

CUENTA - RÁPIDO

Hombre Da un paso atrás con el pie izquierdo, dejando el derecho en el sitio. Lleva a la mujer hacia atrás para prepararla para el giro.

Mujer Da un paso hacia atrás con el pie derecho y deja el izquierdo en su sitio.

2

CUENTA - RÁPIDO

Hombre Transfiere el peso corporal hacia adelante, sobre el pie derecho, y gira un poco hacia la derecha. Suavemente, baja la mano derecha de la mujer y levanta la tuya para levantar así la izquierda de ella y comenzar el giro hacia ese lado.

Mujer Transfiere el peso hacia adelante, sobre el pie izquierdo, y comienza a girar a la izquierda.

3

CUENTA - LENTO

Hombre Da un paso paralelo a la izquierda y haz un cuarto de giro (90°) a la derecha. Mantén la mano derecha arriba y continúa girando a la mujer en dirección contraria a las agujas del reloj. La mujer se enrosca en su brazo derecho, el cual acabará en una postura parecida a una llave. Concluye sosteniendo la mano izquierda de la mujer con tu derecha y con tu antebrazo izquierdo cruzado por su espalda.

Mujer Da un paso lateral a la derecha y un cuarto de giro (90°) a la izquierda. Acaba de espaldas al hombre.

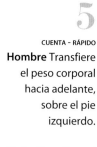

4

CUENTA - RÁPIDO

Hombre Da un paso corto atrás con el pie derecho y deja el izquierdo en su sitio.

Mujer Realiza un cuarto de giro (90°) más hacia la izquierda y deja que el brazo derecho se ponga en posición «llave». Da un paso corto atrás con el pie izquierdo y deja el derecho en su sitio.

5

CUENTA - RÁPIDO

Hombre Transfiere el peso corporal hacia adelante, sobre el pie izquierdo.

Mujer Transfiere el peso corporal hacia adelante, sobre el pie derecho, y comienza a girar a la derecha.

Consejo de estilo

En el paso 3, el hombre debe de dejar el suficiente espacio a la mujer para ejecutar el resto de la figura.

6
CUENTA - LENTO

Hombre Da un paso lateral con el pie derecho y da un cuarto de vuelta a la izquierda. Mueve la mano izquierda hacia ese mismo lado para llevar a la mujer en el desenrosque. Baja la mano derecha a la altura de la cintura.

Mujer Da un paso hacia atrás con el pie izquierdo y da media vuelta a la derecha.

7
CUENTA - RÁPIDO

Hombre Da un paso hacia atrás con el pie izquierdo y deja el derecho en el sitio.

Mujer Da un paso hacia atrás con el pie derecho y deja el izquierdo en el sitio.

◀8
CUENTA - RÁPIDO

Hombre Transfiere el peso corporal al pie derecho.

Mujer Transfiere el peso corporal al pie izquierdo.

9
CUENTA - LENTO

Hombre Da un paso adelante con el pie izquierdo y ponlo al lado del derecho.

Mujer Da un paso adelante con el pie derecho y ponlo al lado del izquierdo.

Variación
En el paso 4 el hombre puede bailar una Cucaracha con el pie derecho. Algunos prefieren ir para atrás con el pie derecho y dar un cuarto de vuelta a la izquierda al tiempo que dan un paso atrás con la izquierda. Aunque el giro es posible, puede ser incómodo para la mujer porque presiona el bloque de su brazo. Por lo tanto, es preferible la técnica de los pasos explicados anteriormente.

Ahora puedes seguir bailando con el movimiento básico de Salsa hacia atrás. Si deseas repetir la vuelta agarrada, baila los pasos 1-7 y después los pasos 2-9.

Sugerencia musical
Qué bueno baila usted, *de Óscar D'León (Rodven). Esta canción es muy pegadiza y tiene un sentimiento y estilo particularmente apropiados para una interpretación colombiana. Es imposible quedarse quieto al escucharla.*

Vuelta a la Derecha con Llave

Esta figura es igual que la «vuelta con las manos cogidas» explicada anteriormente, pero girando a la derecha en vez de a la izquierda. Comienza con un doble agarre de manos. El hombre y la mujer no intercambian las manos en este movimiento. El hombre está sobre el pie izquierdo y la mujer, sobre el derecho.

1

CUENTA - RÁPIDO

Hombre Da un paso atrás con el pie derecho y deja el izquierdo quieto. Lleva a la mujer hacia atrás, preparada para el giro.

Mujer Da un paso atrás con el pie izquierdo y deja el derecho en su sitio.

2

CUENTA - RÁPIDO

Hombre Transfiere el peso corporal al pie izquierdo y gira ligeramente hacia ese mismo lado. Suavemente, baja la mano izquierda de la mujer y levanta tu brazo izquierdo moviendo al tiempo la mano izquierda de ella para iniciar su vuelta a la derecha.

Mujer Transfiere tu peso corporal hacia adelante, sobre el pie derecho, y comienza a girar a la derecha.

3

CUENTA - LENTO

Hombre Da un paso paralelo a la derecha y haz un cuarto de giro a la izquierda. Mantén la mano izquierda arriba y continúa girando a la mujer en dirección a las agujas del reloj. La mujer se enrosca en su brazo izquierdo, el cual acabará en una postura parecida a una llave. Concluye sosteniendo la mano derecha de la mujer con tu izquierda.

Mujer Muévete con el pie izquierdo y gira un cuarto de vuelta a la derecha. Acaba de espaldas al hombre.

4

CUENTA - RÁPIDO

Hombre Da un paso corto hacia atrás con el pie izquierdo y mantén el derecho quieto.

Mujer Da otro cuarto de giro a la derecha y deja que el brazo izquierdo se coloque en la posición de «llave». Da un paso atrás con el pie derecho y mantén el izquierdo quieto.

9

CUENTA - LENTO

Hombre Mueve el pie derecho adelante y ponlo al lado del izquierdo.

Mujer Mueve el pie izquierdo adelante y ponlo al lado del derecho.

5

CUENTA - RÁPIDO

Hombre Transfiere el peso hacia adelante, sobre el pie derecho, y comienza a girar a la derecha.

Mujer Transfiere el peso hacia adelante, sobre el pie izquierdo, y comienza a girar a la izquierda.

6

CUENTA - LENTO

Hombre Da un paso de lado con el pie izquierdo. Da un paso atrás con el derecho para realizar un cuarto de vuelta a la derecha. Transfiere el peso adelante, sobre el pie izquierdo. Adelanta el pie derecho a la altura del izquierdo.

Mujer Da un paso lateral con el pie derecho y vuélvete un cuarto de giro a la izquierda.

7-8

CUENTA - RÁPIDO

Hombre Retrocede con el pie derecho, dejando el izquierdo quieto y dando un cuarto de vuelta a la derecha. Transfiere el peso corporal adelante, sobre el pie izquierdo.

Mujer Da un cuarto de vuelta a la izquierda y da un paso atrás con el pie izquierdo sin mover el derecho. Transfiere el peso corporal sobre el pie izquierdo.

Toque de Tacón de Pachanga

El estilo de Salsa colombiana pone gran énfasis en realizar intrincados juegos de pies, improvisados, por lo que el estilo colombiano es más difícil que el cubano. Los movimientos se han tomado prestados de otros bailes y el que se explica tiene el sabor excitante de la Pachanga.

Comienza en un agarre doble de manos, palma con palma, y baila una Salsa básica hacia atrás completa con cuenta «rápido, rápido, lento, rápido, rápido, lento». En el último paso, el hombre se acerca a la mujer pero sin hacer todavía contacto corporal y la arrima hasta rodearle la cintura, fijándose en que ella se apoya sobre el pie izquierdo.

1

CUENTA - LENTO

Hombre Apóyate sobre el pie derecho, gira una octava a la derecha y luego tres octavas de vuelta a la izquierda con las piernas juntas y la parte baja de la pierna izquierda en paralelo al suelo. Lleva a la mujer al giro ejerciendo una suave presión con la mano izquierda y girándola en dirección de las agujas del reloj con la mano derecha. Finaliza tocando el pie levantado de la mujer con el tuyo.

Mujer Apóyate sobre el pie izquierdo, gira una octava a la izquierda y luego tres octavas de vuelta a la derecha con las piernas juntas y la parte baja de la pierna derecha paralela al suelo. Si el hombre coloca su mano en tu cintura, respóndele poniendo tu mano en la parte alta de su brazo. Finaliza tocando el pie levantado del hombre con el tuyo.

2

CUENTA - LENTO

Hombre Apóyate sobre el pie derecho, gira un cuarto de vuelta (90°) a la derecha para estar de frente a la mujer, y quédate sobre el pie izquierdo. Lleva a la mujer a quedar cara a cara contigo tirando de su mano derecha, volviendo su lado derecho adelante y girándola de la cintura.

Mujer Apóyate sobre el pie izquierdo, gira un cuarto de vuelta (90°) a la izquierda para estar frente al hombre y quédate sobre el pie derecho.

3▶

CUENTA - RÁPIDO

Hombre Da un paso atrás con el pie derecho y deja el izquierdo en su sitio. Baila el movimiento básico hacia atrás. O bien suelta la mano derecha, o bien termina con un doble agarre de manos.

Mujer Da un paso hacia atrás con el pie izquierdo y deja el derecho en su sitio. Baila el movimiento básico hacia atrás.

◀**4**

CUENTA - RÁPIDO

Hombre Transfiere el peso hacia adelante, sobre el pie izquierdo.

Mujer Transfiere el peso hacia adelante, sobre el pie derecho.

5

CUENTA - LENTO

Hombre Pon el pie derecho al lado del izquierdo.

Mujer Pon el pie izquierdo al lado del derecho.

Continúa bailando el movimiento básico hacia atrás.

Bailes de pies cruzados de Pachanga

Ahora es momento de ver algunos de los movimientos colombianos más arrebatadores y complejos donde los pies protagonizan un juego un tanto peliagudo para aquellos que todavía no se han dejado intimidar. De nuevo, se coge prestado de la exótica Pachanga. Baila un movimiento básico hacia atrás con las manos agarradas doblemente. El hombre se coloca sobre el pie derecho y la mujer sobre el izquierdo.

1

CUENTA - RÁPIDO

Hombre Apóyate sobre el pie derecho, gira un poco a la derecha y apunta los dedos del pie izquierdo hacia los del derecho, con el pie levantado.

Mujer Apóyate sobre el pie izquierdo, gira un poco a la izquierda y apunta los dedos del pie derecho hacia los del izquierdo, con el pie levantado.

2

CUENTA - RÁPIDO

Hombre Apóyate sobre el pie derecho, gira un poco a la izquierda y cruza el pie izquierdo por delante de la parte baja de la pierna derecha, levantando el pie izquierdo.

Mujer Apóyate sobre el pie izquierdo, gira un poco a la derecha y cruza el pie derecho por delante de la parte baja de la pierna izquierda, levantando el pie derecho.

3

CUENTA - LENTO

Hombre Apunta el pie izquierdo hacia tu pareja, crúzalo enfrente del derecho y apóyate sobre el pie izquierdo.

Mujer Apunta el pie derecho hacia tu pareja, crúzalo enfrente del izquierdo y apóyate sobre el pie derecho.

4

CUENTA - RÁPIDO

Hombre Apóyate sobre el pie izquierdo, gira un poco a la izquierda y apunta los dedos del pie derecho hacia los del izquierdo, con el pie levantado.

Mujer Apóyate sobre el pie derecho, gira un poco a la derecha y apunta los dedos del pie izquierdo hacia los del derecho, con el pie levantado.

5

CUENTA - RÁPIDO

Hombre Apóyate sobre el pie izquierdo, gira un poco a la derecha y cruza el pie derecho por delante de la parte baja de la pierna izquierda, levantando el pie derecho.

Mujer Apóyate sobre el pie derecho, gira un poco a la izquierda y cruza el pie izquierdo por delante de la parte baja de la pierna derecha, levantando el pie izquierdo.

6

CUENTA - LENTO

Hombre Apunta el pie derecho hacia tu pareja, crúzalo enfrente del izquierdo y quédate sobre el pie derecho.

Mujer Apunta el pie izquierdo hacia tu pareja, crúzalo enfrente del derecho y quédate sobre el pie izquierdo.

Media Vuelta

La Media Vuelta también se conoce por «el Abrazo», y tú decides si te quedas en el abrazo un rato antes de salir mostrando resistencia. Comienza con un doble agarre de manos.

1
CUENTA - RÁPIDO

Hombre Da un paso atrás con el pie izquierdo y deja el derecho en su sitio. Lleva a la mujer hacia atrás para prepararla para la vuelta.

Mujer Da un paso atrás con el pie derecho y deja el izquierdo en su lugar.

2
CUENTA - RÁPIDO

Hombre Echa el peso hacia adelante, sobre el pie derecho. Lleva a la mujer a que gire a su izquierda levantando tu mano izquierda y llevándola a la derecha, frente a ti y por encima de su cabeza. Mantén la mano derecha a la altura de la cintura y haz que la mujer gire dentro de tu brazo derecho.

Mujer Echa el peso corporal adelante, sobre el pie izquierdo, y comienza la vuelta a la izquierda.

4
CUENTA - RÁPIDO

Hombre Échate hacia adelante sobre el pie derecho y deja el izquierdo en el sitio. Baja el brazo izquierdo a la altura de la cintura y frente de la mujer para continuar su vuelta. Finaliza en una posición lado a lado con la mujer a tu derecha; tu mano derecha sostiene su izquierda, y tu antebrazo cruza su espalda.

Mujer Da un paso corto atrás con el pie izquierdo y deja el derecho en su sitio. Da otro cuarto de vuelta (90°) a la izquierda. Finaliza en una posición lado a lado con el hombre a tu izquierda.

3 ▶
CUENTA - LENTO

Hombre Échate hacia adelante sobre el pie izquierdo con el brazo izquierdo todavía en alto, y vuélvete a la derecha.

Mujer Échate de lado sobre el pie derecho y da un cuarto de vuelta (90°) a la izquierda.

5 ▶
CUENTA - RÁPIDO

Hombre Echa el peso corporal hacia atrás, sobre el pie izquierdo, y usa el antebrazo derecho para llevar a la mujer hacia adelante. Levanta la mano izquierda para que ella pueda pasar por debajo.

Mujer Echa el peso corporal hacia adelante, sobre el pie derecho, y comienza a girar a la derecha.

6 ▶
CUENTA - LENTO

Hombre Echa el pie derecho hacia atrás, al lado del izquierdo. Baja la mano izquierda hasta la posición original mientras la mujer termina frente a ti.

Mujer Da un paso atrás y lateral con el pie izquierdo y da un cuarto de vuelta (90°) a la derecha.

7
CUENTA - RÁPIDO

Hombre Da un paso atrás con el pie izquierdo y deja el derecho en su sitio.

Mujer Da un paso atrás con el pie derecho y deja el izquierdo en el sitio. Da un cuarto de giro a la derecha.

◀ 8
CUENTA - RÁPIDO

Hombre Transfiere el peso corporal hacia adelante, sobre el pie derecho.

Mujer Transfiere el peso corporal hacia adelante, sobre el pie izquierdo.

9
CUENTA - LENTO

Hombre Pon el pie izquierdo delante junto al derecho.

Mujer Pon el pie derecho delante junto al izquierdo.

Los pasos 7-9 se pueden reemplazar por el giro con cambio de posición, el cual ofrece una buena terminación.

Sugerencia musical

México, México, de Grupo Niche (Sony). Esta canción, con su tempo medio-rápido para el bailarín más experimentado, fue un éxito de este grupo. Para una unión fabulosa de ritmos caribeños y africanos, prueba Africando y Yay Boy, de Africando (Stern's Africa). Estas canciones no solo ilustran el abolengo de la Salsa, sino que también son fantásticas para bailar.

Media Vuelta y Cambio de Lado

Esta figura, también conocida por «el Doble Abrazo», es muy divertida. Baila los pasos 1-4 de las Medias Vueltas y sigue con este movimiento.

1
CUENTA - RÁPIDO

Hombre Echa el peso corporal sobre el pie izquierdo y mantén ambas manos a la altura de la cintura.

Mujer Echa el peso corporal hacia adelante, sobre el pie derecho.

2
CUENTA - LENTO

Hombre Da un paso lateral con el pie derecho cruzándote por detrás de la mujer; extiende los brazos ligeramente y muévela dentro de su marco para llevarla a que se desplace lateralmente y se posicione frente a ti un poco hacia la izquierda.

Mujer Da un paso lateral con el pie izquierdo cruzando delante del hombre. Acaba ligeramente adelante, en una posición lado a lado y con el hombre a tu derecha.

3

CUENTA - RÁPIDO

Hombre Da un paso adelante con el pie izquierdo y deja el derecho en el sitio. Finaliza recto en una posición lado a lado con la mujer a tu izquierda.

Mujer Da un paso atrás con el pie derecho y deja el izquierdo en el sitio. Finaliza recta en una posición lado a lado con el hombre a tu derecha.

4

CUENTA - RÁPIDO

Hombre Transfiere el peso corporal hacia atrás, sobre el pie derecho, y lleva a la mujer a que transfiera el suyo hacia adelante.

Mujer Transfiere el peso corporal hacia adelante, sobre el pie izquierdo.

5

CUENTA - LENTO

Hombre Da un paso lateral con el pie izquierdo cruzando por detrás de la mujer y llevándola a que se mueva a la derecha, frente a ti. Hazlo con los brazos ligeramente extendidos y moviendo a la mujer dentro de ellos. Colócala un poco más adelante y a tu derecha, lado con lado.

Mujer Da un paso lateral con el pie derecho y crúzate delante del hombre para acabar ligeramente más adelante, en la posición lado a lado con el hombre a tu izquierda.

6

Hombre Da un paso adelante con el pie derecho y deja el izquierdo en el sitio.

Mujer Da un paso adelante con el pie izquierdo y deja el derecho en el sitio.

Continúa con el paso 5 de la Media Vuelta o quédate en el Abrazo si repites el movimiento. Recuerda incluir el paso 4 de la Media Vuelta.

Un estilo más de Salsa

Puedes mejorar algunos movimientos básicos si incorporas algo exótico. Prueba los primeros movimientos sin exagerarlos e incrementa su gracia cuando te sientas cómodo con ellos.

MEDIA VUELTA CON DESLIZ DE CABEZA BRASILEÑO

Échale un poco más de salsita a la Media Vuelta añadiendo un punto extra de estilo brasileño. Este movimiento deliciosamente exótico se realiza en el paso 4 de la Media Vuelta. Cuando la mujer da un paso atrás con el pie izquierdo, puede realizar un desliz de cabeza tirando hacia atrás la cabeza y levantando el pie derecho a la altura de la rodilla y apuntando los dedos hacia el suelo. Para facilitar esta acción, el hombre cambiará su movimiento hacia adelante con un cuarto de giro a la derecha y extendiendo la pierna derecha para crear una «línea de arremetida». Se necesitará una llevada fuerte con la mano izquierda del hombre mientras el brazo derecho sujeta a la mujer. Para conseguir un efecto especial y fabuloso, pruébalo primero sin darlo todo, y ve practicando poco a poco hasta completarlo.

Giro con cambio de lugar con caída sobre la cabeza cubana

Puede que quieras alegrar un poco el giro con cambio de posición. Aquí el hombre inicia la figura con un doble agarre de manos, pero junta las manos de manera que se toquen. Este agarre se mantiene mientras la mujer gira bajo las manos. Este es justo el momento de realizar «la caída sobre la cabeza cubana».

1
CUENTA - RÁPIDO

Hombre Da un paso atrás con el pie izquierdo y deja el derecho en su sitio.

Mujer Da un paso atrás con el pie derecho y deja el izquierdo en su sitio.

2
CUENTA - RÁPIDO

Hombre Transfiere el peso corporal hacia adelante sobre el pie derecho y comienza a llevar a la mujer en el giro mientras oscilas las manos a la derecha.

Mujer Transfiere el peso corporal hacia adelante, sobre el pie derecho y comienza a girar a la izquierda.

3
CUENTA - LENTO

Hombre Todavía sobre el pie derecho, deja que el izquierdo cierre hacia el derecho. Continúa oscilando las manos hacia arriba hasta sobrepasar la cabeza y entonces lleva las manos unidas por detrás de la cabeza y coloca las manos de la mujer en tu nuca. Ayuda este movimiento relajando la rodilla derecha.

Mujer Todavía sobre el pie izquierdo, da una vuelta completa en el sentido contrario a las agujas del reloj bajo las manos unidas y ponlas en la nuca del hombre pasándolas por encima de la cabeza.

4
CUENTA - RÁPIDO

Hombre Acaba el movimiento anterior en un agarre pegado y bajando con la rodilla derecha. Da un paso corto a la izquierda y haz un círculo con la rodilla izquierda en el sentido contrario a las agujas del reloj alrededor del pie izquierdo con un movimiento rotatorio de la cadera.

Mujer Baja con la rodilla izquierda y da un paso corto a la derecha y haz un círculo con la rodilla derecha en el sentido de las agujas del reloj alrededor del pie derecho con un movimiento rotatorio de cadera.

5
CUENTA - RÁPIDO

Hombre Transfiere el peso corporal sobre el pie derecho.

Mujer Transfiere el peso corporal sobre el pie izquierdo.

6
CUENTA - LENTO

Hombre Junta el pie izquierdo con el derecho.

Mujer Junta el pie derecho con el izquierdo.

Cumbia y Vallenato

La Salsa es un estilo de baile diverso que emana de una rica mezcla de ritmos afrocaribeños y música latinoamericana pegadiza. Los ingredientes de Salsa cubana incluyen el Son, el Danzón, la Guajira, el Guaguanco, el Chachachá, el Montuno y la Charanga; todos ellos han creado deliciosos matices en la Salsa, aportándole sabor. Pero todavía hay más: las regiones colombianas de Cali, Medellín, Santa Marta, Cartagena y Barranquilla también han aportado su propio sabor a la música y baile de la Salsa latinoamericana, y de ahí uno de los bailes más populares en el mundo del baile auténtico.

Mientras que la Salsa cubana se basa en esos bailes de origen cubano mezclados con un estilo musical severamente influenciado por el Jazz americano moderno, la Salsa colombiana no es menos importante que su homólogo cubano. La música Salsa colombiana también se basa en bailes del folclore tradicional, entre ellos la Cumbia, el Vallenato, la Pachanga, el Paseo, el Porro y el Currulao; los más populares son la Cumbia, el Vallenato y la Pachanga.

En la Cumbia, la música suele contener instrumentos del folclore tradicional colombiano y se caracteriza por lo que se describe fácilmente como ritmo de «trote», que es fácil y placentero de bailar. Canciones clásicas de la Cumbia incluyen *El carbonero*, de Combo Candela; *El Pollera Colorá*, de Pedro Salcedo y el éxito internacional *La colegiala*, del que me gusta la versión de Rodolfo y La Típica; más la grandiosa *La gota fría*, de Carlos Vives, que se ha convertido en un clásico de salas de fiesta. Quizás, una de las Cumbias de fiesta más populares sea *Piel morena*, de Thalia, con un ritmo claro y estilo seductor.

El Vallenato proviene originalmente del área colombiana de Santa Marta. Es un tema perdidamente romántico cantado por un hombre a una mujer. Tradicionalmente, la canción contiene un acompañamiento de acordeón y normalmente es más lenta que la Salsa. Busca la música de Los Inquietos, Roberto Torres, Tulio Zuloaga y Carlos Vives.

La Pachanga es un baile colombiano con un ritmo repetitivo que lleva a una demostración de pasos intrincados y sincopados dignos de admiración. Ve a la sección de los toques de tacón y los bailes de pies cruzados de Pachanga para probar la esencia colombiana. La música es alegre y hace que quieras bailarla. Prueba el fabuloso *Cali pachanguero*, de Galileo, o *La cosecha de mujeres*, de Fruko.

BAILAR LA CUMBIA Y EL VALLENATO

Cuando se bailan la Cumbia y el Vallenato, muchos bailarines simplemente realizan movimientos básicos de Salsa. Sin embargo, para los aficionados resulta más auténtico y bonito disfrutar del baile en un agarre pegado o directo. El hombre siempre levantará su mano izquierda más alto. La parte superior del cuerpo, tanto del hombre como de la mujer, deben permanecer quietas y concentrar el movimiento en los pies, las piernas y la pelvis. El ritmo de «trote» de la Cumbia tiende a inducir un movimiento desmesurado en los bailarines menos experimentados, particularmente en los pasos hacia atrás, pero esto debe evitarse e intentar mantener movimientos suavemente rítmicos. Disfruta bailando las siguientes figuras de Salsa en la Cumbia y el Vallenato:
– Movimiento básico de Salsa
– Movimiento básico hacia atrás
– Cucarachas
– Básico adelante y atrás
– De Mambo, prueba la Peonza
– Y de Merengue, baila un movimiento básico de Salsa hacia atrás, después la Caída de Merengue en una cuenta de rápido, rápido, lento; o bien pasos 1-6 de los pasos laterales de Merengue seguidos por la Cucaracha, todo en una cuenta repetida de rápido-rápido-lento.
No bailes, de ninguna manera, ningún movimiento o giro que emplee una posición abierta o giros bajo el brazo. Mantente en contacto directo todo el tiempo. El hombre lleva a la mujer no solo a través del marco de sus brazos y tronco, sino también por los contactos de las piernas, las cuales están entrelazadas. Como conclusión, la Cumbia y el Vallenato se bailan con un estilo romántico pero discreto.

El Viraje

Una figura popular en la Cumbia y el Vallenato es el Viraje. Comienza bailando un movimiento básico de Salsa hacia adelante. La pareja ahora modifica un movimiento básico de Salsa hacia atrás y da una media vuelta (180°) aguda en el sentido contrario a las agujas del reloj.

◄4

CUENTA - RÁPIDO

Hombre Pie derecho atrás, paso fuerte y da un cuarto de giro (90°) a la izquierda.

Mujer Pie izquierdo adelante y da un cuarto de giro (90°) a la izquierda.

5▶

CUENTA - RÁPIDO

Hombre Pie izquierdo adelante y sigue girando a la izquierda.

Mujer Pie derecho atrás y sigue girando a la izquierda.

6

CUENTA - LENTO

Hombre Un paso corto adelante con el pie derecho y completa una media vuelta (180°) a la izquierda.

Mujer Da con el pie izquierdo un paso corto atrás y termina con una media vuelta a la izquierda.

Ten por seguro que vas a pasarlo mejor en el futuro cuando pongas los movimientos en práctica sobre la pista de baile. Acuérdate de relajarte, escuchar cuidadosamente el ritmo, disfrutar de la música y, por supuesto, pasarlo bien.

Lambada

La popularidad duradera de un baile a menudo asegura que algunas de sus características se adaptarán y desarrollarán para producir variantes nuevas y emocionantes. Allá por 1987, salió a la escena mundial del baile una nueva variedad de Samba: la Lambada. Este baile nuevo era una síntesis del Forro del Brasil norteño, Merengue dominicano y Carimbo de Marajo (baile en el que se entrelazan las piernas). Su nombre deriva del verbo «lambar», que en el norte de Brasil significa «besarse en el cuello».

Originalmente la Lambada se hizo popular en la región de Pará, en el norte de Brasil, hasta que en 1989 un francés emprendedor introdujo el baile en París y lo unió a la música pegadiza del grupo Kaoma. Enseguida se popularizó en Europa convirtiéndose en un éxito mundial. En los centros turísticos y salas de fiesta de todo el mundo se meneaban las caderas y se sacudían los cabellos provocativamente, al pulso sensual de la Lambada.

EL RITMO

La Lambada se baila en secciones, normalmente de tres pasos, en una cuenta de «lento, rápido, rápido» o «lento, A, lento», poniendo el acento en la primera cuenta. Estos términos están totalmente explicados en la sección *Música y ritmo* del capítulo sobre Samba.

AGARRE DE LAMBADA

El hombre coloca la mano derecha alrededor de la cintura de la mujer para sujetarla, mientras que ella coloca su mano izquierda cómodamente en la parte derecha de la espalda de él. El hombre extiende el brazo izquierdo hacia el mismo lado y un poco adelante, en un punto entre los dos, y coge la mano derecha de ella con su izquierda a la altura del pecho. En las pistas llenas de bailarines, se debe tener consideración y acortar la extensión de la posición del brazo. El interior de ambas piernas derechas, por encima de las rodillas, deben de rozarse de manera sensual.

UNIR LOS MOVIMIENTOS

Todos los movimientos a continuación comienzan con el pie derecho del hombre y el izquierdo de la mujer. Y todos comienzan con el mismo agarre. De esta manera, los movimientos se pueden bailar en cualquier orden y puedes pasarlo bien elaborando tu propia coreografía.

Izquierda y derecha: Durante el agarre de Lambada, el hombre y la mujer están de frente agarrados directamente o pegados.

Lambada Básica

Este movimiento se puede bailar sin desplazarse; en tal caso se hace solo un ligero movimiento en el paso 2, o se puede bailar moviéndose adelante y atrás en los pasos 2 y 3, como se describe a continuación. El hombre comienza con su peso sobre el pie derecho y la mujer sobre el izquierdo.

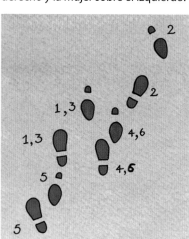

1
CUENTA - LENTO

Hombre Levanta el pie izquierdo y vuelve a ponerlo sobre el suelo.

Mujer Levanta el pie derecho y vuelve a ponerlo sobre el suelo.

2
CUENTA - RÁPIDO

Hombre Muévete diagonalmente y adelante con el pie izquierdo y rueda la cadera alrededor del lado exterior del pie en el sentido contrario a las agujas del reloj.

Mujer Muévete diagonalmente y hacia atrás con el pie izquierdo y rueda la cadera alrededor del lado exterior del pie en el sentido contrario a las agujas del reloj.

3
CUENTA - RÁPIDO

Hombre Coloca el peso corporal sobre el pie izquierdo.

Mujer Coloca el peso corporal sobre el pie derecho.

4

CUENTA - LENTO

Hombre Da un paso corto atrás con el pie derecho.

Mujer Da un paso corto adelante con el pie izquierdo.

5

CUENTA - RÁPIDO

Hombre Muévete diagonalmente y hacia atrás con el pie izquierdo y rueda la cadera alrededor del lado exterior del pie en el sentido contrario a las agujas del reloj.

Mujer Muévete diagonalmente y adelante con el pie izquierdo y rueda la cadera alrededor del lado exterior del pie en el sentido contrario a las agujas del reloj.

6

CUENTA - RÁPIDO

Hombre Coloca el peso corporal sobre el pie derecho.

Mujer Coloca el peso corporal sobre el pie izquierdo.

El bamboleo de cadera
En los pasos 2 y 5, ambos bailarines ruedan su peso corporal alrededor del lateral del pie. Este es el famoso bamboleo de cadera de la Lambada. Durante su ejecución habrá un poco de presión donde las piernas derechas del hombre y la mujer están en contacto, justo por encima de las rodillas.

Los pies
Normalmente el hombre usa toda la parte del pie, y la mujer, solo las almohadillas. Además esta mantendrá las piernas más rectas que el hombre para facilitar los giros.

Paso Oscilante

El Paso Oscilante es un movimiento básico, pero se usa en combinación con otros movimientos y como parte de la entrada de algunos giros clásicos de Lambada. Siente el paso en las caderas y acoge la oportunidad de bailar de nuevo el movimiento picantón. Comienza con el agarre descrito anteriormente y con el peso corporal sobre el mismo pie que antes.

1

CUENTA - LENTO

Hombre Levanta el pie izquierdo y vuelve a ponerlo sobre el suelo.

Mujer Levanta el pie derecho y vuelve a ponerlo sobre el suelo.

2

CUENTA - RÁPIDO

Hombre Extiende la pierna derecha al lado, rotando la cadera en el sentido de las agujas del reloj y moviendo todo el lado derecho del cuerpo adelante.

Mujer Extiende la pierna izquierda al lado, rotando la cadera en el sentido contrario de las agujas del reloj y llevando hacia adelante el lado izquierdo del cuerpo.

3

CUENTA - RÁPIDO

Hombre Coloca el peso corporal sobre el pie izquierdo y completa el movimiento de cadera propio de la Lambada. Echa el lado derecho del cuerpo hacia atrás hasta alcanzar la posición normal.

Mujer Coloca el peso corporal sobre el pie derecho y completa el movimiento de cadera propio de la Lambada. Echa el lado izquierdo del cuerpo hacia atrás hasta alcanzar la posición normal.

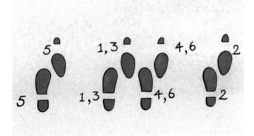

4

CUENTA - LENTO

Hombre Levanta el pie derecho y vuelve a ponerlo sobre el suelo.

Mujer Levanta el pie izquierdo y vuelve a ponerlo sobre el suelo.

5

CUENTA - RÁPIDO

Hombre Extiende la pierna izquierda al lado, rodando la cadera en el sentido contrario de las agujas del reloj y moviendo adelante el lado izquierdo del cuerpo.

Mujer Extiende la pierna derecha al lado, rotando la cadera en el sentido de las agujas del reloj y moviendo adelante el lado derecho del cuerpo.

6

CUENTA - RÁPIDO

Hombre Coloca el peso corporal sobre el pie derecho y completa el movimiento de cadera propio de la Lambada. Echa el lado izquierdo del cuerpo hacia atrás hasta alcanzar la posición normal.

Mujer Coloca el peso corporal sobre el pie izquierdo y completa el movimiento de cadera propio de la Lambada. Echa el lado derecho del cuerpo hacia atrás hasta alcanzar la posición normal.

Continúa con cualquier movimiento básico de Lambada.

Cómo mover la cabeza

El movimiento de cabeza de la mujer es crucial para que la Lambada se vea lo mejor posible. Aunque ella decida moverla a su gusto para expresar su personalidad y conseguir fluidez en el movimiento, existen varias pautas a seguir.

Todos los movimientos de cabeza son una extensión natural del movimiento del cuerpo. En el agarre normal de Lambada la mujer no mira al hombre. La mujer mira al hombre únicamente al principio y al final de cada movimiento.

Izquierda: La mujer comienza y termina cada movimiento con la cabeza inclinada a un lado.

Izquierda: Para mover la cabeza de izquierda a derecha, la rodará de lado a lado con la barbilla hacia abajo.

Derecha: Para mover la cabeza de derecha a izquierda, la rodará de lado a lado con la barbilla en alto.

Giros básicos de Lambada

Ahora puedes retocar tu Lambada con unos giros emocionantes. Este grupo de movimientos está completo, así que lo puedes añadir a tu coreografía tan pronto como lo hayas practicado un poco. Comienza bailando los pasos 1-3 de la Lambada Básica; pero al llegar al paso 2 el hombre debe indicar su intención de comenzar las vueltas haciendo un leve giro corporal a la izquierda a la vez que camina hacia adelante.

6 ▼
CUENTA - RÁPIDO

Hombre Coloca el peso corporal sobre el pie derecho y completa el movimiento de cadera propio de la Lambada. Echa el lado izquierdo hacia atrás hasta la posición normal.

Mujer Coloca el peso del cuerpo sobre el pie izquierdo y empieza a girar a la izquierda.

Paso Oscilante del hombre a la izquierda

La mujer se separa en este movimiento.

4
CUENTA - LENTO

Hombre Levanta el pie derecho y vuélvelo a poner sobre el suelo.

Mujer Da un paso corto adelante con el pie izquierdo.

5
CUENTA - RÁPIDO

Hombre Extiende la pierna izquierda al lado, rodando la cadera en el sentido contrario de las agujas del reloj y moviendo hacia adelante el lado izquierdo del cuerpo.

Mujer Gira sobre las almohadillas del pie izquierdo hasta dar casi media vuelta (180°) a la derecha y acaba junto al lado derecho de tu compañero. Desde ahí, da un paso hacia atrás con el pie derecho.

Paso Oscilante del hombre a la derecha

Como antes, la mujer se separa.

7
CUENTA - LENTO

Hombre Acerca el pie izquierdo al derecho y lleva a la mujer a que se coloque frente a ti.

Mujer Da un paso lateral con el pie derecho y termina frente al hombre.

8
CUENTA - RÁPIDO

Hombre Muévete lateralmente con el pie derecho y mantén el peso corporal entre los pies; rota el tronco hacia la izquierda para llevar a la mujer en su giro en dirección contraria a las agujas del reloj.

Mujer Gira sobre las almohadillas del pie derecho hasta dar casi media vuelta (180°) a la izquierda y acaba junto al lado izquierdo del hombre. Da un paso atrás con el pie derecho.

9
CUENTA - RÁPIDO

Hombre Transfiere el peso corporal por completo sobre el pie izquierdo e induce a la mujer a que empiece a girar a la derecha.

Mujer Transfiere tu peso corporal hacia adelante, sobre el pie derecho, y comienza el giro a la derecha.

Continúa con la Lambada Básica.

Bailarina con giro bajo el brazo
El hombre se prepara para dar la vuelta a la mujer mientras ella ejecuta un giro Bailarina.

10
CUENTA - LENTO

Hombre Junta el pie derecho con el izquierdo y lleva a la mujer frente a ti.

Mujer Muévete a un lado con el pie izquierdo y gira a la derecha para acabar frente al hombre.

11
CUENTA - RÁPIDO

Hombre Extiende la pierna izquierda al lado, rodando la cadera en el sentido contrario a las agujas del reloj y moviendo hacia adelante el lado izquierdo del cuerpo.

Mujer Gira sobre las almohadillas del pie izquierdo hasta dar casi media vuelta (180°) a la derecha y acaba junto al lado derecho del hombre. Da un paso atrás con el pie derecho.

12
CUENTA - RÁPIDO

Hombre Transfiere el peso corporal al pie derecho y completa el movimiento de cadera de la Lambada mientras giras a la mujer hacia la izquierda, frente a ti y bajo el brazo izquierdo que está en alto. Termina cara a cara.

Mujer Transfiere el peso adelante y gira con las almohadillas del pie izquierdo hacia la izquierda por debajo del brazo del hombre. Termina frente a él.

Pivote
El pivote es un giro realizado sobre un único pie. Cuando lo haces, ambas piernas están rectas, pero te apoyas sobre el pie izquierdo. Es importante que dejes al pie derecho juntarse con el izquierdo de manera natural de modo que los pies se ubiquen bajo el tronco. Esto no solo aportará equilibrio, sino que conseguirá que el pie derecho finalice la posición más adecuada para continuar con el siguiente movimiento.

A Cadeira

El nombre de este movimiento clásico de Lambada significa «la silla», aunque la popularidad que ha cobrado entre fotógrafos le ha llevado a llamarse «la foto». En este movimiento el hombre lleva a la mujer a una posición en la cual parece que se sienta un momento en las piernas de él.

1
CUENTA - LENTO

Hombre Muévete al lado con el pie izquierdo y lleva a la mujer a la derecha.

Mujer Da medio giro (180°) con el pie izquierdo y apóyate sobre el derecho.

2
CUENTA - RÁPIDO

Hombre Transfiere el peso corporal al pie derecho y lleva a la mujer a que gire a la izquierda y hacia ti.

Mujer Transfiere el peso corporal adelante, sobre el pie izquierdo, y comienza a girar a la izquierda.

3
CUENTA - RÁPIDO

Hombre Da un paso adelante con el pie izquierdo sin poner el peso.

Mujer Da un paso con el pie derecho a lo largo de la posición del hombre.

4

CUENTA - LENTO

Hombre Mantén la posición.

Mujer Da media vuelta (180°) a la izquierda con los pies en su sitio. Termina sobre el pie derecho y con el hombre a tu derecha.

5 ▶

CUENTA - RÁPIDO

Hombre Presiona las almohadillas del pie izquierdo contra el suelo, pero no bajes el talón. Levanta la rodilla izquierda a la vez que te agachas con la derecha. Con el brazo izquierdo arriba, sigue girando a la mujer y facilítale que baje a tu rodilla izquierda.

Mujer Flexiona la rodilla derecha y levanta el pie izquierdo hasta la altura de la rodilla izquierda para parecer que te estás sentando en la pierna del hombre.

6

CUENTA - RÁPIDO

Hombre Levántate y junta el pie izquierdo con el derecho. Coloca a la mujer frente a ti y termina en el agarre habitual de Lambada.

Mujer Levántate y gira a la derecha hasta estar frente al hombre. Termina con el peso sobre el pie derecho.

Continúa con cualquiera de los movimientos de Lambada que has aprendido.

Caída de Lambada

La Caída es un movimiento exótico y efectivo que se ha convertido, con razón, en la marca de la Lambada. En este movimiento, el hombre sostiene su posición mientras conduce a la mujer a curvar el cuerpo, y termina con una sacudida de cabellos. Para esto, se precisa que las bailarinas dejen crecer su pelo para maximizar el efecto.

1

CUENTA - LENTO

Hombre Da un paso corto adelante con el pie izquierdo.

Mujer Da un paso corto atrás con el pie derecho.

2

CUENTA - RÁPIDO

Hombre Muévete diagonalmente y hacia adelante con el pie derecho y haciendo el movimiento de bamboleo de Lambada con la cadera.

Mujer Muévete diagonalmente y atrás con el pie izquierdo y el bamboleo de cadera.

◀ 3

CUENTA - RÁPIDO

Hombre Transfiere el peso corporal al pie izquierdo y deja el derecho en el sitio con la rodilla levantada ligeramente. Usa la rapidez de transferencia de peso corporal para llevar hacia ti a la mujer y procurar un contacto directo.

Mujer Transfiere el peso corporal adelante, sobre el pie derecho y, llevada por el hombre, acerca el pie izquierdo al derecho y encierra con las piernas la rodilla derecha del hombre. (Si el hombre no te sujeta la espalda adecuadamente, necesitarás aguantarte con las rodillas.)

4-6

CUENTAS - LENTO, RÁPIDO, RÁPIDO

Hombre Cuando la mujer está curvándose, mantén la posición y sujeta la parte baja de su espalda con la mano derecha sin restringir su movimiento.

Mujer Para curvar el cuerpo, contrae la cintura e inclina el tronco un poco hacia adelante con las rodillas dobladas. Cúrvate hacia atrás empujando las caderas hacia adelante. Acelera progresivamente el desdoblamiento poniendo las rodillas rectas hasta alcanzar la posición normal. Finaliza sacudiendo el cabello.

Continúa con los pasos 4-6 de la Lambada básica; y el hombre pone el pie derecho atrás con el izquierdo en el paso 4.

Samba Reggae

Samba Reggae es una variación divertida de la Samba que la pueden bailar incluso los que no han aprendido ningún baile anteriormente. La Samba Reggae se puede disfrutar a solas porque no se necesita pareja. Proviene de la región de Bahía en el nordeste de Brasil, y su música es un cruce entre la Samba y el Reggae. Es vibrante y pegadiza, y es una opción popular tanto entre los bailarines individuales como para la amplia audiencia de música latina y seguidores del baile. El efecto no se aleja a un evento aeróbico; los bailarines individuales se colocan de frente, en línea o dispersos. En Brasil, la Samba Reggae al aire libre atrae a muchos participantes que siguen los movimientos de quien dirige. Ahora es momento de relajarse y mover esas caderas con una coreografía básica.

Paso Básico

Este es el movimiento básico de Samba Reggae y es muy parecido al Paso Básico Lateral de Samba, pero sin realizar ningún cambio de peso. Comienza con los pies un poco separados. Siente el ritmo e interprétalo añadiendo tu propia expresión al movimiento básico. Utiliza el cuerpo entero para bailar al ritmo de la música.

1

CUENTA - LENTO

Da un paso lateral con el pie izquierdo.

2

CUENTA - LENTO

Da un golpecito o toca con el pie derecho al lado del izquierdo.

3

CUENTA - LENTO

Da un paso lateral con el pie derecho.

4

CUENTA - LENTO

Da un golpecito o toca con el pie izquierdo al lado del derecho.

Baila la Samba Reggae Básica cuatro veces.

Paso de Mike Tyson

Este movimiento incluye el tipo de posición de defensa que usan los boxeadores, por ejemplo el campeón mundial de pesos pesados Mike Tyson. Visita Bahía y comprobarás que todo el mundo conoce el Paso de Mike Tyson. Durante este movimiento no se da ningún paso. Comienza con los pies separados y con el peso sobre el pie derecho.

1

CUENTAS - LENTO, LENTO

Transfiere el peso corporal sobre el pie izquierdo y mueve el hombro izquierdo adelante a la vez que tienes las manos en forma de puño.

2

CUENTAS - LENTO, LENTO

Transfiere el peso corporal sobre el pie derecho y mueve el hombro derecho adelante a la vez que tienes las manos en forma de puño.

El Peine (O Pente)

Todo el mundo quiere dar buena impresión cuando sale a bailar, y el estilo personal es importante. En este movimiento parece que los bailarines se están peinando, de ahí su nombre, «el Peine». En el O Pente no hay pasos, los pies no se mueven. Comienza con los pies separados y el peso corporal sobre el derecho.

1

CUENTAS – LENTO, LENTO

Transfiere el peso corporal sobre el pie izquierdo lentamente a la vez que tuerces el tronco a la derecha. Pasa la mano izquierda por encima de la cabeza como si te estuvieras peinando.

2

CUENTAS – LENTO, LENTO

Transfiere el peso corporal sobre el pie derecho lentamente a la vez que tuerces el tronco a la izquierda. Pasa la mano derecha por encima de la cabeza como si te estuvieras peinando.

Paso de Pelé

Brasil es conocido por su amor a los deportes, así que no es de sorprender que los héroes deportivos formen parte de su otro pasatiempo nacional: el baile. Aquí, en el paso de Pelé se rinde tributo a uno de los superhéroes del fútbol brasileño.

1

CUENTA – LENTO

Échate adelante, sobre el pie izquierdo.

2

CUENTA – LENTO

Da una patada con el pie derecho (como si la dieses a una pelota de fútbol).

3

CUENTA – LENTO

Echa el pie derecho atrás.

4

CUENTA – LENTO

Da un toque atrás con el pie izquierdo, pero sin transferir el peso corporal.

Abrir la Cortina

Es igual que el Paso Básico, pero con un movimiento de brazos que imita el abrir unas cortinas.

◁1

CUENTA - LENTO

Échate al lado, sobre el pie izquierdo, a la vez que extiendes el brazo izquierdo hacia afuera hasta colocarlo encima del pie izquierdo. Apoya la mano derecha sobre la cadera.

2

CUENTA - LENTO

Da un toque con el pie derecho al lado del izquierdo.

◁3

CUENTA - LENTO

Échate al lado sobre el pie derecho a la vez que extiendes el brazo derecho hacia afuera hasta colocarlo encima del pie derecho. Apoya la mano izquierda sobre la cadera.

4

CUENTA - LENTO

Da un toque con el pie izquierdo al lado del derecho.

La Bailarina

Este paso de la Bailarina tiene un patrón similar al de la Sacudida Samba descrito en la sección de Samba. Al hacer el movimiento a la izquierda, rota los brazos en el sentido de las agujas del reloj y termina con ellos extendidos a la izquierda; y, al hacer el movimiento a la derecha, rota los brazos en el sentido contrario a las agujas del reloj y termina con ellos extendidos a la derecha.

◁1

CUENTA - LENTO

Échate al lado sobre el pie izquierdo.

◁2

CUENTA - LENTO

Da un toque con el pie derecho detrás del izquierdo y gíralo hacia afuera. Evita agachar el talón derecho y mantén la presión sobre los dedos del pie.

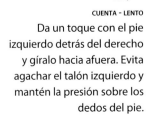

3▷

CUENTA - LENTO

Échate al costado sobre el pie derecho.

4▷

CUENTA - LENTO

Da un toque con el pie izquierdo detrás del derecho y gíralo hacia afuera. Evita agachar el talón izquierdo y mantén la presión sobre los dedos del pie.

Baile en Línea

La enorme popularidad del Baile en Línea de Country americano no deja de crecer con un entusiasmo, energía e iniciativa que parecen imparables. No solo en América, sino también en Europa la gente ha descubierto lo divertido que es «tirar de los tejanos» en la pista de baile. Los vuelos transatlánticos hoy resultan asequibles y eso ha permitido a los europeos elegir como destino turístico los Estados Unidos, lo que pone mayor cantidad de gente en contacto con la música Country en las innumerables salas de casi todas las ciudades americanas, desde Florida hasta Washington. El aumento de la popularidad de la música Country se debe, en gran medida, a la llegada del canal de televisión de este estilo de música y el número siempre en aumento de emisoras de radio y revistas dedicadas a este estilo.

A finales de los ochenta el Country comenzó a cambiar; los límites bien definidos con los que contaba en un principio empezaron a difuminarse al mezclarse con otros estilos. Se introdujo el Rock suave y las letras, típicamente temas tristes, simples o dulzones, pasaron a ser más sofisticadas, lo cual hizo que el Country llegara a una audiencia que nunca le había prestado atención. La imagen cowboy, con sombreros Stetsons, botas y cinturones con hebillas, gradualmente perdió fuerza en las asociaciones sureñas y fue cobrando connotaciones simpáticas; y los vídeos musicales ayudaron a emitir la imagen de lo que se conocería como el Nuevo Country.

A este proceso le ayudó considerablemente la aparición y promoción de estrellas muy talentosas que se dedicaron al Nuevo Country: Mary Chapin Carpenter, Trisha Yearwood, Lorrie Morgan, Carlene Carter, Suzy Boguss, Michelle Wright, Shania Twain, Shelby Lynne, Ronna Reeves, Dwaight Yoakum, Alan Jackson, Garth Brookes, Billy Ray Cyrus, John Berry, Vince Gill, Travis Tritt, Toby Keith, Hank Flamingo, John Michael Montgomery, Joe Diffie, Shawn Camp y muchos más. Estos artistas se dieron cuenta de que la música es solo la mitad del fenómeno del Country, así que produjeron música de excelente calidad no solo para ser escuchada, sino también posible de bailar. Una expresión nueva, «rancho de baile», se acuñó para nombrar las fiestas de Country. En los años ochenta, se disparó el número de asistentes y se establecieron muchos de estos ranchos de baile en las salas de Country y Western en todo el mundo.

Los bailarines sin pareja no tienen que preocuparse; el ambiente relajado y lleno de vida hace que todos lo pasen en grande. La música hace que solo quieras bailar.

El Baile en Línea de Country americano debe parte de su popularidad al Baile en Línea disco de los años setenta que siguió al éxito de *Fiebre del sábado noche*. No obstante, los movimientos tradicionales del baile americano Country no se habían olvidado y se adaptaron al Baile en Línea. En las discotecas, los hombres nunca se habían sentido cómodos con la idea de usar sus brazos y bailar al estilo de John Travolta; así que el estilo Country, menos ostentoso y tranquilo, donde los pulgares se enganchan firmemente en la cintura de los tejanos, estaba destinado a ser el baile ganador.

Como su nombre sugiere, el Baile en Línea de Country americano comprende coreografías preparadas para bailar en línea. Todos comienzan al mismo tiempo, bailan los mismos pasos sincronizados con los demás (al menos en teoría) y terminan cuando acaba la canción. Mucha de la música Country para bailar tiene un espacio para los pasos moderados y casi todos los bailes se pueden realizar por personas de cualquier edad. Bailar te mantiene en forma física y

Baile en Línea de Country americano: un buen ejercicio y un divertido paseo con botas.

Arriba: Las bandanas y los cordones al estilo del Oeste añaden un toque cowboy *divertido a cualquier traje.*

Las botas y el calzado plano son apropiados, pero cuidado con las zapatillas deportivas.

El comienzo

Comienza con los pies juntos mirando al mismo lado que los demás. Sé consciente del primer movimiento que vas a realizar y asegúrate de que estás colocado sobre el pie adecuado. Evita poner las manos detrás de ti, en la cadera o a los lados; pon los pulgares dentro de la cintura de los tejanos y ya estás listo para bailar.

Orientación

En muchos bailes se cambia la orientación de la coreografía cuando se repite el principio. A veces se trata de un cuarto de vuelta (o 90°), a veces de media (o 180°). Si eres nuevo en el baile del Country americano, evita colocarte atrás, pues podrías verte en el frente al final del baile. El centro es el lugar más seguro para el novato. ¡Ahora, empecemos a bailar!

La música

Muchos bailes de Baile en Línea de Country americano tienen una música que marca 4/4 y un tempo de 30 a 34 compases musicales por minuto, así que muchos de ellos se pueden bailar con una amplia variedad de música popular.

En las siguientes páginas aprenderás algunos de los bailes más conocidos de Baile en Línea de Country americano. Cada paso numerado representa una cuenta musical. Si a un número le sigue «Y», representa medio golpe de música. Haz las figuras a tu ritmo. ¡Verás que pronto coges el gustillo!

mental y es una buena manera de hacer amigos. Los movimientos son los mismos para hombres y mujeres y verás cómo los mismos pasos aparecen en más de un baile. Aunque en un principio la idea de aprender varios bailes en línea pueda parecer un reto enorme, una vez aprendas algunos movimientos verás que los siguientes son mucho más fáciles si recuerdas secuencias de movimientos en lugar de pasos individuales. Los bailes varían su duración y no siempre encajan con las secuencias musicales, pero parece que nadie se preocupa por ello; es más importante salir a la pista que andar vestido con cuero y botas.

A veces, una pieza musical popular crea muchos bailes distintos bajo el mismo nombre (la canción *Achy Breaky* es un buen ejemplo). Esto puede llevar a la confusión, por lo que si no estás seguro de si el baile que han anunciado es el que conoces, espera a que bailen la primera línea antes de unirte al grupo; no tiene gracia bailar una coreografía diferente.

El tipo de organización de las fiestas es distinto en cada evento; en algunas salas hay una persona encargada de determinar el baile; en otras puede que elija quien salga primero a la pista; y, a veces, grupos de bailes se juntan al mismo tiempo en una misma pista, aunque esto no se recomienda y un buen organizador lo evitará.

En esta introducción al Baile en Línea de Country americano, los movimientos se introducen en la misma secuencia que aparecen en los bailes y se explican de manera detallada. En algunas de las fotografías, los bailarines aparecen de espaldas para que lo puedas seguir en casa con facilidad.

Evita poner las manos a los lados del cuerpo cuando estés bailando; engánchalas al cinturón cuando no estés dando palmas al son de la música.

El Deslizamiento Eléctrico (The Electric Slide)[1]

Este baile incorpora algunos de los movimientos comunes de muchos Bailes en Línea Country. Su nombre se refiere al deslizamiento que se hace en una guitarra eléctrica para producir el sonido característico de la música Country. El primer movimiento se llama La Parra (Grapevine) y es una figura que se repite frecuentemente en muchas coreografías.

La Parra (Grapevine) a la derecha

Empieza con los pies juntos y con el peso sobre el izquierdo.

1 Da un paso lateral con el pie derecho.

2 Cruza el pie izquierdo por detrás del derecho. Comienza haciéndolo con las almohadillas del pie, ya que resulta más cómodo.

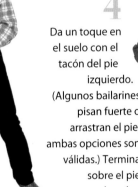

3 Da un paso lateral con el pie derecho y pon el peso sobre él.

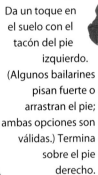

4 Da un toque en el suelo con el tacón del pie izquierdo. (Algunos bailarines pisan fuerte o arrastran el pie; ambas opciones son válidas.) Termina sobre el pie derecho.

La Parra a la izquierda

5 Da un paso lateral con el pie izquierdo.

6 Cruza el pie derecho por detrás del izquierdo.

7 De nuevo, da un paso al lado con el pie izquierdo.

8 Da un toque en el suelo con el tacón del pie derecho y termina con el peso sobre el pie izquierdo.

[1] N. de los T.: en este capítulo añadimos los nombres originales de los pasos tras su traducción para facilitar la experiencia del bailarín en la escena del Baile en Línea de Country americano.

Atrás y toque

9
Da un paso atrás
con el pie derecho.

10
Da un paso atrás
con el pie izquierdo.

11
Da un paso atrás
con el pie derecho.

12
Cruza el pie izquierdo
por detrás del derecho
y da un toque.

Toques

13
Da un paso al frente
con el pie izquierdo.

14
Da un toque con el
pie derecho
cruzando por detrás
del izquierdo. Gira
un poco la rodilla
derecha para que
resulte más fácil.

Sugerencia musical

Disfruta del tempo fácil y pásalo bien con Prop me up beside the jukebox (Sony), de Joe Diffie; sigue después con Be my baby tonight (Atlantic), de John Michael Montgomery. Cotton eye Joe (Internal Affairs), de Rednex, el cual llegó al número uno en las listas de éxitos musicales. Aunque no pertenece al típico Country, es una versión más rápida con la que te puedes divertir.

15 Da un paso atrás con el pie derecho.

16 Cruza el pie izquierdo por detrás del derecho y da un toque.

El Roce

17 Da un paso al frente con el pie izquierdo y flexiona la rodilla un poco.

18 Echa la pierna derecha adelante arrastrando el tacón. Al mismo tiempo, gira sobre el pie izquierdo un cuarto de vuelta (90°) hacia ese mismo lado sin poner el pie derecho sobre el suelo. Para mantener el equilibrio, asegúrate de que tienes el peso corporal sobre la izquierda y no dejes que vaya con el pie que se arrastra.

> *Comienza el baile de nuevo desde el lado que estaba antes a tu izquierda y baila el Deslizamiento Eléctrico.*

El Golpe Honky Tonk

El siguiente baile usa la Parra (Grapevine) que aprendiste en el Deslizamiento Eléctrico, pero con un Giro en Alto (Hitch Turn) para los verdaderos rancheros. También aprenderás el famoso Golpe. Este es un baile estupendo, especialmente para los principiantes de Baile en Línea de Country americano. La coreografía es corta y fácil de recordar, y la música «honky tonk» te empuja a bailar. Comienza con los pies algo separados y apóyate sobre el pie izquierdo.

Despliegue de punteras

1 Sobre el pie izquierdo, mantén el talón derecho en contacto con el suelo y despliega la puntera hacia afuera.

2 Lleva la puntera derecha a su posición original, casi en paralelo con el pie izquierdo.

3-4 Repite los pasos 1 y 2.

Toques Dobles adelante y atrás

5-6
Mueve el pie derecho adelante y da un toque de tacón. Repite.

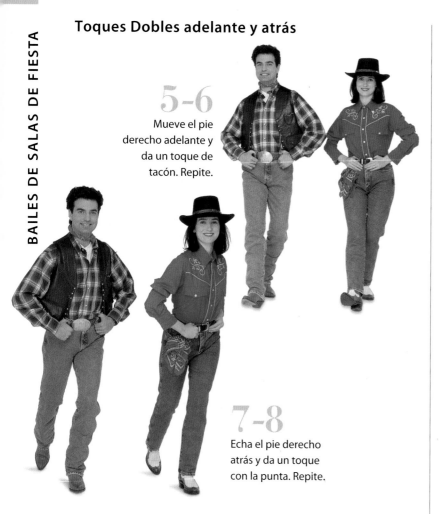

7-8
Echa el pie derecho atrás y da un toque con la punta. Repite.

Parra (Grapevine) a la derecha

17
Da un paso lateral con el pie derecho.

18
Cruza el pie izquierdo detrás del derecho.

19
Da otro paso lateral con el pie derecho.

20
Da un toque con el pie izquierdo.

Parra (Grapevine) a la izquierda con Giro en Alto (Hitch Turn)

Sugerencia musical
Honky Tonk attitude (Columbia), de Joe Diffie, es una gran canción para hacer el movimiento del mismo nombre. Otro gran tema es la versión de Baby likes to rock it (Arista), de The Tractors: con este, el baile está asegurado.

21
Da un paso lateral con el pie izquierdo.

22
Cruza el pie derecho por detrás del izquierdo.

23
Da un paso lateral con el pie izquierdo.

Toques y Golpes

9
Da un toque con el tacón derecho adelante.

10
Junta el pie derecho con el izquierdo y quédate sobre el derecho.

11-12 ▲
Da un golpe con el pie izquierdo levantando la rodilla y poniendo el pie plano sobre el suelo. Repite.

13
Da un toque con el tacón izquierdo adelante.

14
Junta el pie izquierdo con el derecho y quédate sobre el izquierdo.

15-16
Da un golpe con el pie derecho y repite.

24 ▶
Sobre el pie izquierdo, da media vuelta (180°) a la izquierda. Al mismo tiempo, levanta la rodilla derecha y haz un ángulo con el tobillo. A esto se le llama la Alzada (Hitch).

25-28
Repite los pasos 17-20.

29-31
Repite los pasos 21-23.

32
Con los pies separados, da un toque con el tacón derecho.

Ahora bailar otra vez desde el Despliegue de puntera comenzando con el pie derecho.

El Tornado de Tennesee (Tennessee Twister)

El Tornado de Tennesee te hará bailar de verdad con sus giros y un tipo nuevo de vuelta. Este baile resulta muy adecuado para nuevos rancheros. Irás bailando hacia la derecha, así que deja espacio suficiente en la parte derecha de la pista. Comienza en la parte frontal, con los pies un poco separados y el peso igualmente distribuido sobre las almohadillas de los pies.

Giros de Tennesee (Tennesee Twists)

1 Tuerce a la izquierda sobre las almohadillas de los pies moviendo los talones a la derecha.

2 Mantén la posición.

3 Tuerce a la derecha sobre las almohadillas de los pies moviendo los talones a la izquierda.

4 Mantén la posición.

5-8 Ahora tuerce a la derecha, izquierda, derecha, izquierda. Termina sobre el pie izquierdo.

Toques Dobles adelante-atrás

9-10 Mueve el pie derecho adelante y da un toque de tacón. Repite.

11-12 Mueve el pie derecho atrás y da un toque con la punta. Repite.

Cruces comenzando con el pie derecho

Da un paso adelante con el pie derecho.

13

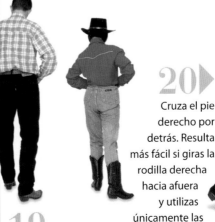

14 Cruza el pie izquierdo por detrás. Resulta más fácil si giras la rodilla izquierda hacia afuera y utilizas únicamente las almohadillas del pie.

15-16 Repite los pasos 13 y 14.

Giro a la derecha

17 Da un paso adelante con el pie derecho y flexiona la rodilla para equilibrarte.

18 Sobre el pie derecho, da media vuelta (180°) a la derecha. Si fuese necesario, usa el pie izquierdo para mantenerte tras la vuelta, pero no te apoyes en él.

Cruces comenzando con el pie izquierdo

19 Da un paso al frente con el pie izquierdo.

20 Cruza el pie derecho por detrás. Resulta más fácil si giras la rodilla derecha hacia afuera y utilizas únicamente las almohadillas del pie.

21-22 Repite los pasos 19 y 20.

Giro a la izquierda

23-24

Da un paso al frente con el pie izquierdo, flexionando la rodilla para mantener el equilibrio. Sobre el pie izquierdo, da media vuelta (180°) a la izquierda. Usa el pie derecho para mantenerte tras la vuelta, pero no te apoyes en él.

La Parra (Grapevine) a la derecha con Giro en Alto y Parra a la izquierda

25-32

Completa el baile ahora haciendo la Parra (Grapevine) a la derecha con un Giro en Alto (Hitch Turn) dando media vuelta (180°) a la derecha con el pie derecho y una Parra (Grapevine) a la izquierda.

Sugerencia musical

Close but no Guitar, de Toby Keith (Mercury), es una canción lenta que ofrece una introducción suave al baile. Get in Line, de Larry Boone (Columbia), también es excelente. Baby I'm Burnin', de Dolly Parton (RCA), es fantástica para pasar un buen rato con el Tornado, Tenessee.

Ahora puedes volver a bailar el Tornado de Tennesee.

I Feel Lucky²

A veces, cuando una coreografía sale de una canción particular, aquella se nombra con su título. La siguiente coreografía se baila con el éxito musical de Mary Chapin Carpenter *I feel lucky*. Comienza en la parte del frente con lo pies juntos y sobre el pie izquierdo.

Pasos atrás y adelante con Toque y Palmada

1 Da un paso atrás con el pie derecho.

2 Da un paso atrás con el pie izquierdo.

3 Repite el paso 1.

4 Da un toque en el suelo con el pie izquierdo y da una palmada.

5 Da un paso al frente con el pie izquierdo.

6 Da un paso adelante con el pie derecho.

7 Repite el paso 5.

8 Da un toque en el suelo con el pie derecho y una palmada.

Vuelta a la derecha

9 Da un cuarto de vuelta (90°) a la derecha y un paso adelante con el pie derecho.

10 Da un cuarto de vuelta (90°) a la derecha en la misma línea y un paso lateral con el pie izquierdo. Ahora estás de espaldas al frente.

11 Da media vuelta (180°) a la derecha en la misma línea y da un paso lateral con el pie derecho. Ahora estás de frente en la parte frontal.

12 Da un toque en el suelo con el pie izquierdo y da una palmada.

---

² N. de los T.: en este capítulo dejamos los nombres originales de movimientos que coinciden con el título de una canción Country.

13-16

Repite los pasos 9-12, pero dando las vueltas a la izquierda y empleando el pie contrario.

Puntas, toques y palmadas

17

Levanta el pie derecho y vuelve a colocarlo sobre el suelo.

18

Da un paso adelante y cruzado con la punta del pie izquierdo.

19

Da un paso atrás y lateral con la punta del pie izquierdo.

20 ▼

Mantén la posición y da una palmada hacia la derecha.

21-23

Repite los pasos 17-19 comenzando con el pie izquierdo.

24

Mantén la posición y da una palmada a la izquierda.

25

Levanta el pie derecho y bájalo.

26

Da un paso adelante y cruzado con la punta del pie izquierdo y da una palmada.

27-28

Repite los pasos 25 y 26 comenzando con el pie izquierdo.

Durante los giros a la derecha y a la izquierda, asegúrate de que tienes los pies separados y que vas siempre en la misma dirección para evitar darte la vuelta

Paseo y cruce

29

Da un paso al frente con el pie derecho.

30

Da un paso al frente con el pie izquierdo.

31 ▲

Cruza el pie derecho por delante del izquierdo.

32

Da un paso atrás con el pie izquierdo.

Ahora estás listo para comenzar de nuevo.

Boot Scootin' Boogie

Este es uno de mis bailes favoritos del Baile en Línea de Country americano. Es bastante fácil, aunque al principio puede parecer complicado. Comienza en la posición frontal con el peso corporal sobre ambos pies y estos un poco separados, listos para torcerlos.

Giros a la izquierda

Sobre los talones, mueve las punteras a la izquierda. **1** ▶

2

Sobre las almohadillas de los pies, mueve los talones a la izquierda.

3-4

Repite los pasos 1 y 2.

Giros a la derecha

5

Sobre las almohadillas de los pies, mueve los talones a la derecha.

6 ▶

Sobre los talones, mueve las punteras a la derecha.

7-8

Repite los pasos 5 y 6.

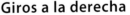

Punta y tacón en el sitio

9

Sobre el pie izquierdo, levanta el tacón derecho y señala con la puntera derecha al suelo.

10

Baja el tacón derecho y posiciónate sobre el pie derecho.

11

Levanta el tacón izquierdo y señala con la puntera al suelo.

12

Baja el tacón izquierdo y posiciónate sobre el pie izquierdo.

Patada, unión, punta, unión...

13-14

Da una patada adelante con el pie derecho a partir de la rodilla. Repite.

15

Junta el pie derecho con el izquierdo.

16

Da un paso atrás con la punta del pie izquierdo.

17

Junta el pie izquierdo con el derecho y colócate sobre el pie izquierdo.

Hitch

18

Sobre el pie izquierdo, levanta la rodilla derecha hasta hacer ángulo recto con el tobillo.

Pasos triples

19, 20

Échate hacia adelante con el pie derecho y la parte derecha del cuerpo. Coloca el pie izquierdo junto al derecho usando solo las almohadillas del pie y con el lado izquierdo hacia adelante. Échate adelante con el pie izquierdo y la parte izquierda del cuerpo.

21, 22

Échate hacia adelante con el pie izquierdo y la parte izquierda del cuerpo. Coloca el pie derecho junto al izquierdo usando solo las almohadillas del pie y con el lado derecho hacia adelante. Échate hacia adelante con el pie derecho y la parte derecha del cuerpo.

Giro en el sitio a la izquierda

23

Da un paso al frente con el pie derecho y deja el izquierdo en el sitio.

24

Sobre el pie derecho, da media vuelta (180°) a la izquierda y transfiere el peso corporal hacia adelante, sobre el pie izquierdo.

Pasos triples

25-28

Haz un triple paso a la derecha y luego a la izquierda como antes.

Arrastre de bota

29, 30▶

Da un brinco adelante con el pie izquierdo ligeramente alzado y el derecho en ángulo recto con la pierna. Repetir.

Parra (Grapevine) a la derecha

31

Da un paso lateral con el pie derecho.

32

Cruza el pie izquierdo por detrás del derecho.

33

Da otro paso lateral con el pie derecho.

Sugerencia musical
Haz el baile con la canción original Boot Scootin' Boogie, *de Brooks & Dunn.*

Puntas y palmada

34 Apunta el pie izquierdo adelante y cruzado.

35 Apunta el pie izquierdo al lado.

36 Mantén la posición y da una palmada hacia la derecha.

Parra (Grapevine) a la izquierda

37 Da un paso lateral con el pie izquierdo.

38 Cruza el pie derecho por detrás del izquierdo.

39 Da un paso lateral con el pie izquierdo.

Puntas y palmada

40 Apunta el pie izquierdo adelante y cruzado.

41 Apunta el pie derecho al lado.

42 Mantén la posición y da una palmada hacia la izquierda.

El Paseo

Este movimiento se incorpora con pasos cortos.

43 Da un paso al frente con un cuarto de vuelta a la derecha con el pie derecho.

◀44 Cruza el pie izquierdo por detrás del derecho.

45 Da un paso al frente con el pie derecho.

46 Junta, pero no del todo, el pie izquierdo con el derecho.

Ahora estás preparado para comenzar de nuevo el Boot Scootin' Boogie, pero desde el lado que quedaba a tu izquierda cuando comenzaste el baile.

Houston Slide

Excepcionalmente, este baile incorpora un giro a la derecha. Comienza en la posición frontal apoyado sobre el pie izquierdo.

Toques y deslizamientos

3 Da un paso lateral con el pie derecho.

4 Arrastra el pie izquierdo hasta el derecho.

1 Da un toque con la puntera derecha al lado.

2 Junta el pie derecho con el izquierdo y mantén el peso corporal sobre el pie izquierdo.

5-8 Repite comenzando con el pie izquierdo.

Toques Dobles y Simples adelante y atrás

9,10

Da un toque de tacón adelante con la derecha. Repite.

11,12

Da un toque atrás con la puntera derecha. Repite.

13

Da un toque adelante con el tacón derecho.

14

Da un toque atrás con la puntera derecha.

Arrastres

15

Da un paso al frente con el pie derecho.

16

Sobre el pie derecho, da un cuarto de vuelta (180°) a la derecha arrastrando el pie izquierdo.

17

Da un paso al frente con el pie izquierdo.

18

Arrastra el pie derecho adelante.

Cowboy Reggae

19

Cruza el pie derecho sobre el izquierdo. Si giras un poco con el pie izquierdo, encontrarás el movimiento más fácil y cómodo.

20

Da un paso atrás con el pie izquierdo.

21

Da un toque al lado con el pie derecho.

22 ▲ Da un salto adelante con ambos pies para juntarlos.

Ahora desde el lado que anteriormente te quedaba a la derecha, ya estás preparado para hacer otra vez el Houston Slide.

El Achy Breaky

Tan popular fue el éxito musical *Achy Breaky Heart,* de Billy Ray Cyrus, que, recién lanzado, salieron bailes en línea inmediatamente. La versión oficial la coreografió una de las principales coreógrafas americanas de Baile en Línea, Melanie Greenwood. Esta es nuestra interpretación de su baile. Comienza en la posición frontal y sobre el pie izquierdo.

Parra (Grapevine) a la derecha

1

Da un paso lateral con el pie derecho.

2

Cruza el pie izquierdo por detrás del derecho.

3

Da un paso lateral con el pie derecho.

4

Mantén la posición sobre el pie derecho y los pies separados.

Oscilación de cadera

5

Posiciónate con el pie izquierdo ligeramente a un lado y oscila la cadera desde el pie derecho al izquierdo con los pies separados.

6

Oscila la cadera desde el pie izquierdo hasta el derecho.

7

Oscila la cadera desde el pie derecho al izquierdo.

8

Mantén la posición sobre el pie izquierdo.

Toques con giro a la izquierda

9

Parado sobre el pie izquierdo, da un toque atrás con la puntera derecha.

10

Da un toque lateral con la puntera derecha.

11

Da un cuarto de vuelta (90°) a la izquierda y da un toque lateral con el pie derecho.

12

Da media vuelta (180°) a la izquierda y da un paso atrás con el pie derecho.

Caminar hacia atrás para ir a un lado, con alzada y oscilación

13

Da un paso atrás con el pie izquierdo.

14

Da un paso atrás con el pie derecho.

15

Alza el pie izquierdo (ver el Honky Tonk Stomp).

16

Gira la pierna izquierda hacia atrás y haz un cuarto de vuelta con ella (90°) a la izquierda y termina sobre el pie izquierdo y las piernas separadas.

Caminar hacia atrás y golpear

17

Da un paso atrás con el pie derecho.

18

Da un paso atrás con el pie izquierdo.

19

Da un paso atrás con el pie derecho.

20

Pisa fuerte con el pie izquierdo.

Oscilación de cadera

21-24

Repite los pasos 5-8.

Sugerencia de música
Achy Breaky Heart, *de Billy Ray Cyrus (Phonogram).*

Golpes con giros

25

Con un cuarto de vuelta (90°) a la derecha, da un paso con el pie derecho.

26

Pisa con fuerza con el pie izquierdo.

27 ▶

Dando media vuelta (180°) a la izquierda, da un paso en el sitio con el pie izquierdo.

28

Pisa con fuerza con el pie derecho.

Termina sobre el pie izquierdo, listo para empezar de nuevo. Ahora estás en dirección al lado que te quedaba a la izquierda previamente. El baile empieza y termina con una Parra (Grapevine) a la derecha. Ya que hay dos Parras a la derecha seguidas, puedes sustituir una de ellas por un giro.

Parra (Grapevine) a la derecha y palmada

29-31

Repite los pasos 1-3.

◀**32**

Junta el pie izquierdo con el derecho y da una palmada.

Bailes internacionales latinoamericanos

Los bailes latinoamericanos internacionales se practican en escuelas de baile convencionales que normalmente ofrecen gran variedad de cursos y lecciones privadas, además de las noches de fiesta regulares que constituyen una gran ocasión para disfrutar del baile. Muchas de estas escuelas proveen un programa de varios bailes en un único curso y esta es una manera estupenda de aprender rápidamente. El curso a veces incluye bailes estándar internacionales, ya que habitualmente estos estilos se dan en las fiestas y suelen incluir también, como parte del programa de baile latinoamericano, una versión de Rock'n'Roll o Jive.

El estilo y la técnica que enseña el profesorado cualificado es el mismo en todas las escuelas del mundo. Al contrario que las salas de fiesta, las escuelas de baile convencionales tienden a practicar en parejas, así que vale la pena ir acompañado, al menos a la primera clase. Una vez allí, lo mejor es relajarse, disfrutar del ambiente cordial que se establece y pasarlo muy bien.

Los bailes cubanos

Los seguidores del baile latinoamericano suelen darse cuenta enseguida del parecido que tienen los estilos internacionales de Mambo, Rumba, Chachachá y Salsa. Esto ocurre porque todos ellos tienen su origen en la música cubana, que tiene raíces en el Bolero, Rumba, Danzón y Son.

Las características de la Rumba producen un baile romántico, lento, sensual y muy bonito; el patrón de los movimientos del Chachachá son similares al de la Rumba, pero va más rápido y es más juguetón; en la Salsa, que es una síntesis de muchos bailes latinos y afrocaribeños, los giros son un rasgo importante y sus resultados visuales y de experiencia personal difieren de los del Mambo, aunque ambos comparten muchos movimientos. El Mambo, al contrario que la Salsa pródiga en movimientos laterales, se basa en movimientos hacia adelante y hacia atrás.

El Mambo tiene un patrón, estructura y dinámica parecidos a los de la Rumba y el Chachachá, aunque es un baile más rápido y exuberante. El bailarín de Mambo con experiencia utiliza cada golpe de música y lo interpreta con cuatro acciones: dos pasos, un movimiento del pie en el sitio y una transferencia de peso. En el estilo internacional de Mambo que se ofrece en la introducción del baile en este libro se bailan tres pasos en cuatro golpes musicales. Los pasos en sí mismos están simplificados, así que se baila un «rápido» a un golpe y un «lento» a dos, siguiendo un patrón normal de «rápido, rápido, lento».

Existe un gran debate técnico en el Mambo sobre qué acción ocurre en qué golpe de música. Los bailarines expertos a menudo discuten si la transferencia del peso corporal ocurre en el primer golpe (al igual que en la Rumba y en el Chachachá), mientras otros están de acuerdo en que sucede en el último golpe de música. En la práctica, los bailarines con gran sentido de la técnica del baile, tienden a realizar la transferencia de peso en la cuenta 1, mientras que los bailarines sociales y los mismos latinos tienden a hacerlo en la cuenta 4. Como las dos formas son posibles, cada bailarín está en su derecho de bailar al énfasis del ritmo que ofrezcan los percusionistas en cualquier canción. Para apoyar los propósitos de este capítulo, el ritmo se lleva como la mayoría de los bailarines hacen, donde el paso 1 sucede en el golpe 1 de la barra musical. Lo que sea que se decida, nadie puede equivocarse al salir a la pista de baile y disfrutar con el Mambo.

El Mambo es uno de los bailes más exuberantes de la familia de bailes cubanos.

Música y ritmo

El Mambo es tan fascinante como diverso. Toda la música latinoamericana tiene un ritmo emocionante; para todo bailarín, el ritmo es lo más importante. El del Mambo se compone de una asombrosa variedad de instrumentos de percusión, entre ellos: las claves, que son dos palos de madera noble que se golpean entre sí para producir el ritmo básico; el güiro, que produce un sonido ronco; las maracas, que originalmente eran unas calabazas huecas rellenas de guisantes secos o piedrecitas que producen el repiqueteo; la campana o el cencerro, y una variedad de tambores, como la conga, la tumba, el bongo y los timbales.

Cuando se escucha el Mambo por primera vez, es normal quedarse confundido con tantos ritmos como pone a su alcance. Esta variedad existe porque el Mambo marca una transición desde varios bailes anteriores hasta una síntesis de todos. De la misma manera que unos cocineros pueden preparar el mismo plato de manera distinta porque cada uno tiene sus propias preferencias, los músicos pueden producir uno de los tres ritmos de Mambo.

El primer ritmo de Mambo, que es el más simple, usa cuatro golpes musicales, que un bailarín interpretará como «rápido, rápido, lento». Este es el tipo de ritmo que se emplea en este libro. El segundo tiende a ser más rápido y utiliza los mismos cuatro golpes, que se interpretan como cuatro cuentas «rápido» o una «rápido, rápido, lento», o se mezclan ambas en el mismo baile, cuyo ritmo se ha asociado a la Salsa.

El tercer ritmo tiende a ser más lento; parte el cuarto golpe por la mitad para producir tres cuentas enteras seguidas de dos medias cuentas. Los dos golpes musicales partidos seguidos por uno entero componen el ritmo conocido del Chachachá. Puede llegar a ser complicado entender las diferencias rítmicas y por qué ocurren varias en un mismo baile; pero para disfrutar, no es necesario indagar mucho en el tema. El tempo del Mambo varía mucho, comenzando desde 32 compases por minuto para el Chachachá, pasando por los 40 del baile social hasta llegar al más complicado, el de 56 compases por minuto, solo para bailarines expertos.

El Mambo suele tener un ritmo de 4 por 4, lo que significa que hay cuatro golpes iguales por cada compás, aunque 8 por 8 también es posible.

Esta pareja se está preparando para hacer una vuelta bajo el brazo, la cual se puede mezclar y hacer un cóctel exótico de movimientos de Mambo.

Mambo

El Mambo tiene un pasado exótico; tuvo su origen en la mezcla fértil de las culturas afro-caribeñas y latinoamericanas de Cuba, isla que siempre ha contado con una variedad asombrosa de bailes y ritmos. En la década de 1940 comenzó a surgir un sonido emocionante y nuevo, originalmente dirigido por Odilio Urfé y Arsenio Rodríguez; era una mezcla de música latina y Jazz contundente. El estilo lo desarrolló Dámaso Pérez Prado, que encabezaba una banda cubana con base en México y quien, en 1945, lo convirtió en el último grito entre todos los bailes. Se cree que el nombre de esta nueva danza ardiente, el Mambo, se inspiró en los sacerdotes vuduistas que logran llevar a los devotos a un estado hipnótico mediante el baile. En sus comienzos, fue condenado por la iglesia en algunos países y prohibido por las autoridades en otros; pero como toda fruta prohibida, el Mambo adquirió popularidad y floreció.

Hacia los años cincuenta, empujado ya por Hollywood y la enorme popularidad de Pérez «Prez» Prado, el Mambo comenzó a consolidarse como favorito en los Estados Unidos. Prado fue uno de los originales «Reyes del Mambo», junto a otros nombres como Tito Puente, Isabel López Cachao y el legendario músico de Mambo Machito, quienes actuaron en el famoso Palladium de Nueva York. Estos artistas se unieron al probablemente más grande vocalista de Mambo, Benny Moré. La cantante Celia Cruz también se convirtió en una leyenda latina, aunque fueron los grandes éxitos musicales de Prado, tales como *Mambo n.° 5, Mambo n.° 8, Mambo Jambo y Guaglione* los que hicieron que su música y sus pasos se arraigaran en el mundo del baile convirtiéndole en el eterno favorito que es hoy.

De origen cubano, el Mambo ahora se disfruta en todo el mundo en los niveles social y de competición.

Los agarres

Cuando se baila el estilo cubano, se utilizan varios tipos de agarre, dependiendo de la figura que se esté realizando. Muchas de las figuras con las que se comienza emplean el agarre directo.

Agarre directo

Hombre y mujer están en contacto directo. El hombre coloca la mano derecha alrededor de la cintura de la mujer, con el antebrazo cruzando la parte baja de la espalda de ella. La mujer coloca su mano izquierda sobre la parte alta del brazo derecho de él, o en la parte derecha de la espalda o en la nuca. El hombre alza la mano izquierda justo por debajo de la altura de sus hombros, con el codo apartado del cuerpo. Ella pone su dedo medio de la mano derecha entre el pulgar y el índice de la mano izquierda del hombre. Él cierra los dedos de la mano izquierda y agarra la mano. La mujer se posiciona ligeramente hacia la derecha del hombre de manera que, cuando él se mueve hacia adelante con el pie derecho, su pie izquierdo se encuentra en la parte externa del derecho de ella, y su pie derecho entre los pies de la mujer.

Agarre de manos doble

En este agarre, el hombre y la mujer están un poco separados. Él agarra la mano izquierda de ella con su derecha y, con la izquierda, la

derecha de ella, justo por debajo de la altura de los hombros.

Agarre mano derecha con mano derecha

Este agarre es muy parecido a un saludo con las manos, excepto que el hombre sostiene su mano con la palma hacia arriba y la mujer reposa la suya sobre la de él. Este agarre no debe de ser apretado. Las manos se mantienen a la altura de la cintura. Es importante que se mantengan los brazos firmes, pero no rígidos, para permitir que el hombre lleve a la mujer. Lo que se haga con el brazo libre depende del movimiento que se esté bailando.

Agarre de mano izquierda con mano derecha

En este agarre los cuerpos están en una posición abierta, un poco separados. El hombre coge la mano derecha de ella con su izquierda y el brazo libre se extiende a un lado, normalmente a la altura de la cintura.

Agarre de mano derecha con mano izquierda

Este agarre es el mismo que el de arriba, con la única diferencia de que la mano izquierda de ella está sujeta en la derecha de él.

El agarre directo visto de frente (izquierda) y de espaldas (arriba).

Mambo Básico

Incluso los bailarines de Mambo expertos vuelven a los movimientos básicos para redescubrir la simplicidad emocionante del baile sin adornos. Estos movimientos caracterizan perfectamente la esencia del Mambo. Para empezar, agarraos directamente. El hombre coloca el peso sobre el pie derecho y la mujer en el izquierdo.

3
CUENTA – LENTO

Hombre Devuelve el pie izquierdo a su posición inicial mediante un paso corto.

Mujer Da un paso corto al frente con el pie derecho.

1
CUENTA – RÁPIDO

Hombre Da un paso al frente con el pie izquierdo y deja el derecho en el sitio.

Mujer Da un paso atrás con el pie derecho y deja el izquierdo en el sitio.

2
CUENTA – RÁPIDO

Hombre Transfiere el peso corporal sobre el pie derecho.

Mujer Transfiere el peso corporal sobre el pie izquierdo.

4
CUENTA – RÁPIDO

Hombre Da un paso atrás con el pie derecho y deja el izquierdo en el sitio.

Mujer Da un paso adelante con el pie izquierdo y deja el derecho en su sitio.

5
CUENTA – RÁPIDO

Hombre Transfiere el peso corporal sobre el pie izquierdo.

Mujer Transfiere el peso corporal sobre el pie derecho.

6
CUENTA – LENTO

Hombre Da un paso corto adelante con el pie derecho.

Mujer Da un paso corto atrás con el pie izquierdo.

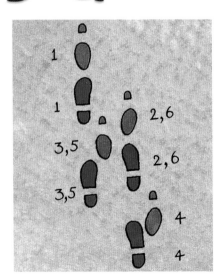

Pies y piernas

A lo largo del baile se realiza un movimiento hacia adelante, empujando el peso corporal al frente sobre las almohadillas del pie y bajando después el talón. Es muy diferente a un paso normal, donde el talón se apoya primero. Esta acción es muy característica de los bailes afrocaribeños y latinoamericanos. En el movimiento hacia atrás, la rodilla de la pierna que se mueve se estira al mismo tiempo que el peso corporal pasa por la cadera y que el talón del pie quieto se levanta ligeramente. No se debe exagerar la acción.

Debido a la velocidad del Mambo, no siempre es posible transferir todo el peso corporal sobre el pie que da el paso. En este caso, solo se usa parte del peso corporal para aportar el toque de presión. Durante un movimiento lateral, el lado interior de las almohadillas del pie que ejecuta el movimiento debe entrar en contacto con el suelo primero, y luego pasar el peso corporal al pie a la vez que se baja el talón. En el momento en que el peso se dirige al pie, el talón del pie que está quieto puede levantarse, pero dejando que el lado interior de las almohadillas toque el suelo.

Ahora puedes repetir el Mambo Básico entero o combinarlo con otros movimientos que se explican a continuación. Intenta girar a la izquierda gradualmente con el Mambo Básico, pero no des más de un cuarto de vuelta (90°) por cada grupo de seis pasos.

La Cucaracha

La Cucaracha es un nombre popular en muchos bailes de origen cubano. Este movimiento resulta útil cuando se está bailando en pistas de baile muy llenas o mientras se decide cuál será el próximo paso. Comienza con un agarre directo. El hombre coloca el peso corporal sobre el pie derecho y la mujer sobre el izquierdo.

1
CUENTA – RÁPIDO

Hombre Da un paso lateral con el pie izquierdo y deja el derecho en su sitio.

Mujer Da un paso lateral con el pie derecho y deja el izquierdo en su sitio.

2
CUENTA – RÁPIDO

Hombre Transfiere el peso corporal a un lado, sobre el pie derecho.

Mujer Transfiere el peso corporal a un lado, sobre el pie izquierdo.

3
CUENTA – LENTO

Hombre Junta el pie izquierdo con el derecho.

Mujer Junta el pie derecho con el izquierdo.

4
CUENTA – RÁPIDO

Hombre Da un paso lateral con el pie derecho y deja el izquierdo en su sitio.

Mujer Da un paso lateral con el pie izquierdo y deja el derecho en su sitio.

6
CUENTA – LENTO

Hombre Junta el pie derecho con el izquierdo.

Mujer Junta el pie izquierdo con el derecho.

5
CUENTA – RÁPIDO

Hombre Transfiere el peso corporal a un lado, sobre el pie izquierdo.

Mujer Transfiere el peso corporal a un lado, sobre el pie derecho.

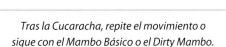

Tras la Cucaracha, repite el movimiento o sigue con el Mambo Básico o el Dirty Mambo.

Dirty Mambo

Con solo dos movimientos básicos, ya puedes probar un nuevo movimiento si combinas los anteriores, haciendo así el Dirty Mambo. La popularidad del Mambo recibió un gran empuje cuando salió la película Dirty Dancing, *y probablemente esta sea la razón de llamarse así esta figura. Baila los pasos 1-3 de Mambo Básico. Baila los pasos 4-6 de la Cucaracha. Baila los pasos 1-3 de la Cucaracha. Baila los pasos 4-6 de Mambo Básico.*

Consejo de estilo
Cuando te muevas lateralmente en los pasos 1 y 4, intenta mantener el tronco relativamente quieto para que el movimiento lateral salga de las caderas. Si lo encuentras un poco complicado al principio, dar un paso más pequeño te ayudará a conseguir el movimiento correcto.

Manita a Mano

Empieza este movimiento popular con un doble agarre de manos. Para ello, baila un Mambo Básico entero iniciado por agarre directo. Durante los pasos 1-3 del Mambo Básico, el hombre suelta la mano derecha y aparta a la mujer. En los pasos 4-6 del Mambo Básico, el hombre coge la mano izquierda de ella con su derecha y realizan un agarre de manos doble. Él está ahora apoyado sobre el pie derecho y ella sobre el izquierdo para el Manita a Mano.

1

CUENTA – RÁPIDO

Hombre Con la mano izquierda, aparta el lado derecho de la mujer y suelta la mano. Da un paso atrás con el pie izquierdo creando un cuarto de giro (90°) a la izquierda, quedando en posición lado a lado con la mujer, con el pie derecho en el sitio.

Mujer Da un paso atrás con el pie derecho creando un cuarto de giro (90°) a la derecha, quedando en posición lado a lado con el hombre, con el pie izquierdo en el sitio.

2

CUENTA – RÁPIDO

Hombre Transfiere el peso corporal adelante, sobre el pie derecho, y comienza a girar a la derecha.

Mujer Transfiere el peso corporal adelante, sobre el pie izquierdo, y comienza a girar a la izquierda.

Consejo de estilo

Para que Manita a Mano se vea bien, los bailarines tienen que dar un paso atrás y colocarse en la posición lado a lado, con los codos apartados de los lados para evitar parecer apretados.

3

CUENTA – LENTO

Hombre Da un paso lateral con el pie izquierdo para acabar de frente a la mujer con un doble agarre de manos.

Mujer Da un paso lateral con el pie derecho para acabar de frente al hombre con un doble agarre de manos.

4

CUENTA – RÁPIDO

Hombre Aparta a la mujer con la mano derecha hacia el lado izquierdo y suelta la mano derecha. Da un paso atrás con el pie derecho creando un cuarto de giro (90°) a la derecha, quedando en posición lado a lado con la mujer, con el pie izquierdo en el sitio.

Mujer Da un paso atrás con el pie izquierdo creando un cuarto de giro (90°) a la izquierda, quedando en posición lado a lado con el hombre, con el pie derecho en el sitio.

5

CUENTA – RÁPIDO

Hombre Transfiere el peso corporal adelante, sobre el pie izquierdo, y comienza a girar a la izquierda.

Mujer Transfiere el peso corporal adelante, sobre el pie derecho, y comienza a girar a la derecha.

6 ▶

CUENTA – LENTO

Hombre Da un paso lateral con el pie derecho para acabar de frente a la mujer con un doble agarre de manos.

Mujer Da un paso lateral con el pie izquierdo para acabar de frente al hombre con un doble agarre de manos.

7–9

Hombre y mujer
Repite los pasos 1-3.

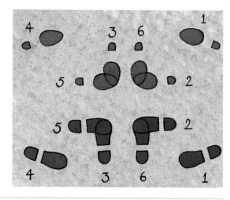

Sigue con los pasos 4-6 del Mambo Básico acabando en contacto directo, o prueba el Giro a la derecha en el sitio bajo el brazo.

Giro a la derecha en el sitio bajo el brazo

El movimiento otorga un final bonito a gran variedad de figuras. Puede terminar en cualquier agarre y también es estupendo para movimientos que requieren un cambio de agarre. Puedes bailar este giro tras los pasos 1-3 del Mambo Básico, pero piensa que acabas de bailar Manita a Mano. Él está sobre el pie izquierdo y ella sobre el derecho. Ambos tienen las piernas separadas y están agarrándose ambas manos. En el último paso de Manita a Mano, el hombre debe levantar la mano izquierda y soltar la derecha para indicar el giro. Mientras ella da un giro en el sitio, los pasos del hombre son iguales que los 4-6 del Mambo Básico, pero acabando con un paso corto lateral.

1
CUENTA – RÁPIDO

Hombre Da un paso atrás con el pie derecho y deja el izquierdo en su sitio. Mueve el brazo levantado a la izquierda para dirigir el giro.

Mujer Gira sobre el pie derecho un cuarto (90°) hacia la derecha y muévete con el pie izquierdo hacia adelante y bajo el brazo del hombre, sin mover el pie derecho. Una vez sobre el pie izquierdo, gira 180° a la derecha y termina con el pie izquierdo atrás. El pie derecho todavía está quieto en su sitio y el hombre a tu derecha.

2
CUENTA – RÁPIDO

Hombre Transfiere el peso corporal adelante, sobre el pie izquierdo.

Mujer Transfiere el peso corporal adelante sobre el pie derecho, y comienza a girar a la derecha y hacia el hombre.

3
CUENTA – LENTO

Hombre Da un paso lateral corto con el pie derecho y baja el brazo izquierdo.

Mujer Da un paso lateral con el pie izquierdo y gira a la derecha hasta estar frente al hombre.

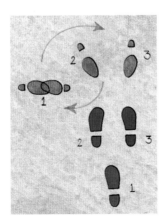

Con el agarre directo ya puedes continuar con el Mambo Básico o la Cucaracha; con el agarre de manos doble puedes seguir haciendo otra Manita a Mano o Nueva York, una figura que ofrece más posibilidades.

El brazo libre

En el Mambo, como en casi todos los bailes latinoamericanos, hay muchos movimientos en los que el hombre y la mujer están agarrados únicamente con una mano. Si sigues unas pautas generales sobre qué hacer con el brazo y mano libres, conseguirás dar al baile una excelente apariencia, bien equilibrada:

• Durante el movimiento, la posición del brazo libre debe reflejar la altura y curva del brazo agarrado. Queda más ordenado si no se extienden los dedos.

• Durante el giro en el sitio, el brazo debe salir cruzando el cuerpo y volver a su posición de manera natural reflejando el brazo agarrado.

• El brazo libre nunca se debe mantener más allá del nivel de los hombros o a lo largo del cuerpo, porque no solo queda muy mal, sino que también dificulta el equilibrio.

Al tiempo que vas sintiendo este baile puede que te apetezca responder moviendo el brazo libre de un modo natural, equilibrado y suave. No exageres los distintos pasos e iguala no solo tus movimientos, sino también los de tu pareja. Como el Mambo es uno de los bailes más movidos del grupo latinoamericano, es una buena idea tener el brazo libre más quieto que el resto del cuerpo para resaltar el movimiento de piernas y caderas.

Nueva York

Muchos de los avances del Mambo tuvieron lugar en los barrios hispanos de Nueva York, de modo que es completamente apropiado llamar a este movimiento como el lugar donde se cuece la música y los bailes. Para bailar el Nueva York se comienza con un agarre de manos doble tras haber terminado el Mambo Básico o el Giro a la derecha en el sitio bajo el brazo; para variar, se puede comenzar tras el paso 6 o la Manita a mano. El hombre se coloca sobre el pie derecho y la mujer sobre el izquierdo.

1

CUENTA – RÁPIDO

Hombre Suelta la mano derecha y lleva la mano izquierda en cruz y hacia adelante mientras giras un cuarto de vuelta (90°) a la derecha sobre el pie derecho. Da un paso al frente con el pie izquierdo y deja el derecho en el sitio.

Mujer Suelta la mano izquierda y gira un cuarto de vuelta (90°) a la izquierda sobre el pie izquierdo. Da un paso al frente con el pie derecho.

2

CUENTA – RÁPIDO

Hombre Transfiere el peso sobre el pie derecho.

Mujer Transfiere el peso sobre el pie izquierdo.

3

CUENTA – LENTO

Hombre Gira un cuarto de vuelta (90°) a la izquierda sobre el pie derecho y da un paso lateral con el pie izquierdo para quedar frente a la mujer.

Mujer Gira un cuarto de vuelta (90°) a la derecha sobre el izquierdo y da un paso lateral con el pie derecho para quedar frente al hombre. Acaba en un agarre doble de manos.

4

CUENTA – RÁPIDO

Hombre Suelta la mano izquierda y lleva la mano derecha en cruz y al frente mientras giras un cuarto de vuelta (90°) a la izquierda, sobre el pie izquierdo. Da un paso al frente con el pie derecho.

Mujer Suelta la mano derecha y gira un cuarto de vuelta (90°) a la derecha, sobre el pie derecho. Da un paso al frente con el pie izquierdo.

5

CUENTA – RÁPIDO

Hombre Transfiere el peso sobre el pie izquierdo.

Mujer Transfiere el peso sobre el pie derecho.

6

CUENTA – LENTO

Hombre Gira un cuarto de vuelta (90°) a la derecha sobre el pie izquierdo y da un paso lateral con el pie derecho para quedar frente a la mujer. Acaba en un agarre doble de manos.

Mujer Gira un cuarto de vuelta (90°) a la izquierda sobre el pie derecho y da un paso lateral con el pie izquierdo para quedar frente al hombre. Acaba en un agarre doble de manos.

Ahora estás en posición para seguir con el Mambo Básico con un agarre directo. Cuando te sientas preparado, baila los pasos 1-3 otra vez y sigue directo al Giro a la derecha en el sitio debajo del brazo. Otra combinación fabulosa es bailar los seis pasos de Nueva York y continuar con Giros a la derecha y a la izquierda en el sitio bajo el brazo.

Giro a la izquierda en el sitio bajo el brazo

Es el reflejo del Giro a la derecha, y no solo es una figura útil de tener en tu colección de movimientos, sino que también es espectacular cuando se combina con su contrario. Se comienza con un doble agarre de manos, el hombre colocado sobre el pie derecho y la mujer sobre el izquierdo. Al final del movimiento anterior, él levantaba su mano izquierda y soltaba la derecha para indicar el giro.

1
CUENTA – RÁPIDO

Hombre Da un paso atrás con el pie izquierdo y deja el derecho en su sitio. Dirige la vuelta moviendo la mano levantada a la derecha.

Mujer Gira sobre el pie derecho un cuarto de vuelta (90°) hacia la derecha y muévete con el pie izquierdo hacia adelante y bajo el brazo del hombre, sin mover el pie derecho. Una vez sobre el pie izquierdo, gira 180° a la derecha y termina con el pie izquierdo atrás. El pie derecho todavía está quieto en su sitio y el hombre está junto a ti en ese mismo lado.

2
CUENTA – RÁPIDO

Hombre Transfiere el peso corporal adelante, sobre el pie derecho.

Mujer Transfiere el peso corporal adelante sobre el pie izquierdo, y comienza a girar a la izquierda y hacia el hombre.

3
CUENTA – LENTO

Hombre Da un paso lateral corto con el pie izquierdo y baja el brazo derecho.

Mujer Da un paso lateral con el pie derecho y gira a la izquierda hasta estar frente al hombre.

Sigue con los pasos 4-6 del Mambo Básico con un agarre directo, o haz un Giro a la derecha en el sitio bajo el brazo.

Parada de Autobús de Nueva York

Con un poco de imaginación y conocimiento de ejecución, los movimientos básicos se pueden combinar y desarrollar consiguiendo efectos espectaculares. Esta es una variación fácil de Nueva York con un elemento sorpresa. Para preparar el movimiento, baila el Nueva York. Ahora hay un agarre de manos doble. El hombre se coloca sobre el pie derecho y la mujer sobre el izquierdo. Notad el cambio de ritmo.

2 ▼
CUENTA – RÁPIDO

Hombre Transfiere el peso sobre el pie derecho.

Mujer Transfiere el peso sobre el pie izquierdo.

1 ▶
CUENTA – RÁPIDO

Hombre Suelta la mano derecha y lleva la mano izquierda en cruz y al frente mientras giras un cuarto de vuelta (90°) a la derecha sobre el pie derecho. Da un paso al frente con el pie izquierdo y deja el derecho en el sitio.

Mujer Suelta la mano derecha y gira un cuarto de vuelta (90°) a la derecha sobre el pie derecho. Da un paso al frente con el pie izquierdo.

◀3
CUENTA – RÁPIDO

Hombre Gira un cuarto de vuelta (90°) a la izquierda sobre el pie derecho y da un paso lateral con el pie izquierdo para quedar frente a ella. Acaba en un agarre doble de manos.

Mujer Gira un cuarto de vuelta (90°) a la derecha sobre el pie izquierdo y da un paso lateral con el pie derecho para quedar frente al hombre. Acaba en un agarre doble de manos.

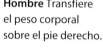

5

CUENTA – RÁPIDO

Hombre Suelta la mano derecha y lleva la mano izquierda en cruz y hacia adelante mientras giras un cuarto de vuelta (90°) a la derecha sobre el pie derecho. Da un paso al frente con el pie izquierdo y deja el derecho en el sitio.

Mujer Suelta la mano izquierda y gira un cuarto de vuelta (90°) a la izquierda sobre el pie izquierdo. Da un paso al frente con el pie derecho.

6

CUENTA – RÁPIDO

Hombre Transfiere el peso corporal sobre el pie derecho.

Mujer Transfiere el peso corporal sobre el pie izquierdo.

4

CUENTA – RÁPIDO

Hombre Transfiere el peso corporal sobre el pie derecho.

Mujer Transfiere el peso corporal sobre el pie izquierdo.

7

CUENTA – LENTO

Hombre Gira un cuarto de vuelta (90°) a la izquierda sobre el pie derecho y da un paso lateral con el pie izquierdo para quedar frente a la mujer, sin mover el derecho. Acaba en un agarre doble de manos.

Mujer Gira un cuarto de vuelta (90°) a la derecha sobre el pie izquierdo y da un paso lateral con el pie derecho para quedar frente al hombre. Acaba en un agarre doble de manos.

Ahora estás en la posición correcta para continuar con el Mambo Básico o cualquier otra figura adecuada que sepas. La Parada de autobús de Nueva York se puede combinar muy bien con el Nueva York: haz un Nueva York completo, luego los pasos 1-7 de la Parada de Autobús de Nueva York, pasos 4-6 y 1-3 de Nueva York, y, finalmente, pasos 8-14 de la Parada de Autobús de Nueva York.

8-14

Hombre y mujer Repite los pasos 1-7 en dirección opuesta y empleando los pies y manos contrarios.

El Mambo Mexicano

Por el interés de la comunicación, a menudo se prefiere ponerle un nombre a una combinación de movimientos. Llamemos «Mambo Mexicano» a este. Esta combinación, simple pero efectiva, se puede añadir a tu programa tras haber practicado un poco. Resulta sorprendente y solo tú sabrás que no es tan complicada como parece.

- *Giro a la derecha en el sitio bajo el brazo, terminando con un agarre de manos derechas (mantén este agarre durante el resto de la combinación)*
- *Mambo Básico.*
- *Pasos 1-3 de Nueva York.*
- *Pasos 4-6 del Mambo Básico (la mitad que va hacia atrás).*
- *Pasos 1-3 del Mambo Básico (la mitad que va hacia adelante).*
- *Pasos 4-6 de Nueva York.*
- *Pasos 1-3 del Mambo Básico (la mitad que va hacia adelante).*
- *Giro a la derecha en el sitio bajo el brazo con agarre directo en el paso 3.*

El Molinito

El Molinito es una combinación de movimientos que obran un efecto especial. Esto se debe al uso interesante de los brazos, así como a las posiciones relativas del hombre y la mujer que realizan los movimientos a la vez. Resulta más fácil dividir el grupo en secciones.

Giro a la derecha en el sitio por debajo del brazo, girado a una posición lado a lado

1

CUENTA – RÁPIDO

Hombre Levanta la mano izquierda para iniciar el giro de la mujer. Da un paso atrás con el pie derecho y deja el izquierdo en el sitio.

Mujer Gira un cuarto de vuelta (90°) sobre el pie derecho y hacia la derecha, y avanza con el pie izquierdo bajo el brazo del hombre en alto, sin mover el pie derecho. Una vez sobre el pie izquierdo, da media vuelta (180°) a la derecha y termina con el pie izquierdo atrás. El derecho está todavía quieto en el sitio y el hombre a tu derecha.

Hombre Transfiere el peso corporal hacia adelante, sobre el pie izquierdo y continúa haciendo girar a la mujer en el sentido de las agujas del reloj.

Mujer Transfiere el peso corporal hacia adelante, sobre el pie izquierdo y comienza a girar a la derecha y hacia el hombre.

2

CUENTA – RÁPIDO

3

CUENTA – LENTO

Hombre Junta el pie derecho con el izquierdo y conduce a la mujer en su giro hasta acabar con su espalda a tu derecha. Pon la mano derecha de la mujer en tu derecha y pásala sobre su cabeza para terminar con tu brazo derecho en sus hombros y tu mano derecha sosteniendo la suya, en el lado derecho de la espalda. Mantén su izquierda con la tuya.

Mujer Da un paso al frente con el pie izquierdo hacia el lado derecho del hombre. Continúa girando media vuelta (180°) sobre el pie izquierdo, hacia la derecha. Termina en la misma dirección que el hombre, a su derecha.

El Molinito

4

CUENTA – RÁPIDO

Hombre Da un paso al frente con el pie izquierdo y levanta tu mano derecha un poco sobre la cabeza de la mujer cuando ella retroceda.

Mujer Agáchate hacia adelante desde la cintura por debajo del brazo del hombre y da un paso atrás con el pie derecho, manteniendo el agarre de manos de la derecha y soltando el de la izquierda.

5

CUENTA – RÁPIDO

Hombre Da un paso lateral con el pie derecho y mantén el agarre de manos de la derecha, pero suelta el de la izquierda.

Mujer Da un paso lateral con el pie izquierdo, mantén la mano derecha agarrada y termina el paso erguida.

6

CUENTA – LENTO

Hombre Junta el pie izquierdo con el derecho y sujeta la mano izquierda de la mujer con la tuya, a tu izquierda.

Mujer Da un paso adelante con el pie derecho hacia el lado izquierdo del hombre, permitiéndole que coja tu mano izquierda con la suya.

7

CUENTA – RÁPIDO

Hombre Da un paso atrás con el pie izquierdo y suelta la mano derecha a la vez que levantas la izquierda para que la mujer pueda pasar por debajo.

Mujer Da un paso al frente con el pie izquierdo por debajo de tu mano izquierda que está alzada.

8

CUENTA – RÁPIDO

Hombre Da un paso lateral con el pie izquierdo.

Mujer Da un paso lateral con el pie derecho por debajo de los brazos alzados.

9

CUENTA – LENTO

Hombre Da un paso al frente con el pie derecho hacia el lado izquierdo de la mujer. Coloca la mano derecha alrededor de su cintura o sobre la parte derecha de su espalda.

Mujer Junta el pie izquierdo con el derecho.

La Cucaracha

10-12

CUENTAS – RÁPIDO, RÁPIDO, LENTO

Hombre Baila la Cucaracha a la izquierda.

Mujer Baila la Cucaracha a la derecha.

Salida

13▶

CUENTA – RÁPIDO

Hombre Da un paso atrás con el pie derecho y deja el izquierdo en el sitio. Suelta la mano derecha.

Mujer Da un paso al frente con el pie izquierdo y deja el derecho en el sitio.

14

CUENTA – RÁPIDO

Hombre Transfiere el peso corporal adelante, sobre el pie izquierdo.

Mujer Da un paso al frente con el pie derecho y deja el izquierdo en el sitio. Da media vuelta (180°) a la izquierda sobre el pie derecho y termina con él atrás.

15▶

CUENTA – LENTO

Hombre Da un paso corto al frente con el pie derecho y acaba con un doble agarre de manos.

Mujer Da un paso corto atrás con el pie izquierdo.

La Licuadora

No te alarmes, la Licuadora es solo un nombre de broma para un movimiento que tiene un nombre técnico más largo y descriptivo. En esta serie, el hombre y la mujer bailan uno alrededor del otro, de ahí «la licuadora». Esta no es una figura complicada, pero requerirá un poco de práctica para asegurarse de que los bailarines tienen buena orientación recíproca. Se comienza con los primeros tres pasos conocidos como «el Contra Cuerpo», y luego se cambia a una posición abierta. Se adquiere un agarre de mano derecha hacia el paso 4.

1

CUENTA – RÁPIDO

Hombre Da un paso al frente con el pie izquierdo y deja el derecho en su sitio.

Mujer Da un paso atrás con el pie derecho y deja el izquierdo en su sitio.

2 ▶

CUENTA – RÁPIDO

Hombre Transfiere el peso corporal sobre el pie derecho.

Mujer Transfiere el peso corporal sobre el pie izquierdo.

3

CUENTA – LENTO

Hombre Gira un cuarto de vuelta (90°) a la izquierda, da un paso lateral con el pie izquierdo y baja la mano izquierda a la altura de la cadera.

Mujer Da un paso adelante con el pie derecho y comienza a dar un paso en cruz respecto del hombre.

4 ▶▶

CUENTA – RÁPIDO

Hombre Da un paso atrás con el pie derecho y deja el izquierdo quieto. Comienza a llevar a la mujer de modo que cruce por delante de ti.

Mujer Da un paso adelante con el pie izquierdo y en cruz respecto al hombre.

5 ▶

CUENTA – RÁPIDO

Hombre Transfiere el peso corporal adelante, sobre el pie izquierdo, y deja el pie derecho en su sitio para llevar a la mujer en un giro a la izquierda.

Mujer Da un paso lateral con el pie derecho y gira 90° a la izquierda.

6

CUENTA – LENTO

Hombre Da un paso corto al frente con el pie derecho y comienza a girar a la izquierda.

Mujer Sigue girando y da otra media vuelta (180°) a la izquierda sobre el pie derecho y termina en posición lado a lado con el hombre a tu derecha. Da un paso corto atrás con el pie izquierdo.

7

CUENTA – RÁPIDO

Hombre Da un paso adelante, sobre el pie izquierdo, y da un cuarto de vuelta (90°) a la izquierda.

Mujer Da un paso atrás, sobre el pie derecho.

8 ▲

CUENTA – RÁPIDO

Hombre Da un paso lateral con el pie derecho y da un cuarto de vuelta (90°) a la izquierda.

Mujer Da un paso con el pie izquierdo cruzándolo frente al pie derecho.

9 ▲

CUENTA – LENTO

Hombre Sigue girando y da otra media vuelta (180°) a la izquierda sobre el pie derecho. Da un paso corto atrás con el pie izquierdo. Termina en posición lado a lado con la mujer a tu derecha.

Mujer Da un paso corto al frente con el pie derecho y termina en posición lado a lado con el hombre a tu izquierda. Comienza el giro a la izquierda.

El Lazo

El hombre completa la figura girando a la mujer como un lazo para acabar en un agarre directo.

10

CUENTA – RÁPIDO

Hombre Da un paso corto atrás con el pie derecho y deja el izquierdo en el sitio. Conduce a la mujer a dar un giro rápido a la izquierda.

Mujer Ve adelante sobre el pie izquierdo y da un cuarto de vuelta (90°) a la izquierda.

11

CUENTA – RÁPIDO

Hombre Transfiere el peso corporal sobre el pie izquierdo y conduce a la mujer en su giro moviendo la mano derecha hacia el mismo lado, sobre su cabeza.

Mujer Da un paso con el pie derecho y da tres cuartos de vuelta a la izquierda para acabar de espaldas al hombre.

12

CUENTA – LENTO

Hombre Gira sobre el pie izquierdo un cuarto de vuelta (90°) hacia ese mismo lado y échate sobre el pie derecho para acabar frente a la mujer. Haz un círculo con la mano derecha y conduce a la mujer a girar por debajo. Termina el movimiento llevando la mano derecha a la nuca y colocando la derecha de la mujer sobre tu lado izquierdo de la espalda.

Mujer Échate al frente sobre el pie izquierdo y gira hacia ese lado para quedar de frente al hombre. Junta el pie derecho con el izquierdo, sin poner el peso, por debajo del cuerpo.

> *Ahora puedes repetir el movimiento o continuar con el Mambo Básico de tu elección, según el agarre.*

El Mojito

Durante el crecimiento del Mambo, el escritor Ernest Hemingway pasó muchas horas en las bodegas de La Habana empapándose, como inspiración, de la fructífera atmósfera cubana. La leyenda cuenta que el cóctel mojito se inventó en una de las bodegas específicamente para el escritor. Podemos aplicar el mismo nombre para este cóctel deslumbrante de movimientos. Se comienza con un agarre de manos doble. El hombre se coloca sobre el pie derecho y la mujer sobre el izquierdo, una vez bailado, por ejemplo, el Nueva York.

Media vuelta a la posición de abrazo

1

CUENTA – RÁPIDO

Hombre Da un paso atrás con el pie izquierdo sin mover el derecho y aparta a la mujer.

Mujer Da un paso atrás con el pie derecho para apartarte del hombre y deja el pie izquierdo en el sitio.

2

CUENTA – RÁPIDO

Hombre Transfiere el peso corporal al pie derecho. Lleva a la mujer a tu lado derecho y levanta la mano izquierda. Gira a la mujer a su izquierda moviendo tu mano izquierda a la derecha.

Mujer Transfiere el peso corporal al pie izquierdo y comienza a girar hacia ese mismo lado.

3

CUENTA – LENTO

Hombre Da un paso corto al frente con el pie izquierdo. Pasa tu mano izquierda por encima de la mujer y bájala hasta la altura de la cintura para dar un abrazo, con la mujer en tu lado derecho.

Mujer Da un paso adelante con el pie derecho hacia ese mismo lado y deja el pie izquierdo en el sitio. Gira sobre el pie derecho 180° a la izquierda y termina en la posición lado a lado con el hombre a tu izquierda.

Las Cariocas

En esta parte del movimiento, los participantes bailan en círculo.

4

CUENTA – RÁPIDO

Hombre En la posición de abrazo, da un paso adelante con el pie derecho y comienza a moverte en el sentido de las agujas del reloj formando un círculo.

Mujer En la posición del abrazo, da un paso atrás con el pie izquierdo y comienza a moverte en el sentido de las agujas del reloj formando un círculo.

5

CUENTA – RÁPIDO

Hombre Da un paso al frente con el pie izquierdo y muévete en el sentido de las agujas del reloj formando un círculo.

Mujer Da un paso atrás con el pie derecho y muévete en el sentido de las agujas del reloj formando un círculo.

6

CUENTA – LENTO

Hombre Da un paso al frente con el pie derecho y muévete en el sentido de las agujas del reloj formando un círculo. Da un toque con el pie izquierdo ligeramente adelante sin apoyar el peso.

Mujer Da un paso atrás con el pie izquierdo y muévete en el sentido de las agujas del reloj formando un círculo. Da un toque con el pie derecho ligeramente adelante sin apoyar el peso.

Desenrosque

7

CUENTA – RÁPIDO

Hombre Suelta la mano izquierda y da un paso lateral con el pie izquierdo, dejando el derecho en el sitio. Lleva a la mujer a que comience a desenroscarse de tu brazo derecho.

Mujer Da un cuarto de vuelta (90°) a la derecha y da un paso al frente con el pie derecho lejos del hombre.

8

CUENTA – RÁPIDO

Hombre Junta un poco el pie derecho con el izquierdo y sigue llevando a la mujer en el desenroscado.

Mujer Da un cuarto de vuelta (90°) más a la derecha y da un paso lateral con el pie izquierdo lejos del hombre.

9

CUENTA – LENTO

Hombre Da un paso lateral corto con el pie izquierdo y lleva a la mujer al final del desenroscado.

Mujer Da media vuelta (180°) sobre el pie izquierdo hacia la derecha y termina de cara al mismo lado que el hombre. Échate sobre el pie derecho.

Las Quebraditas Cubanas

10

CUENTA – RÁPIDO

Hombre Da un paso corto lateral con el pie derecho hacia adelante y cruzado, apartándote de la mujer. Pon la punta del pie mirando al frente.

Mujer Da un paso corto lateral con el pie izquierdo hacia adelante y cruzado, apartándote del hombre. Pon la punta del pie mirando al frente.

11

CUENTA – RÁPIDO

Hombre Transfiere el peso corporal sobre el pie izquierdo.

Mujer Transfiere el peso corporal sobre el pie derecho.

12

CUENTA – LENTO

Hombre Da un paso lateral corto con el pie derecho para acercarte a la mujer.

Mujer Da un paso lateral corto con el pie izquierdo para acercarte al hombre.

13

CUENTA – RÁPIDO

Hombre Da un paso corto lateral con el pie izquierdo hacia adelante y cruzado, acercándote a la mujer. Pon la punta del pie mirando al frente.

Mujer Da un paso corto lateral con el pie derecho hacia adelante y cruzado, acercándote al hombre. Pon la punta del pie mirando al frente.

14

CUENTA – RÁPIDO

Hombre Transfiere el peso al pie derecho.

Mujer Transfiere el peso al pie izquierdo.

15

CUENTA – LENTO

Hombre Da un paso lateral corto con el pie izquierdo y aléjate de la mujer.

Mujer Da un paso lateral corto con el pie derecho y aléjate del hombre.

Vuelta en el sitio

16

CUENTA – RÁPIDO

Hombre Suelta la mano derecha. Gira sobre el pie izquierdo un cuarto de vuelta (90°) a la izquierda. Da un paso al frente con el pie derecho y deja el izquierdo en el sitio. Una vez sobre el pie derecho, da media vuelta (180°) a la izquierda y termina de cara a la mujer y con el pie derecho atrás.

Mujer Gira sobre el pie derecho un cuarto de vuelta (90°) a la derecha. Da un paso al frente con el pie izquierdo y deja el derecho en el sitio. Una vez sobre el pie izquierdo, da media vuelta (180°) a la derecha y termina con el pie izquierdo atrás.

18

CUENTA – LENTO

Hombre Da un paso adelante con el pie derecho y termina agarrado.

Mujer Da un paso adelante con el pie izquierdo y termina agarrada.

17

CUENTA – RÁPIDO

Hombre Transfiere el peso corporal sobre el pie izquierdo.

Mujer Transfiere el peso corporal sobre el pie derecho.

Continúa con los movimientos de Mambo ardiente de tu elección.

Los Giros Locos

Este es un movimiento breve pero impresionante que comienza con un giro a un lado primero y después al otro; de ahí su nombre. Comienza con un agarre de manos doble. El hombre se coloca sobre el pie derecho y la mujer sobre el izquierdo. Si lo prefieres, puedes improvisar la figura en los pasos 7-9.

1
CUENTA – RÁPIDO

Hombre Da un paso atrás con el pie izquierdo y deja el derecho en su sitio, apartando así a la mujer.

Mujer Da un paso atrás con el pie derecho y deja el izquierdo en su sitio, apartándote así del hombre.

2
CUENTA – RÁPIDO

Hombre Transfiere el peso corporal sobre el pie derecho. Lleva a la mujer a tu lado derecho, levanta la mano izquierda y comienza a girarla hacia ese mismo lado moviendo tu mano izquierda a la derecha.

Mujer Transfiere tu peso corporal sobre el pie izquierdo y comienza a girar a la izquierda.

3
CUENTA – LENTO

Hombre Da un paso corto al frente con el pie izquierdo. Pasa la mano izquierda por encima de la mujer y bájala hasta casi la altura de la cintura en la posición del abrazo, con la mujer a tu derecha y tu mano derecha alrededor de su cintura.

Mujer Da un paso adelante con el pie derecho hacia el lado derecho del hombre y mantén quieto el pie izquierdo. Da media vuelta (180°) sobre el pie derecho hacia la izquierda y termina en posición lado a lado con el hombre a la izquierda.

4
CUENTA – RÁPIDO

Hombre Da un paso atrás con el pie derecho y deja el izquierdo en el sitio, girando un cuarto de vuelta (90°) a la derecha para hacerle hueco a la mujer. Lleva a la mujer en un giro a la derecha en el sitio empujándola firmemente con la mano derecha mientras mueves la izquierda sobre su cabeza.

Mujer Transfiere el peso sobre el pie izquierdo y da media vuelta (180°) a la derecha.

5
CUENTA – RÁPIDO

Hombre Transfiere el peso corporal adelante, sobre el pie izquierdo, y comienza a girar hacia este lado. Baja la mano izquierda hasta la altura de la cintura y levanta la mano derecha, preparándote para pasar por debajo.

Mujer Da un paso al frente con el pie derecho y gira a la derecha, moviéndote por detrás del hombre.

6
CUENTA – LENTO

Hombre Da un paso lateral y cruzado con el pie derecho, y pasa la mano del mismo lado sobre la cabeza para acabar con ambas manos a la altura de la cintura.

Mujer Da un paso lateral con el pie izquierdo y acaba en el lado izquierdo del hombre.

BAILES INTERNACIONALES LATINOAMERICANOS

Cambio de lado

Una vez hayas hecho los pasos 7-9, puedes repetirlos en la dirección opuesta con el otro pie, luego en la dirección inicial de nuevo con el primer pie, con lo que estás haciendo la Manta de Playa.

7

CUENTA – RÁPIDO

Hombre Da un paso corto atrás con el pie izquierdo y deja el derecho en el sitio.

Mujer Da un paso corto al frente con el pie derecho y deja el izquierdo en el sitio.

8

CUENTA – RÁPIDO

Hombre Transfiere el peso corporal adelante, sobre el pie derecho.

Mujer Transfiere el peso corporal atrás, sobre el pie izquierdo.

9

CUENTA – LENTO

Hombre Échate al lado, sobre el pie izquierdo, cruzando a la mujer.

Mujer Échate al lado, sobre el pie derecho, cruzando al hombre por detrás, y acaba a su derecha y ligeramente tras él.

La Salida

10

CUENTA – RÁPIDO

Hombre Suelta la mano derecha y da un paso atrás con el pie derecho, dejando el pie izquierdo en el sitio y llevando a la mujer hacia adelante con la mano izquierda.

Mujer Da un paso adelante con el pie izquierdo.

11

CUENTA – RÁPIDO

Hombre Transfiere el peso corporal sobre el pie izquierdo mientras sigues llevando a la mujer hacia adelante. Termina llevando a la mujer a que gire rápidamente hacia su izquierda y quede frente a ti.

Mujer Da un paso al frente con el pie derecho y deja el pie izquierdo en su sitio. Gira sobre el pie derecho hacia la izquierda y quédate frente a él.

12

CUENTA – LENTO

Hombre Da un paso al frente con el pie derecho.

Mujer Da un paso atrás con el pie izquierdo.

Continúa con tu movimiento de Mambo preferido.

Rumba

El ritmo lento y palpitante y la música romántica de la Rumba son las razones por las que este baile siempre ha ejercido una atracción universal. En sí mismo irradia la fuerza y seguridad del arquetipo de *latin lover* masculino, sensual y seductor, cuya pasión tienta a la pareja a perderse en la intensidad e insinuación del ritmo. Pero, en la Rumba, la mujer no cede el paso tan pronto; ella muestra su voluntad propia con un estado evasivo, provocando y jugando con el hombre al que atrae y después rechaza una vez tras otra en este cortejo íntimo. Si el Tango es el baile de la pasión, la Rumba es, incuestionablemente, la danza del amor. Existen pocos momentos en el baile tan profundamente bellos como cuando se toma y se siente la intensidad pura del movimiento incluso más básico de la Rumba, que avanza con una fuerza comedida a un ritmo salvaje. Tensiones románticas pero sencillas hacen eco a la Guajira, y las verdades eternas del hombre y la mujer se muestran cara a cara.

El estilo «internacional» de la Rumba está en deuda con la «Guajira» cubana, un baile folclórico antiguo cuyo nombre apunta a su origen. Quizá, la canción de Guajira más famosa sea *Guantanamera*, compuesta por Joseíto Fernández, que es una rumba clásica de siempre. En la tradición cubana, el verbo «rumbiar» significa, simplemente, bailar, y «rumba» es un término genérico que puede referirse a una variedad de

bailes o, incluso, a una «fiesta de bailes». Pero en general, la Rumba a la que nos referimos ahora se conoce por bolero-rumba. La «Rumba Cuadrada», un estilo con un agarre más apretado todavía, apareció a principio de la década de 1930. Hacia el final de los cuarenta, después de haberse desarrollado en Europa y Estados Unidos, empezó a surgir la denominada, quizás con poca precisión, Rumba Cubana, con más figuras bailadas en agarre separado y consiguiendo así un acercamiento más dinámico y una mayor influencia de este baile.

Alrededor de los años noventa el estilo internacional de Rumba alcanzó un nuevo estatus al ser bailada por los 13 veces campeones británicos de baile latinoamericano, Donnie Burns y Gaynor Fairweather y sus formidables sucesores alemanes, Hans Galke y Bianca Schreiber. De todos modos, para aquellos que viven para el baile en los bares de La Habana y los pueblos de Cuba, les debió parecer extraño que lo único que reconocieran del baile fuese el nombre. No obstante, ahora cada vez más gente visita Cuba y el Caribe, y a más personas les llega la simplicidad honesta de lo que trata el baile latinoamericano: un hombre, una mujer, la música, y lo que le sigue de forma natural.

Música y ritmo

El tempo o velocidad de la Rumba se compone de 26-27 compases por minuto, lentas y ardientes, aunque la Rumba auténtica todavía se toca entre 22-34 compases por minuto, tal vez para reflejar apropiadamente el sentimiento de las letras de las canciones. El típico 4 por 4 significa que cada compás tiene cuatro golpes idénticos, pero es en el cuarto donde se acentúa la percusión latina.

La cuenta

En los movimientos de adelante y atrás que tiene la Rumba, el bailarín experto hará uso de la primera mitad del primer golpe musical para poner el pie en posición, sin mover el cuerpo; después, usará la segunda mitad para transferir el peso del cuerpo sobre el pie. En los movimientos laterales donde se emplean dos golpes de música, el bailarín colocará el pie en posición usando para ello la primera mitad de un golpe y, después, con el golpe y medio restante efectuará una transferencia de peso corporal más lenta y deliberada sobre el pie.

Muchos rumberos principiantes piensan que es difícil llevar la cuenta porque sus profesores les dicen que prueben a bailar desde el

golpe 2. Ahí se están refiriendo al hecho de que los pasos adelante y atrás, que se suelen asociar al comienzo del baile, se bailan en el golpe 2. Sin embargo, otros profesores recomiendan comenzar en el acentuado cuarto golpe, donde un paso adelante o atrás en el segundo movimiento sucede de manera natural.

Alternativamente, muchos principiantes simplifican el comienzo del baile con un paso preparativo en el golpe 1 que les facilita el paso adelante o atrás en el golpe 2. Mientras aprenden el patrón de movimientos, pueden encontrar útil pensar en la cuenta como si fuera «rápido, rápido» para ir adelante y atrás, y «lento» para los pasos laterales.

Después, una vez acostumbrados a las características del movimiento, ya pueden concentrarse en hacer su propia cuenta. Resulta interesante que, mientras los grandes de la comunidad de baile internacional han puesto mucho peso sobre la interpretación correcta del ritmo –como se ha visto arriba– los latinos generalmente se contentan con bailar la Rumba desde la más fácil y comprensible cuenta de 1.

Rumba: música y ritmo

La «acción» significa el tipo de movimiento que se emplea en un determinado paso. Se suele hablar de la acción de la cadera en la Rumba con gran emoción, pero el desastre se dispara cuando aquellos que la intentan hacer acaban contoneándose sin rumbo y haciéndolo muy mal. Por ello es importantísimo comprender cómo se realiza una buena acción de caderas que, curiosamente, resulta que no se hace con las caderas. Es resultado de una acción bien hecha de pie, tobillo y pierna, tras lo cual la cadera se moverá por sí misma. Miremos esta acción en los pasos adelante y atrás.

Pasos adelante y atrás

Cuando se dan los pasos adelante y atrás, el movimiento se iniciará con una leve pose hacia adelante. Entonces el pie se mueve primero desde el talón hacia el frente con la puntera sobre el suelo. Cuando el pie ha llegado a la posición deseada, primero la punta y luego las almohadillas de este comienzan a sentir presión al tiempo que se agachan y aguantan el peso corporal. El bailarín debe intentar usar el pie y el tobillo para resistir el peso del cuerpo y controlar la cantidad de este que se deposita en el pie. Evita apoyar el pie de repente ya que el talón baja al final del paso. En ese momento, la pierna que soporta el peso estará recta mientras que la otra estará tensa. Es normal que la pierna tensa se haya girado un poco hacia afuera como resultado del paso.

Cuando se da el paso hacia atrás se aplican muchas de las características mencionadas. Primero se coloca el pie en posición y se transfiere el peso corporal. Al tiempo que el peso se dirige al pie que da el paso, la pierna se estira, y es normal –al igual que en el paso adelante– que la pierna que queda atrás gire un poco hacia afuera. Al final de este paso, el talón del pie que está adelante se levantará un poco.

El paso hacia atrás.   *El paso adelante.*

La acción empleada para el movimiento lateral es, otra vez, similar a la de los pasos adelante y atrás, pero la velocidad de transferencia de peso de un pie al otro es más lenta, ya que se hace sobre dos golpes de música.

Algunos piensan que las raíces de la Rumba hay que buscarlos en los bailes de esclavos cubanos donde se podía ver una forma antigua de Rumba, con los tobillos amarrados. Los pasos cortos que surgieron de ahí, provenientes de esa penosa situación, son ahora una parte intrínseca de este estilo de baile; por ello es esencial que el bailarín dé siempre pasos cortos y compactos.

La acción de un paso lateral implica colocar el pie en posición (izquierda) y transferir el peso corporal sobre ese mismo pie (derecha) en dos golpes musicales.

Los juegos de pies

«Los juegos de pies» se refiere a la parte o partes del pie que se emplean en un paso. En la Rumba, el juego de pies básico es «almohadillas del pie-plano». En aquellos movimientos donde cambia el juego de pies, se señala la modificación en la descripción relevante del movimiento.

El comienzo

La Rumba es un baile que ocupa solamente una parte pequeña de la pista de baile. No avanza por la sala ni los pasos largos o movimientos exagerados indican ningún buen estilo por parte de los bailarines. Estos deben tener siempre en cuenta a los demás bailarines que estén bailando en la pista y evitar movimientos que impidan desplazarse a los demás. Recuerda: la Rumba es el baile del amor y se puede decir mucho de la persona por el modo en que la baila.

Rumba Básica

No existe mejor manera de sentir la Rumba que mediante el movimiento básico. Incluso los bailarines expertos adoran bailarlo y lo incluyen frecuentemente en sus coreografías, mezclándolo con figuras más desafiantes para realzar la belleza de la Rumba Básica. Hay un detalle que debes ver: no es extraño acabar en la Rumba con los pies separados. Ponte en un agarre directo con tu pareja y comprueba la pose. El hombre se coloca sobre el pie derecho, con los pies juntos, y la mujer sobre el izquierdo, también con los pies juntos. Ahora comienza y ten en mente que la textura de los movimientos es lenta, precisa y deliberada.

Rumba Básica hacia adelante

1

GOLPE - 2

Hombre Da un paso al frente con el pie izquierdo y deja que las punteras giren un poco hacia afuera, con el pie derecho en su sitio.

Mujer Da un paso atrás con el pie derecho y deja el izquierdo en el sitio.

2

GOLPE - 3

Hombre Transfiere el peso atrás, sobre el pie derecho, y deja el izquierdo en su sitio.

Mujer Transfiere el peso adelante, sobre el pie izquierdo, y deja que las punteras giren un poco hacia afuera, con el pie derecho en su sitio.

3

GOLPE - 4 - 1

Hombre Coloca la parte interior de las almohadillas del pie izquierdo a un lado y gira un poco a la izquierda, a la vez que llevas el peso sobre el pie de ese mismo lado.

Mujer Coloca la parte interior de las almohadillas del pie derecho a un lado y gira un poco hacia la derecha, a la vez que llevas el peso sobre el pie derecho.

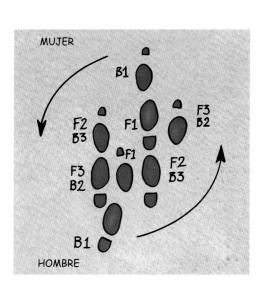

MUJER

B1

F2
B3   F1   F3
B2

F1
F3   F2
B2   B3

B1

HOMBRE

Rumba Básica hacia atrás

1

GOLPE - **2**

Hombre Da un paso atrás con el pie derecho y deja el izquierdo quieto.

Mujer Da un paso al frente con el pie izquierdo y deja que las punteras giren un poco hacia afuera, con el pie derecho en su sitio.

La intensidad de la Rumba se promueve a través del contacto visual entre el hombre y la mujer y se realza a través de la quietud del tronco. Esta quietud también enfatiza la acción fuerte pero sensual de las piernas y los pies, la cual es muy atractiva durante los movimientos básicos.

2

GOLPE - **3**

Hombre Transfiere el peso hacia adelante, sobre el pie izquierdo, y deja que las punteras giren un poco hacia afuera, con el pie derecho en su sitio.

Mujer Transfiere el peso hacia atrás, sobre el pie derecho, y deja el izquierdo en su sitio.

La Rumba Básica hace un cuarto de giro (90°) gradualmente en seis pasos en dirección contraria a las agujas del reloj. Puedes repetir la Rumba Básica –adelante y atrás– continuamente.

3

GOLPE - **4 - 1**

Hombre Coloca el lado interior de las almohadillas del pie derecho a un lado y gira un poco a la derecha, a la vez que llevas el peso sobre este pie.

Mujer Coloca el lado interior de las almohadillas del pie izquierdo a un lado y gira un poco a la izquierda, a la vez que llevas el peso sobre este pie.

El Viraje

El hombre puede girar más y aumentar el cuarto de vuelta (90°) del básico adelante y atrás hasta la media vuelta (180°). Se consiguen mejores resultados con un agarre directo porque durante el giro la mujer está en la parte externa y tiene que hacer un recorrido mayor que el hombre, que está en el interior. En la sección de la Cumbia y el Vallenato está la descripción de los pasos.

El Abanico

El Abanico es uno de los movimientos más populares.

2

GOLPE - 3

Hombre Transfiere el peso adelante, sobre el pie izquierdo, y deja que las punteras giren un poco hacia afuera, con el pie derecho en su sitio. Comienza a soltar la mano derecha y prepárala para extenderla al lado.

Mujer Da un paso adelante con el pie derecho y comienza a girar a la izquierda.

1

GOLPE - 2

Hombre Da un paso atrás con el pie derecho y deja el izquierdo en su sitio. Lleva a la mujer hacia ti.

Mujer Da un paso adelante con el pie izquierdo.

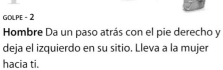

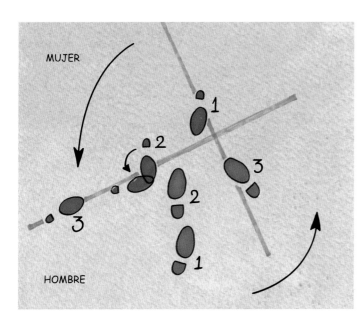

3

GOLPE - 4 - 1

Hombre Coloca la parte interior de las almohadillas del pie derecho a un lado y gira un poco a la derecha, a la vez que llevas el peso hacia el pie diestro. Extiende el brazo izquierdo a la altura de la cintura mientras la mujer se aparta.

Mujer Da un paso atrás con el pie izquierdo y colócate en ángulo recto con el hombre, dejando el pie derecho quieto y soltando y extendiendo el brazo izquierdo hacia el lado.

La posición donde la mujer se encuentra en un agarre abierto en ángulo recto con el hombre se conoce con el nombre de Abanico. Ahora continúa con el Palo de Hockey o con la Vuelta Alemana.

El Palo de Hockey

La figura clásica que sigue al Abanico es el Palo de Hockey, que se llama así porque su patrón de movimiento se asemeja a la forma de un palo de hockey. Comienza en la posición de Abanico.

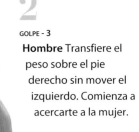

1

GOLPE - 2

Hombre Da un paso al frente con el pie izquierdo y deja que las punteras giren un poco hacia afuera, con el pie derecho en su sitio.

Mujer Junta el pie derecho con el izquierdo y termina sobre el derecho.

2

GOLPE - 3

Hombre Transfiere el peso sobre el pie derecho sin mover el izquierdo. Comienza a acercarte a la mujer.

Mujer Da un paso al frente con el pie izquierdo.

3▶

GOLPE - 4 - 1

Hombre Junta el pie izquierdo con el derecho y transfiere el peso sobre el pie izquierdo. Ajusta el agarre de manos en el paso 3.

Mujer Da un paso al frente con el pie derecho.

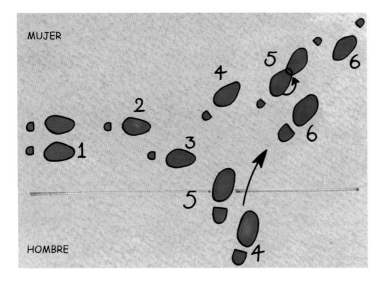

Ajuste de agarre de manos y brazos durante el Palo de Hockey

El hombre comienza el movimiento con la palma de su mano izquierda en lo alto mientras lleva a la mujer hacia él en el paso 2. En el paso 3, levanta el brazo izquierdo para indicar la vuelta y, al mismo tiempo, primero rota la mano hacia él y después hacia la mujer para acabar en un agarre de manos, palma con palma y pulgares hacia abajo. En los pasos 4-5, la mujer retrae la mano izquierda cruzando el tronco y la extiende otra vez de manera natural en el paso 6.

GOLPE - 3

Hombre Transfiere el peso corporal sobre el pie izquierdo y deja el derecho quieto. Lleva a la mujer lejos por delante de ti. Cuando haya dado el paso, baja la mano izquierda hasta la altura de la cintura.

Mujer Da un paso al frente sobre el pie derecho y continúa girando a la izquierda. Aléjate del hombre y gira a la izquierda en el sitio.

GOLPE - 2

Hombre Da un paso atrás con el pie derecho y deja el izquierdo en el sitio. Gira un poco a la derecha y lleva a la mujer en un cruce por delante de ti con las manos sobre su cabeza.

Mujer Da un paso al frente con el pie izquierdo y comienza a girar a la izquierda, cruzándote enfrente del hombre.

GOLPE - 4 - 1

Hombre Da un paso al frente con el pie derecho y posiciónate de cara.

Mujer Da un paso atrás con el pie izquierdo y termina de cara al hombre.

> *Puedes continuar ahora con un agarre directo y bailar la Rumba Básica. Una opción elegante consiste en modificar el final del Palo de Hockey con una Cruz Espiral.*

La Cruz Espiral
En el paso 5 el hombre puede ayudar a la mujer a que dé una vuelta mayor. La mujer cruzará los pies sobre el sitio. Esto se llama Cruz Espiral. El hombre y la mujer irán hacia adelante en el paso 6 y terminarán casi en posición lado a lado. Continúa con el Nueva York tal y como se muestra en la sección de Mambo pero, por supuesto, con la cuenta de Rumba.

Movimientos de Mambo en la Rumba
Como el Mambo y la Rumba provienen de las mismas raíces, ambos comparten también muchos movimientos. Entre los movimientos que se explican en el Mambo, los siguientes se bailan también en la Rumba:
- *Manita a Mano*
- *Giro a la derecha o izquierda en el sitio bajo el brazo*
- *Nueva York*
- *El Molinito*
- *La Licuadora*
- *El Mojito*

Es importante recordar que los movimientos se deben adaptar al estilo y ritmo del baile en cuestión. Por ello, los Giros Locos no se podrían bailar nunca en la Rumba, aunque sí podrían bailarse bien en la Salsa; otro tanto ocurre con la Parada de Autobús de Nueva York, que no se puede bailar en la Rumba, pero funciona muy bien cuando se adapta al Chachachá.

La Vuelta Alemana

La vuelta básica pero popular de la mujer es la Vuelta Alemana, que se refiere a los bailes de Corte de antaño. El baile en cuadrados «Alemand» y el «Dos-à-dos» también son danzas de esa misma época. En la Rumba, la Vuelta Alemana es un giro simple de la mujer que consiste en tres pasos adelante bajo el brazo levantado del hombre. La pareja baila los pasos 1-3 del Palo de Hockey y, después, lo siguiente.

1

GOLPE - 2

Hombre Con el brazo levantado desde el paso anterior, da un paso atrás con el pie derecho y lleva a la mujer por delante de ti. Haz círculos con la mano izquierda en el sentido de las agujas del reloj mientras ella gira.

Mujer Da un paso adelante cruzando el cuerpo. Luego gira a la derecha y termina sobre el pie izquierdo con la pierna recta.

2

GOLPE - 3

Hombre Transfiere el peso corporal adelante, sobre el pie izquierdo, y mueve la mano izquierda en círculo en el sentido de las agujas del reloj.

Mujer Da un paso al frente con el pie derecho y sigue la vuelta girando a la derecha.

3 ▲

GOLPE - 4 - 1

Hombre Da un paso corto a la derecha con el pie derecho. Acerca a la mujer para efectuar un agarre pegado.

Mujer Da un paso al frente con el pie izquierdo y termina frente al hombre en un agarre pegado.

Continúa con la Rumba Básica o con la Extensión a la derecha y a la izquierda.

Extensión a la derecha y a la izquierda

Los movimientos más sencillos son, a menudo, los más efectivos. Este de aquí es uno de ellos. Comienza en agarre pegado y, al tiempo que bailas el movimiento, deja que este fluya naturalmente desde la figura anterior.

Los movimientos del hombre

El hombre bailará una Cucaracha a la izquierda y a la derecha (mira en la sección de Mambo) con cuenta de Rumba, extendiendo la mano al lado con el que se mueve, y la otra mano la coloca sobre la parte alta de la espalda de la mujer. En los pasos 3 y 6, el hombre guiará a la mujer sujetándole las manos. Se termina en el paso 6 con un agarre directo.

GOLPE - 2

1

Mujer Gira sobre el pie izquierdo y da una vuelta a la derecha. Termina con un paso atrás con el pie derecho. Deja que el brazo derecho se extienda de manera natural.

2

GOLPE - 3

Mujer Transfiere el peso corporal adelante, sobre el pie izquierdo.

3

GOLPE - 4 – 1

Mujer Da un paso al frente, cruza al hombre con el pie derecho y gira a la izquierda para terminar frente a él. Coloca la mano derecha sobre la parte alta del brazo del hombre.

4

GOLPE - 2

Mujer Gira sobre el pie derecho a la izquierda y da un paso atrás con el pie izquierdo. Deja que el brazo izquierdo se extienda de manera natural.

5

GOLPE - 3

Mujer Transfiere el peso hacia adelante, sobre el pie derecho.

6

GOLPE - 4 - 1

Mujer Da un paso al frente, cruza al hombre con el pie izquierdo y gira a la derecha para terminar frente a él. Finaliza con un agarre pegado.

Continúa con la Rumba Básica o repite los pasos 1-3, acaba con un agarre directo y sigue con un Básico hacia atrás.

Embelesa con tu Rumba

Existen varias maneras de hacer que los movimientos más simples chispeen.
Aquí van algunos de los favoritos.

El Abanico Doble

Baila un Abanico, luego los pasos 1-3 de Palo de Hockey con cuentas 2, 3, 4, pero sin que el hombre levante el brazo izquierdo. En el golpe 1, el hombre apunta el pie derecho a un lado y lleva a la mujer en una media vuelta (180°) a la derecha, para terminar mirando lados opuestos. Sigue con un segundo Abanico.

El Abanico y Cambio

Baila un Abanico y luego los pasos 1-3 de Palo de Hockey con cuentas 2, 3, 4, levantando el brazo. En el golpe 1, el hombre baja el brazo izquierdo y lo pasa por encima de la mujer elegantemente, y la lleva en un giro a la izquierda sobre el sitio, al tiempo que él se estira en esa dirección. La mujer flexiona la rodilla derecha y, sin mover los pies, da media vuelta (180°) a la izquierda. Su pierna izquierda está extendida y recta y tiene las rodillas juntas. Para seguir con un segundo Abanico, el hombre hace un movimiento lado-junta-lado a la derecha.

El Aída

Este es un movimiento precioso y muy sencillo. Comienza bailando los pasos 1-3 de Manita a Mano siguiendo la explicación de la sección de Mambo, pero con una cuenta de Rumba. Recuerda hacer la Acción de Rumba y evita dejar que los dedos del pie que está adelante se levanten al caminar hacia atrás.

La Separación

5 ▽

GOLPE - 3

Hombre Da un paso atrás con el pie izquierdo y sigue girando a la derecha.

Mujer Da un paso atrás con el pie derecho y sigue girando a la izquierda.

6 ▲

GOLPE - 4 - 1

Hombre Da un paso atrás con el pie derecho y termina en posición lado a lado.

Mujer Da un paso atrás con el pie izquierdo y termina en posición lado a lado.

4 ▲

GOLPE - 2

Hombre Da un paso atrás con el pie derecho y comienza a girar a la derecha.

Mujer Da un paso atrás con el pie izquierdo y comienza a girar a la izquierda.

Opción Primera para Aída - Cucarachas

Girándose el uno al otro, el hombre baila una Cucaracha a la izquierda y a la derecha, y la mujer una Cucaracha a la derecha y a la izquierda, y le sigue una Rumba Básica.

Opción Segunda para Aída - Los Vaivenes Cubanos

1
GOLPE - 2

Hombre Mécete hacia adelante, sobre el pie izquierdo.

Mujer Mécete hacia adelante, sobre el pie derecho.

2
GOLPE - 3

Hombre Mécete hacia atrás, sobre el pie derecho.

Mujer Mécete hacia atrás, sobre el pie izquierdo.

3
GOLPE - 4 - 1

Hombre Mécete hacia adelante, sobre el pie izquierdo.

Mujer Mécete hacia adelante, sobre el pie derecho.

Para hacer el Vaivén Cubano existen varias opciones de diferente nivel de dificultad; se comienza por la más fácil.

Opción primera para los Vaivenes Cubanos - La Salida Básica

1
GOLPE - 2

Hombre Mécete hacia atrás, sobre el pie derecho.

Mujer Mécete hacia atrás, sobre el pie izquierdo.

2
GOLPE - 3

Hombre Mécete adelante sobre el pie izquierdo y comienza a girar a la izquierda.

Mujer Mécete adelante sobre el pie derecho y comienza a girar a la derecha.

3
GOLPE - 4 - 1

Hombre Da un paso lateral con el pie derecho y gira a la izquierda para terminar de frente a la mujer.

Mujer Da un paso lateral con el pie izquierdo y gira a la derecha para terminar de frente al hombre.

Continúa con la Rumba Básica.

Opción segunda para los Vaivenes Cubanos - El Giro Separado

El hombre y la mujer realizan un giro separado donde los pies permanecen distantes. Resulta vital que cada uno de los componentes bailen a lo largo de una línea recta y paralelos entre sí. Se suelta el agarre del último paso del Vaivén Cubano.

4
GOLPE - 2

Hombre Da un paso al frente con el pie derecho y comienza el giro a la derecha.

Mujer Da un paso al frente con el pie izquierdo y comienza el giro a la izquierda.

5
GOLPE - 3

Hombre Da un paso lateral con el pie izquierdo y continúa girando a la derecha; ahora estarás de espaldas a la mujer.

Mujer Da un paso lateral con el pie derecho y continúa girando a la izquierda; ahora deberías estar de espaldas al hombre.

6
GOLPE - 4 - 1

Hombre Da un paso lateral con el pie derecho y sigue girando a la derecha hasta completar tres cuartos de vuelta (270°) a la derecha y acabar de cara a la mujer.

Mujer Da un paso lateral con el pie izquierdo y sigue girando a la izquierda hasta completar tres cuartos de vuelta (270°) a la izquierda y acabar de cara al hombre.

Continúa con la Rumba Básica.

Opción tercera para los Vaivenes Cubanos - Los Giros en el Sitio

El hombre realiza un Giro a la izquierda en el sitio, y la mujer uno a la derecha, de manera que los bailarines giran hacia dentro y el uno hacia el otro. Ambos comienzan el giro en el último paso de los Vaivenes Cubanos y se sueltan.

1
GOLPE - 2

Hombre Gira sobre el pie izquierdo hacia la izquierda y da un paso con el pie derecho adelante y cruzado para acabar en la dirección contraria que en los Vaivenes Cubanos. Sigue girando a la izquierda hasta completar una vuelta entera.

Mujer Gira sobre el pie derecho hacia la derecha y da un paso con el pie izquierdo adelante y cruzado para acabar en la dirección contraria que en los Vaivenes Cubanos. Sigue girando a la derecha hasta completar una vuelta entera.

2
GOLPE - 3

Hombre Transfiere el peso corporal hacia adelante, sobre el pie izquierdo, y continúa girando a la izquierda.

Mujer Transfiere el peso corporal hacia adelante, sobre el pie derecho, y continúa girando a la derecha.

3
GOLPE - 4 - 1

Hombre Da un paso lateral con el pie derecho para acabar de frente a la mujer.

Mujer Da un paso lateral con el pie izquierdo para acabar de frente al hombre.

Continúa con la Rumba Básica o haz los Giros en el Sitio hacia el lado contrario, y síguelos con una Rumba Básica hacia atrás.

El Giro de Cadera Suelto

El Giro de Cadera Suelto es uno de esos movimientos que les encanta tanto a los hombres como a las mujeres; pero no te confundas con su nombre. Es un movimiento útil porque comienza en una posición cara a cara y separados. La mano izquierda del hombre se estira hasta la mujer, con la palma más arriba. Ella coloca la mano derecha en la izquierda de él. El hombre debe sujetar, pero no apretar, la mano de ella. Él se coloca sobre el pie derecho y ella sobre el izquierdo.

1
GOLPE - 2

Hombre Da un paso al frente con el pie izquierdo sin mover el derecho.

Mujer Da un paso atrás con el pie derecho sin mover el izquierdo.

2
GOLPE - 3

Hombre Transfiere el peso corporal sobre el pie derecho.

Mujer Transfiere el peso corporal sobre el pie izquierdo.

◀3a
GOLPE - 4

Hombre Junta el pie izquierdo con el derecho sin apoyar el peso del cuerpo. Pon la mano atrás cerca de la cadera izquierda.

Mujer Da un paso al frente con el pie derecho.

3b ▲
GOLPE - 1

Hombre Transfiere el peso corporal sobre el pie izquierdo. Mueve un poco la mano izquierda hacia adelante para llevar a la mujer en su giro a la derecha.

Mujer Da un cuarto de vuelta a la derecha sobre el pie derecho. Levanta la mano izquierda y crúzala por el tronco.

4
GOLPE - 2

Hombre Da un paso atrás con el pie derecho sin mover el izquierdo.

Mujer Da un paso al frente con el pie izquierdo.

5
GOLPE - 3

Hombre Transfiere el peso corporal adelante, sobre el pie izquierdo, y deja que el brazo izquierdo se extienda al tiempo que la mujer se aparta.

Mujer Da un paso adelante con el pie derecho y, con los pies en su sitio, da un cuarto de vuelta a la izquierda.

6

GOLPE - 4 - 1

Hombre Da un paso lateral con el pie derecho.

Mujer Da un paso atrás con el pie izquierdo con la posición Abanico, y deja que el brazo se extienda de manera natural.

> *El brazo se extiende de manera natural en una secuencia hombro-codo-muñeca-dedos. Continúa con cualquier movimiento, comenzando en posición Abanico.*

La Elenita

Este es un ejemplo estupendo de cómo se pueden combinar los movimientos básicos para ofrecer un cóctel exquisito de juego sensual entre el hombre y la mujer que están bailando.

La Vuelta Alemana

Has bailado previamente la Vuelta Alemana desde la posición Abanico. Esta vez, comienza desde la posición cara a cara separados. El hombre sujeta la mano derecha de la mujer con su izquierda. Desde esta posición, baila la Vuelta Alemana y termina en un doble agarre de manos. El hombre acaba sobre el pie derecho y la mujer sobre el izquierdo con las piernas separadas.

El Giro Elenita

Aquí el hombre y la mujer están agarrados de las manos. La mujer da una vuelta lenta y sensual en el sitio mientras el hombre se queda parado.

1

GOLPE - 2

Hombre Da un paso adelante y cruzado con el pie izquierdo, y gira un poco a la derecha. Baja la mano derecha a la altura de la cintura y alza el brazo izquierdo para llevar a la mujer en su giro a la izquierda y hacia tu brazo derecho.

Mujer Da un paso adelante y cruzado con el pie derecho sin mover el izquierdo, y gira un cuarto de vuelta (90°) a la izquierda.

◀2

GOLPE - 3

Hombre Mantén la posición mientras llevas a la mujer en su giro lento en el sitio hacia la izquierda.

Mujer Con el peso sobre el pie derecho, comienza a girar despacio a la izquierda.

3▶

GOLPE - 4 - 1

Hombre Mantén la posición mientras bajas la mano izquierda a la altura de la cintura, todavía llevando a la mujer en su giro.

Mujer Todavía con el peso sobre el pie derecho, sigue girando despacio a la izquierda.

Cambio de lugar

Ahora la pareja cambia de lugar para prepararse para el siguiente movimiento.

1

GOLPE - 2

Hombre Suelta la mano derecha, da un paso atrás con el pie derecho y comienza a girar a la izquierda.

Mujer Da un paso al frente con el pie izquierdo y comienza a girar a la izquierda.

◁2

GOLPE - 3

Hombre Da un paso lateral con el pie izquierdo y sigue girando a la izquierda.

Mujer Da un paso lateral con el pie derecho y sigue girando a la izquierda.

3▶

GOLPE - 4 – 1

Hombre Da un paso al frente con el pie derecho, por la parte de afuera de la derecha de la mujer, y completa un cuarto de giro (90°) a la izquierda. Coloca tu mano diestra sobre la cadera derecha de la mujer, con el pulgar hacia abajo.

Mujer Da un paso atrás con el pie izquierdo y completa un cuarto de giro (90°) a la izquierda.

La pareja está colocada ahora un poco separada, casi derecha con derecha.

Tres Caminatas en Círculo con Giro de Cadera Suelto al final

Los bailarines se rodean ahora alrededor de un punto central. En el tercer paso, el hombre lleva a la mujer en la conclusión del movimiento con un Giro de Caderas Suelto.

1

GOLPE - 2

Hombre Da un paso al frente con el pie izquierdo doblando hacia la derecha.

Mujer Da un paso al frente con el pie derecho doblando hacia la derecha.

2

GOLPE - 3

Hombre Da un paso al frente con el pie derecho doblando hacia la derecha.

Mujer Da un paso al frente con el pie izquierdo doblando hacia la derecha.

3a

GOLPE - 4

Hombre Da un paso al frente con el pie izquierdo doblando hacia la derecha.

Mujer Da un paso al frente con el pie derecho doblando hacia ese mismo lado.

3b

GOLPE - 1

Hombre Gira un poco hacia la derecha sobre el pie izquierdo, y lleva la mano izquierda un poco adelante para conducir a la mujer en su giro a la derecha. Suelta la mano derecha y apártala.

Mujer Gira sobre el pie derecho para acabar en ángulo recto con el hombre.

Continúa con los pasos 4-6 del Giro de Caderas Suelto.

El Vallado

Antes vimos cuántas de las figuras más conocidas comienzan desde la posición Abanico. El Vallado es tan efectiva como la figura del Abanico. Comienza en la posición Abanico; la entrada del Vallado es similar a aquella del Doble Abanico, pero con menos vuelta para la mujer. Baila los pasos 1-3 del Palo de Hockey con cuentas 2, 3, 4, pero sin que el hombre levante el brazo izquierdo. En el golpe 1, el hombre apunta el pie derecho a un lado y lleva a la mujer en su cuarto de giro a la derecha para que acabe frente a él.

El Vallado es una figura expresiva.

1

GOLPE - 2

Hombre Da un paso corto al frente y cruzado con el pie derecho, flexionando ambas rodillas y poniéndolas juntas. Quédate mirando de frente a la mujer. Conduce el Vallado girando la mano izquierda con la palma hacia abajo.

Mujer Da un paso corto al frente y cruzado con el pie izquierdo, flexionando ambas rodillas y poniéndolas juntas. Quédate mirando de frente al hombre.

2

GOLPE - 3

Hombre Transfiere el peso corporal atrás, sobre el pie izquierdo, y termina con un balance normal.

Mujer Transfiere el peso corporal atrás, sobre el pie derecho, y termina con un balance normal.

3

GOLPE - 4 - 1

Hombre Da un paso lateral con el pie derecho.

Mujer Da un paso lateral con el pie izquierdo.

Un buen consejo

Evita agacharte demasiado: una flexión ligera de las rodillas ofrece un efecto visual mayor de lo que sienten los bailarines. En el golpe 1, los bailarines suman estilo cuando el hombre mira a la izquierda y la mujer a la derecha.

Continúa con la Rumba Básica o cualquier movimiento que comience con la posición cara a cara sueltos, o con las Oscilaciones de Cadera.

Las Oscilaciones de Cadera

Este movimiento se debe hacer con cuidado para producir la acción adecuada y reflejar la naturaleza sensual del baile. La pareja comienza cara a cara, sin agarrarse y con los pies separados. El hombre se coloca sobre su pie derecho y la mujer sobre el izquierdo.

1
GOLPE - 2

Hombre Pasa el peso corporal alrededor del borde exterior del pie izquierdo en dirección contraria a las agujas del reloj, desde la punta, y acaba con la pierna recta.

Mujer Pasa el peso corporal alrededor del borde exterior del pie derecho en dirección a las agujas del reloj, desde la punta, y acaba con la pierna recta.

2
GOLPE - 3

Hombre Pasa el peso corporal alrededor del borde exterior del pie derecho en dirección a las agujas del reloj, desde la punta, y acaba con la pierna recta.

Mujer Pasa el peso corporal alrededor del borde exterior del pie izquierdo en dirección contraria a las agujas del reloj, desde la punta, y acaba con la pierna recta.

3
GOLPE - 4 – 1

Hombre Repite el paso 1.

Mujer Repite el paso 1.

> Continúa con la Rumba Básica hacia atrás, con un agarre de mano izquierda con derecha. Alternativamente, haz el Giro Suelto que se vio después del Vaivén Cubano, pero, esta vez, incrementa el giro en el paso 1 para compensar el haber comenzado desde otra posición.

Más consejos acerca de las caderas

Las Oscilaciones de Cadera se pueden hacer no sólo cuando los pies están uno al lado del otro, sino también cuando están uno enfrente del otro, realizando la misma acción. El uso selectivo de las oscilaciones de cadera puede añadir salero y picardía a los pasos básicos con los que ya estás familiarizado.
Si las oscilaciones se hacen sobre un ritmo de 2, 3, 4, 1, el movimiento te dejará sobre el mismo pie que cuando interrumpiste la figura básica, permitiéndote así continuar el movimiento de manera normal.

Prueba a bailar un Abanico o Giro de Cadera Suelto. Una vez en la posición Abanico, haz la oscilación de cadera usando el ritmo 2, 3, 4, 1 y sigue después normalmente hacia el siguiente movimiento.

Puedes añadir la oscilación de cadera 2, 3, 4, 1 en el Palo de Hockey entre los pasos 4 y 5. Resulta especialmente seductor cuando realizas la oscilación enfrente de la pareja.

El Paseo

En esta figura juguetona, el hombre y la mujer alternan giros en el sitio. Piensa que es como viajar a lo largo de una línea. Comienza en posición cara a cara sueltos.

1-3
GOLPE - 2, 3, 4 - 1

Mujer Baila una Rumba Básica hacia atrás, con un paso al frente en 3.

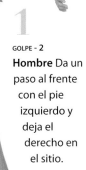

1

GOLPE - 2

Hombre Da un paso al frente con el pie izquierdo y deja el derecho en el sitio.

2

GOLPE - 3

Hombre Da media vuelta (180°) a la derecha sobre el pie izquierdo y transfiere el peso corporal sobre el derecho. Termina de espaldas a la mujer.

3

GOLPE - 4 - 1

Hombre Da un paso adelante con el pie izquierdo, todavía de espaldas a la mujer.

4

GOLPE - 2

Hombre Da media vuelta (180°) a la derecha sobre el pie izquierdo y termina dando un paso atrás con el pie derecho sin mover el izquierdo. Termina de frente a la mujer.

Mujer Da un paso adelante con el pie izquierdo sin mover el derecho.

5

GOLPE - 3

Hombre Transfiere el peso corporal adelante, sobre el pie izquierdo, sin mover el derecho.

Mujer Da media vuelta a la derecha con el pie izquierdo y transfiere el peso corporal adelante, sobre el pie derecho, de espaldas al hombre.

6

GOLPE - 4 - 1

Hombre Da un paso al frente con el pie derecho.

Mujer Da un paso al frente con el pie izquierdo, todavía de espaldas al hombre.

7

GOLPE - 2

Mujer Da un giro (180°) a la derecha sobre el pie izquierdo, y da un paso atrás con el derecho sin mover el izquierdo. Termina de frente al hombre.

7-9

GOLPE - 2 - 1

Hombre Baila una Rumba Básica adelante, con un agarre en el paso 8 y el cierre en el paso 9.

8

GOLPE - 3

Mujer Transfiere el peso corporal adelante, sobre el pie izquierdo, y termina agarrada.

9

GOLPE - 4 - 1

Mujer Junta el pie derecho con el izquierdo.

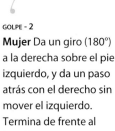

Continúa con la Rumba Básica o con el movimiento apropiado de tu elección.

Sugerencia musical

Hay muchas rumbas bonitas, pero las más llamativas son aquellas que tocan las bandas latinoamericanas auténticas. Algunos grupos, como Los Paraguayos, se han convertido en todo un éxito internacional. Algunas de las rumbas-bolero son: Solamente una vez, Amor, Bésame mucho *y* Te quiero dijiste. *Eydie Gormé ha producido también una variedad de rumbas deliciosamente sensuales, como el maravilloso* Cuando vuelvo a tu lado. *Juan Luis Guerra aporta* Bachata rosa *y* Burbujas de amor, *y el grupo español Pequeña Compañía tiene un valioso álbum de rumbas excelentes, una tras otra. Otros grupos menos conocidos ofrecen mucho, mucho, más.*

Chachachá

El Chachachá es otro baile de la familia cubana y uno de los más populares entre los bailes sociales latinoamericanos. Es por esto que los patrones de la mayoría de sus movimientos son parecidos a los de la Rumba y al estilo internacional de Mambo aunque con una característica propia: su nombre deriva de la división del cuarto golpe musical que le da un inconfundible ritmo pegadizo de Chachachá.

Surgió como una variante del Mambo y de la Rumba y siguió así durante sus comienzos, pero en 1948 Enrique Jorrín combinó dos ritmos cubanos, el Danzón –del cual había surgido el Mambo– y el Montuno obteniendo un efecto espectacularmente distinto y emocionante. Su tema nuevo, *Engañadora*, se grabó en 1953 y resultó muy popular. Los bailarines pedían más y más. La naturaleza pegadiza del Chachachá se transfería a cualquier formato, desde combos pequeños a grandes bandas. El nuevo ritmo no tardó en llegar al mundo de la música y puede asegurarse que todos los músicos, alguna vez que otra, tocaron Chachachá.

El carácter del baile, al igual que el de la música, es vibrante, llamativo, juguetón y tiene un ritmo divertido que invita a los bailarines de todo el mundo a compartirlo y disfrutarlo.

Música y ritmo

Su marca es como la del Mambo y la Rumba, un ritmo de 4 por 4, pero el cuarto golpe se divide en dos, lo que forma el característico 2, 3, 4 y 1 del Chachachá. El primer golpe se acentúa. El tempo es un poco más rápido que el de la Rumba, y se establece a 30 compases por minuto durante las competiciones y exámenes de baile, aunque los pasos adicionales que se necesitan para bailar el ritmo del Chachachá hacen que parezca más rápido.

Los tiempos

Los bailarines interpretan el cuarto golpe musical dividido del Chachachá y el primer golpe del compás que le sigue en un movimiento que se llama Chachachá Chassé; para hacer que los pasos coincidan con el ritmo de la música, los bailarines los dan al frente y atrás del movimiento básico en el segundo golpe musical. Muchos bailarines simplifican el comienzo del baile con un paso lateral en el golpe 1 (el último paso del Chachachá Chassé), que le sigue fácilmente el paso adelante o atrás en el golpe 2.

Los movimientos y técnicas descritos en la sección de Chachachá de este libro son una versión simplificada de la técnica reconocida internacionalmente. Esta ha evolucionado a lo largo de los años como resultado de la generalización del método estilizado en un formato que se usa ahora en todo el mundo. Mientras este estilo «internacional» se acepta en todos los lugares, se debe de tener en cuenta que en el proceso de su desarrollo se ha eliminado un nivel muy alto de autenticidad con respecto a la versión original. Por ello, los latinos suelen bailar el Chachachá en el golpe 1, lo bailan agarrados directamente durante toda la canción y no evitan dar los pasos comenzando con el talón. Si los bailarines están disfrutando, ¿quién puede juzgar lo que está bien o mal hecho, sino los mismos bailarines?

No obstante, el estilo y técnica «internacional» aportan una gran sofisticación. Los bailarines reciben con los brazos abiertos la facilidad de introducir movimientos y combinaciones nuevas que visten al baile de frescura y vigor, pues lo quieren disfrutar durante muchos años. Además, una versión unificada hace que la comunicación sea más fácil. Esto es cierto no solo al nivel diario, sino también de generación en generación, ya que la síntesis de las mejores y más económicas maneras de conseguir estilo se pasa de maestro a alumno y entre los bailarines.

La acción del Chachachá

La «acción» quiere decir la clase de movimiento que se emplea en los pasos. Mientras el estilo «internacional» del Chachachá y del Mambo se basan en la acción clásica y bella de la Rumba, la velocidad del Chachachá no permite que el bailarín interprete la música plenamente como en aquella. Esto tiene como resultado un número mínimo de diferencias técnicas que no deben preocupar al bailarín aficionado que haya desarrollado una buena acción con la Rumba.

> ### Juego de pies
> *El juego de pies se refiere a la parte o partes del pie que intervienen en un paso. En el Chachachá, el juego de pies básico es «almohadillas del pie-plano». En aquellos movimientos donde el juego de pies cambia se indica en la descripción del movimiento.*

El comienzo

El Chachachá ocupa solo un poco de pista de baile pues no queda bien dar vueltas alrededor de la sala, ni dar pasos demasiado amplios o moverse de manera exagerada. Los bailarines deben tener en cuenta todo el tiempo que hay otras parejas bailando y han de evitar moverse de manera que impida hacerlo a otros. Ahora es momento de levantarse y colocarse.

Chachachá Básico

Al principio, el Chachachá parecerá muy rápido, así que es importante que se den pasos cortos y asegurarse de que el movimiento es compacto y no hay apenas desplazamiento por la pista de baile. Comienza con un agarre directo. A muchos bailarines les parecerá más fácil comenzar con la música y dar un paso lateral preparatorio en el golpe musical 1. El hombre lo hace con el pie derecho y la mujer con el izquierdo. Tras esto, se continúa con el Chachachá Básico.

1

GOLPE - 2

Hombre Da un paso al frente con el pie izquierdo y deja que las puntas de los pies apunten ligeramente hacia afuera. Deja el pie derecho en el sitio.

Mujer Da un paso atrás con el pie derecho y deja el izquierdo en el sitio.

2

GOLPE - 3

Hombre Transfiere el peso corporal hacia atrás, sobre el pie derecho, y deja el izquierdo en el sitio.

Mujer Transfiere el peso corporal hacia adelante, sobre el pie izquierdo, y deja el derecho en el sitio.

3

GOLPE - 4

Hombre Da un paso lateral con el pie izquierdo.

Mujer Da un paso lateral con el pie derecho.

4

GOLPE - Y

Hombre Da un paso lateral con el pie derecho para juntarlo con el izquierdo.

Mujer Da un paso lateral con el pie izquierdo para juntarlo con el derecho.

5

GOLPE - 1

Hombre Da un paso lateral con el pie izquierdo.

Mujer Da un paso lateral con el pie derecho.

Los pasos 3-5 y 8-10 son Chachachás Chassés.

6

GOLPE - 2

Hombre Da un paso atrás con el pie derecho y deja el izquierdo en el sitio.

Mujer Da un paso al frente con el pie izquierdo y deja que las puntas de los pies apunten ligeramente hacia afuera. Deja el pie derecho en el sitio.

7

GOLPE - 3

Hombre Transfiere el peso corporal hacia adelante, sobre el pie izquierdo, y deja el derecho en el sitio.

Mujer Transfiere el peso corporal hacia adelante, sobre el pie derecho, y deja el izquierdo en el sitio.

10

GOLPE - 1

Hombre Da un paso lateral con el pie derecho.

Mujer Da un paso lateral con el pie izquierdo.

8

GOLPE - 4

Hombre Da un paso lateral con el pie derecho.

Mujer Da un paso lateral con el pie izquierdo.

9

GOLPE - Y

Hombre Da un paso lateral con el pie izquierdo hasta juntarlo con el derecho.

Mujer Da un paso lateral con el pie derecho hasta juntarlo con el izquierdo.

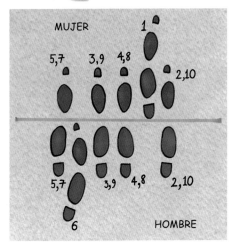

MUJER

5,7   3,9   4,8   1

              2,10

5,7   3,9   4,8   2,10

6

HOMBRE

Movimientos de otros bailes

Te habrás dado cuenta de la similitud del patrón del Chachachá Básico con el de la Rumba Básica. Esto sucede porque el Chachachá era al principio una versión sincopada de la Rumba. Por ello resulta relativamente fácil transferir algunos de los movimientos más simples de la Rumba y el Mambo al Chachachá, abreviando cada tercer paso y procurando un ritmo de 4Y1. Recuerda también que los pasos adelante o atrás que se hacen en el golpe 1 del Mambo, se harán en el golpe 2 del Chachachá o la Rumba.

Movimientos del Mambo en el Chachachá

• Manita a Mano • El Nueva York • Giros bajo el brazo a la derecha y a la izquierda • La Parada de Autobús Nueva York • El Molinito • La Licuadora • El Mojito

Movimientos del Rumba en el Chachachá

• El Abanico • El Palo de Hockey • La Vuelta Alemana • El Paseo

Los Chachachás Chassés laterales se deben hacer de frente a la pareja y mantener una postura compacta. Cuando se adapta un movimiento, se necesita saber bailar el Chachachá Chassé adelante y atrás.

El Chachachá Chassé adelante y atrás

Tanto el hombre como la mujer tienen que bailar los Chassés de Chachachá adelante y atrás. Cuando el hombre está bailando el Chassé adelante, la mujer hace el Chassé hacia atrás, y viceversa.

El Chachachá Chassé adelante

1

GOLPE - 4

Hombre y mujer Dad un paso al frente con el pie derecho y la pierna recta. Adelantad la parte derecha del cuerpo al mismo tiempo que movéis el pie.

2

GOLPE - Y

Hombre y mujer Girad la punta del pie izquierdo hacia afuera y llevadla al talón del pie derecho. Mantened las rodillas flexionadas y no apoyéis el talón.

3

GOLPE - 1

Hombre y mujer Dad un paso al frente con el pie derecho y la pierna recta. Echad el lado derecho del cuerpo también hacia adelante.

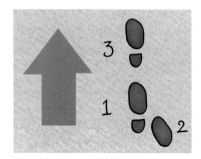

El Chachachá Chassé atrás

1

GOLPE - 4

Hombre y mujer Dad un paso atrás con la punta del pie izquierdo únicamente, con la pierna recta, y girad la punta hacia afuera. Echad el lado izquierdo del cuerpo también hacia atrás y no apoyéis el talón.

2

GOLPE - Y

Hombre y mujer Dad un paso atrás con el pie derecho y colocad el talón cerca de la punta del pie izquierdo. Flexionad las rodillas.

3

GOLPE - 1

Hombre y mujer Dad un paso atrás con el pie izquierdo y moved el lado izquierdo del cuerpo a la par con las piernas rectas.

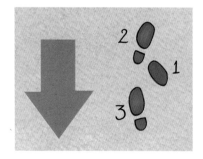

El Abanico

Ya estás familiarizado con el movimiento Abanico desde su capítulo en la Rumba. Veamos ahora cómo queda con el Chachachá. Comienza con un Chachachá Básico hacia adelante y continúa con lo siguiente.

1

GOLPE - 2

Hombre Da un paso atrás con el pie derecho y deja el izquierdo en el sitio. Agacha el brazo izquierdo y conduce a la mujer a que baile hacia tu izquierda.

Mujer Da un paso con el pie izquierdo hacia la izquierda del hombre.

2

GOLPE - 3

Hombre Transfiere el peso corporal sobre el pie izquierdo y suelta la mano derecha.

Mujer Da un paso al frente con el pie derecho y comienza a girar a la izquierda.

◀3-5

GOLPE - 4 – 1

Hombre Baila un Chachachá Chassé a la derecha y extiende el brazo izquierdo a la altura de la cintura mientras la mujer se aleja.

Mujer Baila un Chachachá Chassé para atrás y quédate en ángulo recto al hombre en la posición del Abanico.

El movimiento completo puede que rote ligeramente en el sentido contrario a las agujas del reloj. Sigue con el Palo de Hockey o con la Vuelta Alemana.

El Palo de Hockey

El Palo de Hockey es, en todas sus partes, tan popular en este baile como en la Rumba; veamos entonces en el Chachachá. El hombre se posiciona sobre el pie derecho, con los pies separados. La mujer se apoya sobre el pie izquierdo, que está detrás del derecho.

◀1-5

GOLPE - 2 – 1

Hombre Baila un Chachachá Básico al frente, mantén el Chassé compacto y acerca a la mujer. En el paso 5, levanta el brazo izquierdo para llevar a la mujer en su giro a la izquierda.

1
GOLPE - 2

Mujer Junta el pie derecho con el izquierdo sin mover este último. Termina apoyada sobre el pie derecho.

2
GOLPE - 3

Mujer Da un paso al frente con el pie izquierdo en dirección al hombre.

Ajuste de agarre de manos y brazos en el Palo de Hockey

El hombre comienza el movimiento con la palma de su mano izquierda hacia arriba y acerca a la mujer. En el paso 5 levanta el brazo izquierdo para indicar el giro y, al mismo tiempo, rota su mano primero hacia él y luego hacia la mujer para terminar en un agarre de palma con palma y pulgar hacia abajo. En los pasos 4-5 la mujer acerca la mano izquierda al tronco y la extiende de manera natural de nuevo al lado en el paso 8.

3-5
GOLPE - 4 - 1

Mujer Baila un Chachachá Chassé al frente.

7
GOLPE - 3

Hombre Transfiere el peso corporal hacia adelante, sobre el pie izquierdo, sin mover el derecho. Aleja a la mujer. Cuando ella ha dado su paso, baja tu mano izquierda a la altura de la cintura.

Mujer Da un paso al frente con el pie derecho y continúa la vuelta a la izquierda y apartada del hombre. Gira entonces a la izquierda sobre el sitio y termina de frente a él.

6
GOLPE - 2

Hombre Da un paso atrás con el pie derecho sin mover el izquierdo, y gira ligeramente hacia este lado. Indica a la mujer que cruce por delante de ti poniendo tu mano por encima de su cabeza.

Mujer Da un paso al frente con el pie izquierdo y comienza a girar en ese sentido.

8-10
GOLPE - 4 - 1

Hombre Baila un Chachachá Chassé al frente y termina en posición separada y de frente.

Mujer Baila un Chachachá Chassé hacia atrás y termina en posición separada y de frente.

Cambio de manos

Siempre resulta mejor hacer el cambio de manos de una manera suave y natural. Un buen momento para cambiar el agarre de la mano izquierda con la derecha a uno de derecha con derecha es al final del Palo de Hockey, cuando la mano izquierda del hombre baja.

El Cucú

Esta es una figura simple y divertida que comienza con la posición separada y de frente, y un agarre de manos derecha con derecha. Fíjate en que el hombre comienza de un modo algo distinto a lo habitual.

1

GOLPE - 2

Hombre Da un paso atrás con el pie izquierdo y deja el derecho en el sitio.

Mujer Da un paso atrás con el pie derecho y deja el izquierdo en el sitio.

2

GOLPE - 3

Hombre Transfiere el peso corporal adelante, sobre el pie derecho.

Mujer Transfiere el peso corporal adelante, sobre el pie izquierdo.

3-5

GOLPE - 4 – 1

Hombre Da un cuarto de vuelta (90°) a la derecha y baila un Chachachá Chassé a la izquierda, llevando a la mujer en su giro a la izquierda enfrente de ti. Suéltate.

Mujer Da un cuarto de vuelta (90°) a la izquierda y baila un Chachachá Chassé a la derecha delante del hombre y suéltate.

6

GOLPE - 2

Hombre Da un paso al frente con el pie derecho. Echa el lado del cuerpo izquierdo hacia adelante y cúrvalo ligeramente a la derecha. Mira a tu pareja.

Mujer Da un paso atrás con el pie izquierdo y dóblalo ligeramente a la derecha. Mira a tu pareja.

7

GOLPE - 3

Hombre Transfiere el peso corporal hacia atrás, sobre el pie izquierdo.

Mujer Transfiere el peso corporal hacia adelante, sobre el pie derecho.

8-10

GOLPE - 4 – 1

Hombre Baila un Chachachá Chassé a la derecha, detrás de la mujer.

Mujer Baila un Chachachá Chassé a la izquierda, enfrente del hombre.

11 ▲

GOLPE - 2

Hombre Da un paso al frente con el pie izquierdo. Echa el lado del cuerpo derecho hacia adelante y cúrvalo ligeramente a la izquierda. Mira a tu pareja.

Mujer Da un paso atrás con el pie derecho y dóblalo ligeramente a la derecha. Mira a tu pareja.

12 ▲

GOLPE - 3

Hombre Transfiere el peso hacia atrás, sobre el pie derecho.

Mujer Transfiere el peso hacia adelante, sobre el pie izquierdo.

13-15

GOLPE - 4 – 1

Hombre Baila un Chachachá Chassé a la izquierda, detrás de la mujer.

Mujer Baila un Chachachá Chassé a la derecha, enfrente del hombre.

16-20

GOLPE - 2 – 1

Hombre Haz los pasos 6-10 del Palo de Hockey y termina en un agarre apropiado para la figura siguiente.

Mujer Haz los pasos 6-10 del Palo de Hockey y termina en un agarre apropiado para la figura siguiente.

La Caída Nueva York

Nueva York es una figura típica del Mambo, la Rumba y el Chachachá, y se explica completamente en el capítulo de Mambo. Cuando adaptes un movimiento de Mambo al Chachachá, recuerda que el tercer paso del Mambo es un Chachachá Chassé y que el paso 1 del movimiento sucederá en cuenta 2. De este modo, Nueva York y Parada de Autobús de Nueva York pueden transferirse del Mambo al Chachachá. Veamos ahora otra variación divertida de Nueva York: la Caída de Nueva York. Esta se baila mejor si forma parte de una serie de movimientos Nueva York. Comienza bailando los pasos 1-5 del Nueva York a ritmo Chachachá y continúa de la siguiente manera.

1
GOLPE - 2

Hombre Suelta la mano izquierda y cruza la derecha por delante. Da un cuarto de giro (90°) a la izquierda sobre el pie izquierdo y da un paso al frente con el pie derecho sin mover el izquierdo.

Mujer Suelta la mano derecha y cruza la izquierda por delante. Da un cuarto de giro (90°) a la derecha sobre el pie derecho y da un paso al frente con el pie izquierdo sin mover el derecho.

2
GOLPE - 3

Hombre Da un paso al frente con el pie izquierdo. Pon la pierna izquierda recta y échate ligeramente hacia adelante desde la cintura.

Mujer Da un paso al frente con el pie derecho. Pon la pierna derecha recta y échate ligeramente hacia adelante desde la cintura.

5
GOLPE - 1

Hombre Da un paso lateral con el pie derecho y da un cuarto de vuelta (90°) hacia la derecha hasta quedar de frente a la mujer. Colócate en una posición normal y cambia a un agarre de manos izquierda con derecha.

Mujer Da un paso lateral con el pie izquierdo y da un cuarto de vuelta (90°) hacia la izquierda hasta quedar cara a cara con el hombre. Colócate en una posición normal y cambia a un agarre de manos derecha con izquierda.

3
GOLPE - 4

Hombre Da un paso atrás con el pie derecho.

Mujer Da un paso atrás con el pie izquierdo.

4
GOLPE - Y

Hombre Da un paso atrás con el pie izquierdo.

Mujer Da un paso atrás con el pie derecho.

Continúa con el Chachachá Básico o, por supuesto, con el Nueva York.

Más diversión con los Nueva York

Puede que el paso Nueva York sea una figura básica, pero seguro que consigues pasarlo genial con sus variantes.

El Nueva York Rondé

Este movimiento emplea ritmo normal, pero su método está muy alejado de lo habitual. Fíjate en que los pasos 3-5 reemplazan el Chachachá Chassé. Comienza igual que en el Nueva York normal.

1
GOLPE - 2

Hombre Da un paso adelante y cruzado con el pie izquierdo. Gira un cuarto de vuelta (90°) a la derecha sobre el pie derecho y da un paso al frente con el pie izquierdo.

Mujer Gira un cuarto de vuelta (90°) a la izquierda sobre el pie izquierdo y da un paso al frente con el pie derecho.

2
GOLPE - 3

Hombre Echa el peso corporal hacia atrás, sobre el pie derecho, y flexiona la rodilla derecha para hacer que el pie izquierdo oscile un poco al ras del suelo y por detrás del pie derecho. Esa oscilación o *rondé* hace que gires a la izquierda sobre el pie derecho.

Mujer Echa el peso corporal hacia atrás, sobre el pie izquierdo, y flexiona la rodilla izquierda para hacer que el pie derecho oscile un poco al ras del suelo y por detrás del pie izquierdo. Esa oscilación o *rondé* hace que gires a la izquierda sobre el pie izquierdo.

El Nueva York Sincopado

En el Nueva York Sincopado los bailarines se desvían del ritmo y realizan un movimiento sorpresa que añade mucho garbo. Para bailarlo, simplemente haz el Nueva York de Mambo a un ritmo de 2 Y 3, 4 Y 1, que se puede entender como un doble ritmo de Chachachá. Fíjate en que los pasos de Chachachá Chassé se eliminan en el Nueva York Sincopado. Para poder llevar la velocidad de esta versión, los brazos y las piernas necesitan estar fuertes. El hombre girará un cuarto de vuelta (90°) a la derecha y la mujer a la izquierda al mismo tiempo que dan un paso al frente en la cuenta 2, él con la izquierda y ella con la derecha. En la cuenta «Y», la pareja simplemente transfiere el peso corporal sobre el otro pie antes de quedar frente a frente tras el paso lateral de la cuenta 3. Luego se repite todo, pero en la dirección contraria. El agarre y la posición de los brazos son como los que se muestran en el capítulo de Mambo. La pareja ejerce presión en las manos durante el Nueva York Sincopado. Mira el capítulo de Mambo para obtener un análisis más detallado e ilustrado.

3
GOLPE - 4

Hombre Cruza el pie izquierdo por detrás del derecho y, con las dos rodillas flexionadas, vuelve la punta del pie hacia afuera.

Mujer Cruza el pie derecho por detrás del izquierdo y, con las dos rodillas flexionadas, vuelve la punta del pie hacia afuera.

Se baila el mismo movimiento en la dirección opuesta si el hombre realiza los pasos de la mujer y viceversa. Sin embargo, es demasiado ostentoso y demasiados movimientos vistosos juntos no quedan bien. Es mucho mejor continuar con algo sencillo, como por ejemplo los pasos 6-10 del Nueva York de Chachachá, o los pasos 2-5 de los pasos laterales que se describen en el capítulo de Merengue, con una cuenta de 2, 2, 4, 1 y sin agarre. Después continúa con los pasos 6-10 del Nueva York de Chachachá. Si te encuentras con un ánimo exaltado, mete el Nueva York Festivo.

4

GOLPE - Y

Hombre Da un paso lateral corto con el pie derecho.

Mujer Da un paso lateral corto con el pie izquierdo.

5

GOLPE - 1

Hombre Da un paso lateral con el pie izquierdo y párate frente a la mujer con las rodillas rectas.

Mujer Da un paso lateral con el pie izquierdo y párate frente al hombre con las rodillas rectas.

El Nueva York Festivo

Al igual que los demás movimientos Nueva York, este puede ir hacia la derecha o hacia la izquierda, dependiendo del pie con el que se empiece. Aquí asumiremos que acabas de bailar el Nueva York Rondé. Tanto el hombre como la mujer están en una posición distanciada con los pies separados. El hombre está colocado sobre el pie izquierdo y la mujer sobre el derecho. El hombre agarra con la mano derecha y suelta el agarre con la mano izquierda, como lo haría normalmente. Ahora ¡a la fiesta!

GOLPE - 2

Hombre Da un paso adelante y cruzado con el pie derecho. Gira un cuarto de vuelta (90°) a la izquierda sobre el pie izquierdo y da un paso al frente con el pie derecho. Relaja la rodilla derecha y deja que el cuerpo se gire ligeramente.

Mujer Gira un cuarto de vuelta (90°) a la derecha sobre el pie izquierdo y da un paso al frente con el pie izquierdo. Relaja la rodilla izquierda y deja que el cuerpo se gire ligeramente.

4-6

GOLPE - 4 Y 1

Hombre Lleva la mano derecha a su posición original. Gira sobre el pie izquierdo un cuarto de vuelta (90°) a la derecha y baila el Chachachá Chassé a la derecha. Mantén el agarre con la mano izquierda y suelta la derecha. Termina de frente a la mujer.

Mujer Gira sobre el pie derecho un cuarto de vuelta (90°) a la izquierda y baila el Chachachá Chassé a la izquierda. Termina de frente al hombre.

2

GOLPE - Y

Hombre Da un salto a la pata coja sobre el pie derecho.

Mujer Da un salto a la pata coja sobre el pie izquierdo.

3

GOLPE - 3

Hombre Apoya el pie izquierdo sobre el suelo y ponte en posición normal.

Mujer Apoya el pie derecho sobre el suelo y ponte en posición normal.

Continúa con tu movimiento preferido o prueba el Zigzag.

El Zigzag

El Zigzag es un movimiento sencillo y directo, y resulta particularmente útil sobre una pista de baile llena de gente, sobre todo si quieres hacerte con un poco de sitio. Es una figura buena tras un Nueva York completo, y puedes fácilmente tener un doble agarre de manos al final del Chachachá Chassé. Fíjate en que el ritmo cambia y eso hace que disminuya el tiempo del Chachachá. Comienza en una posición abierta cara a cara con un doble agarre de manos y los pies separados. El hombre se coloca sobre el pie derecho y la mujer sobre el izquierdo.

1

GOLPE - 2

Hombre Da un paso al frente con el pie izquierdo y gira una octava (45°) a la derecha.

Mujer Da un paso atrás con el pie derecho y gira una octava (45°) a la derecha.

2

GOLPE - 3

Hombre Da un paso lateral con el pie derecho y gira una octava (45°) a la izquierda. Mira de frente a la mujer.

Mujer Da un paso lateral con el pie izquierdo y gira una octava (45°) a la izquierda. Mira de frente al hombre.

3

GOLPE - 4

Hombre Da un paso atrás con el pie izquierdo y gira una octava a la izquierda.

Mujer Da un paso adelante con el pie derecho y gira una octava a la izquierda.

4

GOLPE - 1

Hombre Da un paso lateral con el pie derecho y gira una octava (45°) a la derecha. Mira de frente a la mujer.

Mujer Da un paso lateral con el pie izquierdo y gira una octava (45°) a la derecha. Mira de frente al hombre.

Consejo de estilo
Una inclinación ligera hacia la pareja mejora la apariencia y facilita los movimientos. No obstante, no te debes apoyar sobre el compañero.

El Zigzag se puede repetir si es necesario. Continúa con un Nueva York, elige cualquiera de las variaciones o baila Vueltas en el Sitio (derecha para la mujer e izquierda para el hombre).

Vueltas en el Sitio

Una Vuelta en el Sitio es simplemente el nombre que se le da a las vueltas que se realizan sobre el sitio. Este tipo de giro se puede hacer a la derecha o a la izquierda, por el hombre o la mujer. Normalmente, si la pareja realiza las Vueltas en el Sitio al mismo tiempo, cada uno las hará en dirección contraria.

Vuelta en el Sitio a la derecha

Comienza con los pies separados, sobre el pie derecho y sin agarre.

1

GOLPE - 2

Hombre y mujer
Pon el pie izquierdo adelante y cruzado. Gira con el pie izquierdo.

2

GOLPE - 3

Hombre y mujer
Transfiere el peso corporal hacia adelante, sobre el pie derecho, todavía girando a la derecha.

3-5

GOLPE - 4 – 1

Hombre y mujer
Baila un Chachachá Chassé a la izquierda (izquierda, derecha, izquierda) y termina la vuelta a la derecha.

Vuelta en el Sitio a la izquierda

1

GOLPE - 2

Hombre y mujer
Pon el pie derecho adelante y cruzado. Gira con el pie derecho.

2

GOLPE - 3

Hombre y mujer
Transfiere el peso corporal adelante, sobre el pie izquierdo, todavía girando a la izquierda.

3-5

GOLPE - 4 – 1

Hombre y mujer
Baila un Chachachá Chassé a la derecha (derecha, izquierda, derecha) y termina la vuelta a la izquierda.

Continúa con cualquier figura adecuada.

La Vuelta Alemana y la Toalla Turca

Este movimiento combina dos figuras clásicas de Chachachá. Ya has visto la Vuelta Alemana en la Rumba. La Toalla Turca se llama así porque parece que el hombre se seque la espalda con la mujer. Que no te desanime la cantidad de pasos que tiene esta combinación; se dividirá en secciones y poco a poco después se harán juntas, tras haber practicado cada una de ellas. Comienza en posición Abanico.

La Vuelta Alemana

1
GOLPE - 2

Mujer Junta el pie derecho con el izquierdo.

2
GOLPE - 3

Mujer Da un paso al frente con el pie izquierdo.

3-5 ▼
GOLPE - 4 – 1

Mujer Baila un Chachachá Chassé hacia el frente y gira a la derecha en el paso 5.

6 ▶
GOLPE - 2

Hombre Da un paso atrás con el pie derecho sin mover el izquierdo. Haz un círculo con la mano izquierda en el sentido de las agujas del reloj al tiempo que la mujer gira.

Mujer Mueve el pie izquierdo adelante y cruzado y gira a la derecha. Termina sobre el pie izquierdo.

1-5 ▲
GOLPE - 2 – 1

Hombre Baila un Chachachá Básico hacia adelante completo y mantén el Chachachá Chassé donde está. Acerca a la mujer mientras bailas el Chachachá Chassé y levanta el brazo izquierdo, con la palma hacia arriba. La mujer debe de estar ahora frente a ti y hacia tu lado izquierdo.

7 ▶
GOLPE - 3

Hombre Transfiere el peso adelante, sobre el pie izquierdo y comienza a girar a la izquierda. Coge la mano derecha de la mujer con tu derecha y ponlas a la altura de los hombros.

Mujer Da un paso al frente con el pie derecho y continúa la vuelta girando hacia la derecha.

La Toalla Turca

8-10 ▶

GOLPE - 4 – 1

Hombre Baila un Chachachá Chassé
con giro a la izquierda. Comienza
moviendo el pie derecho
lateralmente, o sea, frente a la mujer.
En el paso 9, coge la mano izquierda
de tu compañera con la tuya y
ponlas a la altura de los hombros.

Mujer Sigue girando a la derecha
hasta completar media vuelta, y baila
un Chachachá Chassé hacia la
izquierda y por detrás del hombre.

11 ▼

GOLPE - 2

Hombre Da un paso atrás con el pie izquierdo
y deja el derecho en el sitio.

Mujer Da un paso atrás con el pie derecho
y deja el izquierdo en el sitio.

◀ 12

GOLPE - 3

Hombre Transfiere
el peso corporal
hacia adelante,
sobre el pie derecho.

Mujer Transfiere el
peso corporal hacia
atrás, sobre el pie
izquierdo.

13-15

GOLPE - 4 – 1

Hombre Baila un
Chachachá Chassé
moviéndote a la
izquierda por
delante de la mujer.

Mujer Baila un
Chachachá Chassé
moviéndote a la
derecha por detrás
del hombre.

16

GOLPE - 2

Hombre Da un paso atrás con el
pie derecho sin mover el
izquierdo de su sitio.

Mujer Da un paso al frente con el
pie izquierdo sin mover el
derecho de su sitio.

17

GOLPE - 3

Hombre Transfiere el peso
corporal hacia adelante, sobre
el pie izquierdo.

Mujer Transfiere el peso
corporal hacia atrás, sobre el
pie derecho.

18-20

GOLPE - 4 – 1

Hombre Baila un Chachachá
Chassé moviéndote hacia la
derecha por delante de la mujer.

Mujer Baila un Chachachá
Chassé moviéndote hacia la
izquierda por detrás del hombre.

21-25

GOLPE - 2 – 1

Hombre Repite los pasos
11-15 y suelta la mano
izquierda en el paso 25.

Mujer Repite los pasos
11-15 y termina a la derecha
del hombre.

El final del Palo de Hockey

26
GOLPE - 2

Hombre Da un paso atrás con el pie derecho y lleva a la mujer hacia adelante con la mano derecha a la altura de la cintura.

Mujer Da un paso adelante con el pie izquierdo.

27
GOLPE - 3

Hombre Transfiere el peso corporal hacia adelante, sobre el pie izquierdo, y lleva a la mujer a que gire a la izquierda y hacia ti al final del paso.

Mujer Da un paso al frente con el pie derecho y, sobre ese mismo pie, da media vuelta a la izquierda hasta quedar cara a cara con el hombre.

28-30
GOLPE - 4 – 1

Hombre Baila un Chachachá Chassé adelante y alinea a la mujer a tu altura. Suelta el enganche y termina con un agarre de izquierda con derecha.

Mujer Baila un Chachachá Chassé hacia atrás y alinéate a la altura del hombre.

Consejo para la Toalla Turca

Cuando la pareja pasa por el frente y por detrás, verá que es más cómodo girar ligeramente el uno hacia el otro de manera que en los pasos adelante y atrás lleguen a hacer contacto visual con el compañero; solo para comprobar que lo están pasando bien, claro.

Continúa con tu movimiento favorito.

Lado a lado

Los bailes latinoamericanos ofrecen una miríada de movimientos en los que el hombre y la mujer bailan el uno enfrente del otro y realizan entre ambos movimientos intrincados. Pero el Chachachá ofrece la oportunidad de bailar en una orientación distinta: lado a lado. En estos movimientos, tanto el hombre como la mujer realizan los mismos pasos. Para ello, uno u otro deben cambiar el pie que habitualmente emplean por el mismo pie que su compañero y, al final del movimiento, volverlo a cambiar. Esto no es tan difícil como parece. Veamos cómo se hace. Comienza en una posición abierta cara a cara con los pies separados. Como siempre, el hombre se coloca sobre el pie derecho y la mujer sobre el izquierdo. No os apartéis mucho el uno del otro; la práctica os ayudará a calcular la distancia apropiada para bailar cómodamente.

Colocarse lado a lado

1-5
GOLPE - 2,3, 4 Y 1

Hombre El hombre baila un Chachachá Básico hacia adelante y se suelta para dejar que la mujer gire en 3-4.

1
GOLPE - 2

Mujer Da un paso atrás con el pie derecho sin mover el izquierdo.

2 ▲
GOLPE - 3

Mujer Transfiere el peso corporal hacia adelante, sobre el pie izquierdo.

3-4

GOLPE - 4 Y

Mujer Da un paso al frente con el pie derecho y colócalo al lado derecho del hombre. Da media vuelta a la izquierda sobre el pie derecho y termina en la misma dirección que el hombre.

5

GOLPE - 1

Mujer Da un paso lateral con el pie izquierdo.

Ahora estás en una posición lado a lado, con el hombre y la mujer apoyados en el pie izquierdo, con los pies separados y listos para el siguiente movimiento.

Nueva York o Nueva York Festivo

El hombre y la mujer bailan ahora los pasos 5-10 de la opción «hombre» del Nueva York del Chachachá, o los pasos 1-6 del hombre del Nueva York Festivo, pero dando media vuelta a la derecha en el Chachachá Chassé para acabar con la mujer delante del hombre, ambos sobre el pie derecho. El ritmo para los pasos 1-5 es el mismo para los dos: 2, 3, 4 Y 1 (Nueva York) o 2 Y 3, 4 Y 1 (Festivo). Aquí está ilustrado el Nueva York.

1

GOLPE - 2

Hombre y mujer Dad un cuarto de vuelta a la izquierda sobre el pie izquierdo y dad un paso al frente con el pie derecho sin mover el izquierdo del sitio.

2 ▶

GOLPE - 3

Hombre y mujer Transferid el peso corporal hacia atrás, sobre el pie izquierdo.

3 ▶

GOLPE - 4

Hombre y mujer Dad un cuarto de vuelta a la derecha sobre el pie izquierdo y dad un paso lateral con el pie derecho.

4

GOLPE - Y

Hombre y mujer Juntad el pie izquierdo con el derecho y terminad sobre el pie izquierdo.

5

GOLPE - 1

Hombre y mujer Dad un paso lateral con el pie derecho.

Tándem de Puntas

1

GOLPE - 2 – 3

Hombre y mujer Apuntad el pie izquierdo hacia afuera, pero apoyad el peso sobre el pie derecho. Dejad que el cuerpo mantenga el equilibrio del pie que apunta hacia afuera.

2

GOLPE - 4 – 1

Hombre y mujer Apuntad el pie derecho hacia atrás, pero apoyando el peso sobre este. Dejad que el cuerpo mantenga el equilibrio del pie que apunta hacia afuera.

Nueva York o Nueva York Festivo hacia el lado opuesto

El hombre y la mujer ahora bailan los pasos 1-5 del hombre del Nueva York de Chachachá, o los pasos 1-6 de la mujer del Nueva York Festivo, pero dando media vuelta a la izquierda en el Chachachá Chassé y acabando sobre el pie izquierdo. Golpe 2, 3, 4 Y 1 (Nueva York) o 2 Y 3, 4 Y 1 (Festivo).

Tándem de Puntas

1
GOLPE - 2 – 3

Hombre y mujer
Apuntad el pie derecho adelante, pero apoyad el peso sobre el pie izquierdo. Dejad que el cuerpo mantenga el equilibrio del pie que apunta hacia afuera.

2
GOLPE - 4 – 1

Hombre y mujer
Apuntad el pie derecho atrás, pero apoyad el peso sobre el pie izquierdo. Dejad que el cuerpo mantenga el equilibrio del pie que apunta hacia afuera.

> *Ahora repetid la primera sección del Nueva York o Nueva York Festivo, pero dando solo un cuarto de vuelta a la derecha en el Chachachá Chassé. Acabad sobre el pie derecho, pies separados y lado a lado.*

La Salida

La mujer baila ahora el final del Palo de Hockey que se usó para concluir la Toalla Turca, pero el hombre debe hacer un cambio de pie para regresar al habitual pie contrario con respecto al de la mujer. Puede hacerlo de dos maneras.

Opción 1

1
GOLPE - 2

Hombre Da un paso atrás con el pie izquierdo.

2
GOLPE - Y

Hombre Junta el pie izquierdo con el derecho.

3
GOLPE - 3

Hombre Da un paso al frente con el pie izquierdo.

4-6
GOLPE - 4 Y 1 ó 4-1

Hombre Baila el Chachachá Chassé adelante.

Opción 2

1-3
GOLPE - 2 Y 3

Hombre Baila el Chachachá Chassé adelante comenzando con el pie izquierdo.

4-6
GOLPE - 4 Y 1

Hombre Baila un Chachachá Chassé adelante comenzando con el pie derecho.

> *La pareja usará el último movimiento para prepararse para el agarre y el siguiente paso.*

Sugerencia musical

Preferiría bandas latinas para música latina, pero los Chachachás de la orquesta de baile internacional de Ross Mitchell son especialmente buenos; tienen un ritmo claro y un sonido excelente, y su versión de The Shoop Shoop Song *y* Pata-Pata *son altamente recomendables. Los Paraguayos son siempre buenos tanto para bailar como para escuchar. Para un Chachachá, Rumba y Salsa auténticos, prueba el artista venezolano Óscar d'León.*

Pasodoble

Como su propio nombre indica, el Pasodoble es un baile basado en un compás de dos pasos. La danza es el drama de la corrida de toros española no solo en sus países de origen, España y Francia, sino por todo el mundo. En ella el hombre representa al matador y la mujer a su capote. Pese a ser generalmente asociado con la península Ibérica, la mayor parte de las figuras más populares tienen nombre francés, subrayando el hecho de que el Pasodoble es uno de los bailes típicos galos. Al igual que sucede con el Vals Vienés, este estilo suele dar la impresión de requerir un alto nivel de exigencia técnica. Esto ocurre porque la mayor parte de la gente solo lo ha visto o bailado en competiciones televisadas. Sin embargo, desde España hasta Francia y Latinoamérica, sin importar edad o habilidad, es la versión social del Pasodoble, más simple e igualmente deliciosa, la que se baila en las salas de baile.

Música y ritmo

La música es sencilla e inspiradora. Se basa en un ritmo de marcha de 1-2-1-2 que es muy fácil de seguir hasta para el bailarín menos experimentado. Los pasos implican pocos cambios rítmicos, de forma que cualquiera puede bailar y disfrutar el Pasodoble. El tempo o velocidad es de 60 compases por minuto, enérgico pero no complicado.

Algunos de los términos utilizados en el Pasodoble se usan también en la sección de baile en pareja estándar, donde se pueden encontrar las explicaciones completas.

Consejo de estilo

En esta sección he tratado de impartir el sentido de la pasión que caracteriza a los personajes de la historia del Pasodoble. Sin embargo, la mayor parte de los bailarines sociales de los países latinoamericanos disfrutan de este baile de una forma menos dramática y más jovial. Esta danza no necesita ser ostentosa ni espectacular para ser placentera. Después de todo, es tu baile, y deberías disfrutarlo a tu manera.

Pasodoble Básico – «Sur Place»

Uno de los movimientos básicos del Pasodoble se llama «Sur Place», que en francés significa «en el sitio». Los bailarines deben agarrarse de forma firme, pero ligeramente separados. Levanta los brazos un poco por encima de lo habitual. Una pose correcta otorga gran estilo incluso al Pasodoble Básico. Mantén la posición erguida y, sin echarte encima de tu compañero, vuelca el peso hacia adelante hasta que tus talones estén a punto de abandonar el suelo. Para bailar el «Sur Place», el hombre encarará la pared. Empezará con el pie derecho, y la mujer con el izquierdo. Baila ocho tiempos, marcando el compás en el sitio, manteniendo las piernas relativamente rectas y usando solo las almohadillas de los pies.

El movimiento «Sur Place» también puede ser rotado en el sitio hacia la derecha o hacia la izquierda.

MUJER		
2,4,6,8	⬭⬭	1,2,3,4
2,4,6,8	⬭⬭	1,2,3,4
HOMBRE		

Sugerencia musical

La Danza Gitana Española, *conocida también como* España Cañí, *se ha convertido en el himno universal del Pasodoble. Entre otros pasodobles excelentes, destacan* En el mundo *y* El gato montés. *La auténtica música de Pasodoble, interpretada por grupos españoles, franceses o latinoamericanos, tiende a ser más lenta que el tempo acordado para las competiciones internacionales. Y* Viva España *fue un éxito comercial internacional de los años setenta.*

La Separación

La Separación es el movimiento más típico del Pasodoble. Empieza con un movimiento característico por parte del hombre, en el que golpea el suelo con el pie derecho en un gesto que recuerda al matador atrayendo la atención del toro. Este gesto es conocido como «Appel», que en francés significa «Llamada». En la Separación, el hombre mueve a la mujer (el capote) lejos de sí, atrayéndola de vuelta lentamente, como si estuviera intentando tentar al toro para que cargue. Como es habitual, el hombre se mantiene sobre su pie izquierdo, con los pies juntos, y la mujer se posiciona de forma opuesta correspondientemente.

1

Hombre Pie derecho en «Llamada».

Mujer Pie izquierdo en «Llamada».

2

Hombre Camina hacia adelante con fuerza con el pie izquierdo, alejando a la mujer.

Mujer Retrocede el pie derecho enérgicamente.

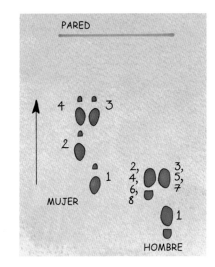

3

Hombre Junta el pie derecho con el izquierdo y suelta la sujeción de la mano derecha.

Mujer El pie izquierdo retrocede con fuerza y suelta la sujeción de la mano izquierda.

4-8

Hombre Marca los tiempos (izquierda, derecha, izquierda, derecha, izquierda) atrayendo a la mujer hacia ti para recuperar la sujeción cerrada.

4

Mujer Junta el pie derecho con el izquierdo, extendiendo la mano izquierda hacia el costado.

◀ 5-8 ▶

Mujer Avanza, con pasos lentos (izquierda, derecha, izquierda, derecha). Recupera la sujeción cerrada al octavo tiempo mediante un movimiento circular gradual de la mano izquierda hacia el hombro o brazo derecho del hombre, sugiriendo el sutil aletear del capote.

Continúa con «Sur Place», después repite la Separación o prueba el Ataque.

El Ataque

La separación funcionó. El toro ha sido provocado para atacar y carga contra el matador. El torero se mantiene firme hasta el último momento, donde ejecuta su movimiento.

La sacudida del capote al pasar el toro por debajo es interpretada en el movimiento de las manos juntas de la pareja a medida que se mueven circularmente hacia fuera y hacia abajo durante los pasos 2 - 4, terminando cerca de la cintura. Ahora, es el momento para que el matador recupere la compostura mientras la pareja ejecuta cuatro tiempos del Pasodoble Básico, girando media vuelta hacia la izquierda. Al final, el hombre encara la Línea Central del salón, completando la cuenta de ocho tiempos.

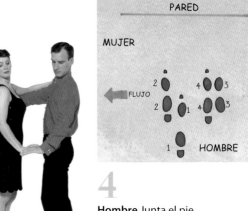

1

Hombre La Llamada con el pie derecho.

Mujer La Llamada con el pie izquierdo.

2

Hombre Avanza fuertemente con el pie derecho.

Mujer Retrocede el pie izquierdo con fuerza.

3

Hombre Paso lateral hacia la derecha.

Mujer Paso lateral hacia la izquierda.

4

Hombre Junta el pie izquierdo con el derecho.

Mujer Junta el pie derecho con el izquierdo.

Elevaciones hacia la derecha

En un orgulloso despliegue de actitud desafiante, el matador muestra su maestría con arrogancia tomando una nueva posición para enfrentarse y desafiar al toro. El hombre encara ahora la Línea Central del salón y se mantiene erguido sobre el pie izquierdo. La mujer se apoya en su pie izquierdo.

1

Hombre Mueve el pie derecho hacia el costado, levantando la mano izquierda por encima de la cabeza, permitiendo que el brazo entero se gire en continuación de la línea del cuerpo, curvándose ligeramente hacia la derecha. La cabeza mira hacia abajo a la derecha. Las piernas están relativamente rectas y el peso recae sobre las puntas de los pies.

Mujer Mueve el pie izquierdo hacia el costado, con las puntas replicando el movimiento del hombre.

2

Hombre Junta el pie izquierdo con el derecho, manteniendo la misma posición corporal.

Mujer Junta el pie derecho con el izquierdo, con las puntas de los dedos replicando el movimiento del hombre.

3-4

Hombre Repite los pasos 1 - 2.

Mujer Repite los pasos 1 - 1.

5-8

Hombre Repite los pasos 1 - 4, extendiendo la mano izquierda hacia abajo y bajando la cabeza para mirarla. El cuerpo se curva ligeramente hacia la izquierda. Las rodillas están relajadas y los pies planos hacia el suelo.

Mujer Repite los pasos 1 - 4 replicando los movimientos del hombre.

El efecto resultante es el de cuatro tiempos de Chassés altos, seguidos de cuatro tiempos de Chassés bajos.

Continúa con el Ataque, girando los cuatro pasos del Pasodoble Básico hacia la izquierda, da media vuelta (180º), de forma que el hombre termine encarando la pared. Terminada esta secuencia, se puede volver a empezar o, en un gesto triunfal, bailar la Carga Final o Huit.

Carga Final o Huit

El Huit es la cuenta de ocho tiempos de la triunfal exhibición del matador, que sacude su capote, quizá hipnotizando al toro, o quizá aguijoneándolo para que se lance a un ataque definitivo; una carga final donde poder asestar la estocada de gracia. El hombre encara la pared, con los pies juntos y su peso apoyado sobre el izquierdo. La mujer también mantiene los pies juntos, y el peso sobre el derecho.

1

Hombre Pivotando hacia la izquierda sobre el pie izquierdo y relajando la rodilla, adelanta el pie derecho con energía, apoyando el talón, cruzándolo entre tu cuerpo y el de la mujer, a lo largo del salón.

Mujer Pivotando hacia la derecha sobre el pie derecho y relajando la rodilla, adelanta el pie izquierdo con energía, apoyando el talón, cruzándolo entre tu cuerpo y el del hombre, a lo largo del salón.

2

Hombre Pivotando hacia la derecha sobre el pie derecho, cierra el pie izquierdo sobre el derecho, para terminar de frente a la pared y llevando a la mujer hasta que te encare.

Mujer Pivotando hacia la izquierda sobre el pie izquierdo para girar hasta encarar al hombre y desplazarse hacia la derecha sobre dicho pie.

3-8

Hombre Continúa bailando un Sur Place mientras llevas a la mujer primero hacia la derecha, luego hacia la izquierda y, finalmente, hasta la posición opuesta a la tuya. Puedes mover tu cuerpo para enfatizar el modo en que manipulas a la mujer (el capote).

3

Mujer Levanta el pie izquierdo y apóyalo en el mismo sitio en el suelo.

4

Mujer Avanza con tu pie derecho cruzando frente al hombre.

5

Mujer Da un paso lateral con el pie izquierdo, girando hacia la derecha.

6

Mujer Levanta el pie derecho y apóyalo en el mismo sitio en el suelo.

7

Mujer Avanza con tu pie izquierdo hasta una posición opuesta a la del hombre.

8

Mujer Pivotando hacia la izquierda sobre el pie izquierdo, cierra el pie derecho sobre el izquierdo para terminar frente al hombre.

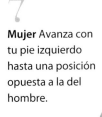

Ya estás preparado para comenzar tu Pasodoble desde el principio y representar tu drama en la pista de baile.

Paseo Abierto a Contra Paseo Abierto

Para este movimiento, debemos imaginar al matador luciéndose en la plaza, recibiendo orgulloso los aplausos y vítores de la multitud. Se utilizan las posiciones de Paseo Abierto y de Contra Paseo Abierto. Paseo Abierto es similar a la posición de Paseo explicada en la sección de *«Bailes de Pareja Estándar, Patrones de Danza Básicos»* pero, en este caso, la pareja se mantiene separada, sujetando solo la mano izquierda del hombre a la mano derecha de la mujer. El Contra Paseo Abierto es la posición opuesta, aunque el agarre de manos se mantiene igual. Empieza en agarre directo. El hombre encara la pared. Apoya su peso sobre el pie izquierdo, la mujer en el derecho.

1

Hombre Appel con el pie derecho. Suelta el agarre de la mano derecha, retrocediendo el codo y extendiendo el antebrazo verticalmente hacia el suelo. Extiende la mano izquierda ligeramente hacia la izquierda, girando la base de la muñeca hacia fuera para llevar a la mujer.

Mujer Appel con el pie derecho, soltando el agarre de la mano izquierda e imitando la posición del brazo derecho del hombre.

2

Hombre Da un paso lateral con el pie izquierdo hasta la posición de Paseo Abierto.

Mujer Da un paso lateral con el pie derecho hasta la posición de Paseo Abierto.

3

Hombre Avanza con el pie derecho, cruzándolo, en posición de Paseo Abierto, comenzando un movimiento cruzado respecto a la mujer.

Mujer Avanza con el pie izquierdo, cruzándolo, en posición de Paseo Abierto.

4

Hombre Da un paso lateral con el pie izquierdo, dando la espalda al salón y girando enérgicamente hacia la derecha.

Mujer Avanza por el salón con el pie derecho.

5

Hombre Da un paso lateral con el pie derecho, girando hacia la derecha para terminar en la posición de Contra Paseo Abierto.

Mujer Muévete hacia el costado por el salón con el pie izquierdo en posición de Contra Paseo Abierto.

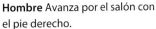

Hombre Da un paso al frente, cruzando el pie izquierdo por el salón, en posición de Contra Paseo Abierto.

Mujer Da un paso al frente, cruzando el pie derecho por el salón, en posición de Contra Paseo Abierto.

Hombre Avanza por el salón con el pie derecho.

Mujer Da un paso lateral con el pie izquierdo, girando con energía hacia la derecha.

8

Hombre Da un paso al frente a lo largo del salón con el pie izquierdo, en posición de Paseo Abierto.

Mujer Da un paso al frente a lo largo del salón con el pie derecho, en posición de Paseo Abierto.

Pasa directamente a bailar la Línea Española o el Paseo Cerrado.

Línea Española

El matador se recrea en el aplauso de la multitud y anima a la gente a gritarle *¡Olé!* con su pose: la Línea Española. La preconcepción general del Pasodoble está cargada de movimientos del estilo Flamenco. La Línea Española es uno de esos movimientos y, aunque pueda parecer un poco estereotipado, si es ejecutado de forma conservadora, puede resultar muy efectivo y divertido. Realizar directamente tras el Paseo Abierto a Contra Paseo Abierto.

1

Hombre Avanza con el pie derecho.

Mujer Avanza con el pie izquierdo.

2

Hombre Movimiento lateral con el pie derecho por el salón, girando hacia la derecha y soltando el agarre.

Mujer Movimiento lateral con el pie izquierdo por el salón, girando hacia la derecha y soltando el agarre.

3

Hombre Retrocede con el pie derecho, girando de puntillas hasta completar una media vuelta (180°) hacia la derecha, terminando de espaldas a la mujer.

Mujer Retrocede con el pie izquierdo, girando de puntillas hasta completar una media vuelta (180°) hacia la izquierda, terminando de espaldas al hombre.

4 ▶

Hombre Sin flexionar la rodilla derecha, clava la punta del pie izquierdo en el suelo, levanta el tacón y coloca el pie de forma ligeramente perpendicular al pie derecho. El brazo izquierdo queda curvado hacia dentro, pero no demasiado cerca del pecho, y el brazo derecho continúa la misma curva por detrás de la espalda. Esta es la Línea Española.

Mujer Sin flexionar la rodilla izquierda, clava la punta del pie derecho en el suelo, levanta el tacón y coloca el pie de forma ligeramente perpendicular al pie izquierdo. El brazo derecho queda curvado hacia dentro, pero no demasiado cerca del pecho, y el brazo izquierdo continúa la misma curva por detrás de la espalda. Esta es la Línea Española.

> ### Consejo de estilo
> *Algunos bailarines prefieren levantar el brazo que queda atrás en los pasos 4 y 8, pero deberías tener en consideración que esto tiende a hacer parecer a la pareja más pequeña y, probablemente, demasiado ostentosa para un baile social. Si se van a añadir los Toques Flamencos, el brazo no debería ser levantado.*

5-8

Hombre Ejecuta los pasos 1 - 4 de la mujer, moviéndote en la dirección contraria de espaldas a la pareja y termina encarando el salón.

Mujer Ejecuta los pasos 1 - 4 del hombre, moviéndote en la dirección contraria de espaldas a la pareja y termina encarando el salón.

> Continúa con el Cierre del Paseo.

El Cierre del Paseo

La pareja resuelve la Línea Española bailando el Cierre del Paseo.

1

Hombre Da un paso con el pie derecho por el salón, en posición de Paseo Abierto, sin agarre.

Mujer Da un paso con el pie izquierdo por el salón, en posición de Paseo Abierto, sin agarre.

2

Hombre Pivota sobre el pie derecho para encarar el muro. Cierra el pie izquierdo sobre el derecho y retoma un agarre cerrado.

Mujer Pivota sobre el pie izquierdo para encarar el muro. Cierra el pie derecho sobre el izquierdo y retoma un agarre cerrado.

3

Hombre Movimiento lateral con el pie derecho contra el flujo, de cara a la pared.

Mujer Movimiento lateral con el pie izquierdo contra el flujo.

4

Hombre Junta el pie izquierdo con el derecho.

Mujer Junta el pie derecho con el izquierdo.

> *Es una buena idea terminar este paso con cuatro tiempos de Sur Place para completar la cuenta de ocho antes de empezar de nuevo el Pasodoble desde el principio.*

Los Toques Flamencos

Los Toques Flamencos se pueden añadir tras el paso 4 o tras el paso 8 de la Línea Española. La figura se baila en el sitio y los brazos se mantienen en la misma posición que tenían en la Línea Española.

Hombre tras el paso 4 (o mujer tras el paso 8) de la Línea Española

1

Deja el peso sobre el pie izquierdo.

2

Levanta alto el tacón del pie derecho, golpea el suelo dos veces con la punta detrás del pie izquierdo.

3-4

Ejecuta los pasos 3 - 4 del hombre de la Línea Española.

> *El formato normal para bailar los Toques Flamencos es el siguiente: pasos 1 - 4 de la Línea Española • Toques Flamencos • Pasos 5 - 8 de la Línea Española • Cierre del Paseo.*

Hombre tras el paso 8 (o mujer tras el paso 4) de la Línea Española

1

Deja el peso sobre el pie derecho.

2

Levantando alto el tacón del pie izquierdo, golpea el suelo dos veces con la punta detrás del pie derecho.

3-4

Ejecuta los pasos 3 - 4 de la mujer de la Línea Española.

Samba

La ropa informal es la mejor para bailar Samba. Las mujeres deberían llevar vestidos cortos que faciliten el movimiento, así como zapatos de tacón. Los hombres deberían elegir zapatos con una suela buena; los de suela de goma no son apropiados.

Los primeros marineros portugueses que navegaron por las costas de Sudamérica una mañana de enero descubrieron una bellísima serie de bahías con playas doradas, atravesadas por un río que surcaba los picos tropicales. Cuando bautizaron aquel paraje con el nombre de Río de Enero, o Río de Janeiro, difícilmente podían imaginar lo que el futuro tenía reservado. Los colonos portugueses se asentaron rápidamente y, a medida que la agricultura prosperaba, trajeron esclavos de las regiones del suroeste africano, controladas por Portugal, para que trabajaran en las plantaciones de Bahía, al nordeste de lo que acabaría llamándose Brasil. La Samba empezó a desarrollarse en Bahía como respuesta a los fuertes ritmos de los tambores llamados *Batuque*, traídos por los esclavos desde África. El golpear hipnótico de la percusión permitía a los esclavos escapar momentáneamente de los problemas cotidianos, tradición que hoy se conserva en la Samba de Roda. En el lenguaje de estos esclavos, la palabra «Samba» significaba «bailar», palabra predestinada a introducirse en el folclore brasileño como el orgulloso nombre de la danza nacional.

Ahora la Samba es el baile de celebración de la alegría en el Carnaval festejado cada mes de febrero en Río. Los bailarines de Samba compiten entre sí cada Carnaval por ver quién puede llevar el tocado más grande y fabuloso. Con estas decoraciones, el baile se hace casi imposible, preservando únicamente los pasos básicos. Este tipo de Samba es bien diferente a la versión internacional, más estilizada. En Río, la Samba se baila de forma solitaria mientras que, internacionalmente, se baila en pareja. Los intérpretes ejecutan tres cambios de peso rápidos, con un leve levantamiento de rodilla, llevando cada sección del ritmo «rápido, rápido, lento, y...» con pies alternos. Las mujeres lucen con destreza sus movimientos de cadera, mientras que los hombres se mueven de forma menos exagerada. Mientras, la cabeza se mantiene perfectamente recta, evitando desequilibrar la magnífica estructura que la sujeta. En Brasil, también existe una versión de Samba en pareja, más lenta, llamada Pagode, que sirve a fines sociales.

El Maxixe fue la primera versión de la Samba conocida fuera de Brasil, ganando cierta popularidad en Europa. Esta fama decreció durante la Primera Guerra Mundial. Sin embargo, a finales de los años treinta, el estilo pegadizo, despreocupado y divertido de la Samba contagió a los bailarines estadounidenses y, durante esa década y la siguiente, tanto Río como la Samba capturaron la imaginación de la gente gracias al cine. Carmen Miranda protagonizó varias películas en Hollywood forjando una visión arquetípica de Brasil y de la Samba. Fred Astaire y Ginger Rogers popularizaron la imagen de Río como telón de fondo sofisticado, exótico y romántico para bailar en la película *Volando hacia Río*.

Cuando la popularidad de un baile trasciende las fronteras de su propio contexto cultural tradicional, lo natural es que se desarrolle y se transforme hacia un estilo más internacional. Si esos cambios se producen según el carácter y espíritu originales de esa danza, el resultado puede enriquecerla haciéndola más variada y aumentando su atractivo internacional. La Samba sufrió algunas modas estilísticas inapropiadas, como la tendencia disco de los años setenta o el ritmo duro y cortante, en staccato, de los años noventa, tendencias que llevan mal el paso de los años y que se desvanecen, favoreciendo un acercamiento más afín al espíritu original de la danza.

Para la mayoría de los bailarines sociales, el club de baile latinoamericano, el restaurante o el bar es el sitio para relajarse, hacer amigos y bailar la Samba. En esos clubes, la música tiende a ser auténticamente brasileña y el baile se ejecuta en un estilo espontáneo, lleno de improvisación. Este libro, sin embargo, describe las versiones simplificadas de los pasos de baile comunes del estilo internacional de la Samba, que es ligeramente distinta de la Samba bailada por los asistentes al Carnaval de Río. Profesores oficialmente reconocidos enseñan por todo el mundo este estilo, que no solo asegura una compatibilidad de movimientos entre los bailarines de diferentes países, sino que también aporta un acercamiento lógico, estructurado y fácil de comprender al aprendizaje de la Samba.

La Samba, dramática y enérgica, es bailada en pareja no solo en Brasil, sino por todo el mundo.

En la pista

En la mayoría de los bailes de salón internacionales estándar, como el Vals o el Quickstep, las parejas se mueven por la pista de baile en sentido opuesto a las agujas del reloj. En algunos bailes internacionalmente estandarizados, como el Mambo, el Chachachá o la Rumba, las parejas no suelen moverse por la pista, ocupando una pequeña porción del espacio. En la Samba, sin embargo, algunos movimientos son relativamente estáticos, mientras que otros se desplazan por el salón. Es necesario aprender a orientarse en la pista para aprender los pasos y moverse cómodamente por el espacio sin molestar a los otros bailarines.

Conocer la pista te ayudará.

Moverse con la corriente

Asumiendo que el salón es rectangular, el hombre encara la pared, y la mujer le da la espalda. Moverse con la corriente del tráfico de la pista significa moverse en el sentido contrario a las agujas del reloj por el salón. El hombre se mueve hacia su izquierda y la mujer hacia su derecha. La línea de la corriente circula dando la vuelta a la pista, paralela a la pared.

La línea central

Desde la misma posición, la línea central del salón discurre paralela a la pared, detrás del hombre y frente a la mujer.

Arrinconamiento

En la Samba, puedes elegir un paso de baile determinado para moverte de una pared a la siguiente pero, generalmente, tratarás de curvar los movimientos todo lo necesario cuando te acerques a la esquina de la pista. Hay que tener cuidado de no distorsionar demasiado los pasos, haciéndolos difíciles. Una vez superado el conflicto con la esquina, reoriéntate siguiendo la pared.

Conocimientos básicos de la pista

Cuando bailas por la pista, deberías intentar estar alerta a los otros bailarines y a su dirección de desplazamiento. La habilidad para evitar problemas es una gran baza para un bailarín. Más adelante se explican formas de conseguir esto. Sin embargo, hay algunas normas básicas que merece la pena resaltar ahora:

- *Es lógico que los bailarines más experimentados dejen más espacio a los más novatos.*
- *Cualquiera que vea un conflicto potencial debería tomar medidas para evitarlo. Esto generalmente se aplica a la pareja que está al final del tráfico de la corriente.*
- *Los bailarines menos experimentados y los que se desplazan más despacio deberían seguir un camino cerca de la pared para no molestar a los más avanzados y los más rápidos.*
- *Nunca te desplaces por la línea central en contra de la corriente del tráfico.*

Con práctica, la habilidad para evitar conflictos se convertirá en sí misma en una característica más del placer de bailar.

Música y ritmo

La emoción eufórica del Carnaval chispea en los ritmos crecientes y las vivaces melodías de la Samba, creando una atmósfera festiva para cualquier ocasión. La velocidad, o tempo, de este baile puede variar enormemente, desde los 48 a 52 compases por minuto de la Samba social hasta los 58 compases por minuto de las rápidas Sambas brasileñas. La amplia variedad de instrumentos de percusión en Brasil ha dado pie a una multiplicidad de ritmos, cada uno de ellos se hace eco de los orígenes de este baile en el sudoeste africano, y tiene su propio acento y cadencia. El compás de la Samba es, generalmente, un 2/4, lo que significa que el ritmo tiene dos cuentas por cada compás musical, con un valor de cuatro golpes (por ejemplo, dos golpes para cada cuenta), o un compás de 4/4, que significa cuatro cuentas por compás. Los pasos y movimientos de Samba tienen distintos ritmos a los que te acostumbrarás con el tiempo.

Para simplificar, en este libro asimilaremos que el compás es de 2/4. Si consideras esto difícil de comprender, no te preocupes. Muchos de los maravillosos músicos brasileños no tienen ningún conocimiento técnico de los ritmos que producen y, sin embargo, su música sigue siendo pura

El ritmo de la Samba es divertido.

magia sudamericana. No es necesario pensar conscientemente en el valor de los golpes musicales al bailar, pero un conocimiento básico de la naturaleza de los ritmos inevitablemente te ayudará a entender los pasos.

En las figuras de baile ilustradas en el libro, cada paso vendrá acompañado de una cuenta. Utilizando el compás de 2/4, el valor de cada cuenta será el siguiente:

Lento = 1 golpe y Rápido = 1/2 golpe.

El ritmo se dividirá con frecuencia, aportando emocionantes combinaciones rítmicas. Los golpes divididos se describen convencionalmente de la siguiente manera:

Y = 1/2 golpe o A = 1/4 de golpe.

Cuando el golpe está dividido, la fracción más pequeña y rápida del golpe se tomará del golpe anterior. En una cuenta de 1 A 2, la cuenta «A» se toma del 1 anterior, así que el 1 es solo 3/4 del golpe, no el golpe completo.

Ejemplos:

Cuenta:	Valor del golpe:
1 A 2	3/4, 1/4, 1
Lento A Lento	3/4, 1/4, 1
1 A 2 A 3 A 4	3/4, 1/4, 3/4, 1/4, 3/4, 1/4, 1
Lento A Lento	
A Lento A Rápido	3/4, 1/4, 3/4, 1/4, 3/4, 1/4, 1
Lento Rápido Rápido	1, 1/2, 1/2
Rápido Lento Rápido	1/2, 1/2, 1

Cuando el compás es de 4/4, los valores dados en la tabla se duplican.

La pista de baile

Aunque la pista de baile exista principalmente para uso y disfrute de los bailarines, no debería ser utilizada como una autopista. Camina siempre alrededor de la pista, nunca a través de ella; la aparición súbita de un peatón intentando esquivar a las parejas podría causar caos y trastornos. Al entrar en la pista, deberías intentar evitar causar problemas a los bailarines que ya están dentro. Dado que el hombre empieza normalmente mirando hacia el exterior del salón, es un error común que intente caminar hacia atrás con su atención fija en su pareja, en lugar de en los otros bailarines. Solo hace falta un poco de sentido común, y la experiencia de bailar se vuelve mucho más placentera para todo el mundo. Al dejar la pista, especialmente si aún hay gente bailando, se debería tener la misma consideración.

Con qué pie empezar

Algunas escuelas de baile recomiendan comenzar el baile con un movimiento llamado Movimiento Básico Natural, el cual se inicia con el hombre moviendo el pie derecho adelante, o el Movimiento Básico Inverso, en el que el hombre mueve el pie izquierdo adelante. En teoría, ambos son correctos. Sin embargo, si el hombre se puede mo-

La consideración hacia los otros bailarines es una parte vital de la etiqueta del baile.

ver adelante con cualquiera de los pies pero sin dar ningún giro, es una Samba o una Sacudida Samba (ver más adelante en esta sección) en la que el hombre comienza moviéndose de lado y, como resultado, puede comunicar sus intenciones a la pareja.

El agarre

Según la figura de Samba, se utilizan diferentes formas de agarre que aportan variedad a la forma y sensación del baile. Estos agarres serán descritos a medida que progreses por los pasos que hay en el libro. Al principio del baile, es natural que el hombre elija un agarre sencillo que le ofrezca el mejor contacto con la mujer y le ayude a llevarla hacia el primer movimiento. La mayoría de los bailarines sociales empiezan, por esta razón, con el agarre directo.

El agarre directo

El hombre y la mujer están de pie, ligeramente separados y con sus cuerpos directamente enfrentados. La mano derecha del hombre se apoya bajo el omóplato izquierdo de la mujer, mientras que ella deja reposar su mano izquierda sobre el hombro o la parte superior del brazo derecho del hombre, de forma que su brazo siga la misma curva que el del hombre. Con el codo izquierdo a la misma altura que el derecho, el hombre levanta su mano izquierda hasta quedar ligeramente por debajo de la altura de sus ojos, y toma la mano derecha de la mujer. Su brazo izquierdo debería estar suavemente curvado hacia delante, de tal

manera que la unión de las manos de ambos esté ubicada en una línea que pase justo entre los dos bailarines. El hombre comienza el agarre presentando su mano izquierda a la mujer, como si fuese un guardia deteniendo el tráfico. Su pulgar se debería extender naturalmente hacia el costado. La mujer entonces engancha su dedo corazón a la mano del hombre, entre su pulgar y el resto de los dedos, palma contra palma. Cierra los dedos anular e índice sobre el dedo corazón y, finalmente, cierra el dedo meñique. Abraza la base del pulgar del hombre con su propio pulgar y el hombre, entonces, cierra su mano. El brazo derecho de la mujer se curva de la misma forma que el del hombre. Para minimizar la posibilidad de tropiezos y pisotones en los movimientos hacia delante o atrás, en el agarre directo la mujer debería ubicarse ligeramente a la derecha del hombre, de tal manera que la línea de los botones de la camisa del hombre quede frente al hombro derecho de la mujer. Aunque se llame agarre directo, la pareja no debería tener ningún contacto abdominal.

El agarre directo, visto desde dos ángulos diferentes.

Samba Básica

Mientras te acostumbras a la velocidad, ritmo y acción de la Samba, es conveniente empezar a bailar con un movimiento sencillo. Empieza en agarre directo, con el hombre encarando la pared, y la mujer la línea central. Los pies deberían estar juntos, el peso del hombre sobre su pie izquierdo y el de la mujer sobre el derecho.

Samba Básica Lateral hacia la derecha

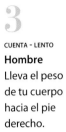

Consejo de estilo

Al bailar la Samba Básica, puedes reforzar tu sentido del ritmo diciéndote a ti mismo: «Paso, cambia pie».

1

CUENTA - LENTO

Hombre Da un paso lateral con el pie derecho.

Mujer Da un paso lateral con el pie izquierdo.

2

CUENTA - A

Hombre Junta el pie izquierdo con el derecho.

Mujer Junta el pie derecho con el izquierdo.

3

CUENTA - LENTO

Hombre Lleva el peso de tu cuerpo hacia el pie derecho.

Mujer Lleva el peso de tu cuerpo sobre el pie izquierdo.

Samba Básica Lateral hacia la izquierda

1

CUENTA - LENTO

Hombre Da un paso lateral con el pie izquierdo.

Mujer Da un paso lateral con el pie derecho.

2

CUENTA - A

Hombre Junta el pie izquierdo con el derecho.

Mujer Junta el pie derecho con el izquierdo.

3

CUENTA - LENTO

Hombre Lleva el peso de tu cuerpo hacia el pie izquierdo.

Mujer Lleva el peso de tu cuerpo sobre el pie derecho.

Acción Samba

Una vez que hayas aprendido el sencillo patrón de la Samba Básica Lateral, querrás practicarlo unas cuantas veces de forma ininterrumpida. Al hacerlo, puedes empezar a introducir la importantísima Acción Samba que otorga a este baile su gusto particular.

1

Hombre y mujer Empieza con ambas rodillas levemente flexionadas. Al empezar el movimiento lateral, estira las rodillas. Al poner el peso en el pie que se desplaza, apoya el pie, desde la punta hasta el talón, dejándolo plano, y flexiona las rodillas para terminar la primera cuenta.

2

Hombre y mujer Al bailar el paso 2, estira ligeramente las rodillas, pero no apoyes los talones en el suelo.

3

Hombre y mujer Relaja de vuelta, hasta pie plano, en el paso 3.

> *Esta acción se denomina Acción de Suspensión Samba, pero debes tener cuidado de no exagerarla; debería ser una acción rítmica sutil, llevada por la sensación en las rodillas y los tobillos. La Acción de Suspensión Samba será utilizada en otras figuras del libro.*

Sacudida Samba

La Sacudida Samba es una figura básica de gran utilidad, que emplea la Acción de Suspensión Samba de forma plenamente ventajosa. Empieza en agarre directo, con el hombre encarando la pared y la mujer la línea central del salón. El hombre comienza con el peso ubicado sobre su pie izquierdo y la mujer sobre el derecho.

Sacudida Samba hacia la derecha

1

CUENTA - LENTO

Hombre Da un paso lateral con el pie derecho, pie plano.

Mujer Da un paso lateral con el pie izquierdo, pie plano.

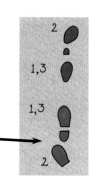

2

CUENTA - A

Hombre Cruza el pie izquierdo tras el derecho, con la punta de los dedos del pie izquierdo justo detrás del tacón del derecho y girado levemente. Flexiona ambas rodillas. Permite que el tobillo derecho se levante momentáneamente dejando tu peso sobre la punta del pie izquierdo.

Mujer Cruza el pie derecho tras el izquierdo, con la punta de los dedos del pie izquierdo justo detrás del tacón del derecho y girado levemente. Flexiona ambas rodillas. Permite que el tobillo izquierdo se levante momentáneamente dejando tu peso sobre la punta del pie derecho.

3

CUENTA - LENTO

Hombre Baja el peso de tu cuerpo sobre el pie derecho, pie plano.

Mujer Baja el peso de tu cuerpo sobre el pie izquierdo, pie plano.

Sacudida Samba hacia la izquierda

1

CUENTA - LENTO

Hombre Da un paso lateral con el pie izquierdo, pie plano.

Mujer Da un paso lateral con el pie derecho, pie plano.

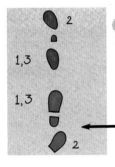

2 ▶

CUENTA - A

Hombre Cruza el pie derecho tras el izquierdo, con la punta de los dedos del pie izquierdo justo detrás del tacón del derecho y girado levemente. Flexiona ambas rodillas. Permite que el tobillo izquierdo se levante momentáneamente dejando tu peso sobre la punta del pie derecho.

Mujer Cruza el pie izquierdo tras el derecho, con la punta de los dedos del pie izquierdo justo detrás del tacón del derecho y girado levemente. Flexiona ambas rodillas. Permite que el tobillo derecho se levante momentáneamente dejando tu peso sobre la punta del pie izquierdo.

3

CUENTA - LENTO

Hombre Baja el peso de tu cuerpo sobre el pie izquierdo, pie plano.

Mujer Baja el peso de tu cuerpo sobre el pie derecho, pie plano.

> *Trabajo de pies*
>
> *El concepto trabajo de pies se refiere a la parte del pie que se apoya en el suelo durante un paso. Los bailarines suelen anotar su trabajo de pies usando abreviaturas.*
>
> *B = Metatarso o almohadilla del pie.*
> *F = Pie plano.*
> *T = Punta del pie.*
>
> *En la Sacudida Samba, el trabajo de pies sería el siguiente: 1.BF, 2.T, 3.BF.*

Caminata Samba en Posición de Paseo

Hasta ahora has bailado la Samba Básica y la Sacudida Samba en posición fija, sin desplazamientos. La Caminata Samba te permitirá moverte de forma constante con la corriente por todo el salón. Estos pasos se bailan en Posición de Paseo, por lo que deberás modificar el final de la Sacudida Samba para acabar en la posición correcta para iniciar esta figura. Empieza bailando una Sacudida Samba hacia la derecha. Pasa a una Sacudida Samba hacia la izquierda, seguida de otra hacia la derecha. En la última Sacudida Samba hacia la Derecha, el hombre gira un cuarto de vuelta (90º) hacia su izquierda, en el sentido contrario a las agujas del reloj y la mujer gira otro cuarto de vuelta (90º) hacia su derecha, en el sentido de las agujas del reloj, para terminar con un encaramiento favorable a la Corriente en Posición de Paseo. El hombre mantiene su peso sobre su pie derecho, y la mujer sobre el izquierdo.

1

CUENTA - LENTO

Hombre Avanza un paso corto con el pie izquierdo, moviéndote por la corriente y terminando con tus caderas sobre ese pie. Permite que la rodilla derecha se cierre sobre la izquierda.

Mujer Avanza un paso corto con el pie derecho, moviéndote con la Corriente y terminando con tus caderas sobre ese pie. Permite que la rodilla izquierda se cierre sobre la derecha.

Caminata Samba con el pie izquierdo

> *Consejo de estilo*
>
> *La Caminata Samba utiliza una leve Acción de Suspensión Samba. Deberías mantener una sensación de balanceo al bailar esta figura.*

2

CUENTA - A

Hombre Extiende el pie derecho de vuelta hacia atrás, apoyando en él solo parte del peso.

Mujer Extiende el pie izquierdo de vuelta hacia atrás, apoyando en él solo parte del peso.

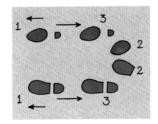

Trabajo de pies
1.BF, 2.B (en el borde del pie), 3.F

3

CUENTA - LENTO

Hombre Desliza el pie izquierdo de vuelta bajo tu cuerpo.

Mujer Desliza el pie derecho de vuelta sobre tu cuerpo.

Ahora repite la Caminata Samba. Esta vez, el hombre comienza con el pie derecho y la mujer con el izquierdo.

Samba Básica: número breve

Con los movimientos que ya has aprendido, puedes bailar un número breve de Samba.

- *Sacudida Samba a la derecha, a la izquierda y a la derecha, terminando en Posición de Paseo.*
- *Caminata Samba con el pie izquierdo, Caminata Samba con el pie derecho.*
- *Caminata Samba con el pie izquierdo, Caminata Samba con el pie derecho.*

- *Sacudida Samba a la izquierda, girando 90° hacia la derecha, o en el sentido de las agujas del reloj, para el hombre, que termina encarando la pared, y 90° hacia la izquierda, o en el sentido opuesto a las agujas del reloj, para la mujer, que termina encarando la línea central.*
- *Volver a empezar.*

Caminata Samba con el pie izquierdo

1

CUENTA - LENTO

Hombre Avanza un paso corto con el pie derecho, moviéndote con la corriente y terminando con tus caderas sobre ese pie. Permite que la rodilla izquierda se cierre sobre la derecha.

Mujer Avanza un paso corto con el pie izquierdo, moviéndote con la corriente y terminado con tus caderas sobre ese pie. Permite que la rodilla derecha se cierre sobre la izquierda.

Trabajo de pies
1.BF, 2.B (en el borde del pie), 3.F

Ahora puedes repetir la Caminata Samba en Posición de Paseo, comenzando con el otro pie.

2

CUENTA - **A**

Hombre Extiende el pie izquierdo de vuelta hacia atrás, apoyando en él solo parte del peso.

Mujer Extiende el pie derecho de vuelta hacia atrás, apoyando en él solo parte del peso.

3

CUENTA - LENTO

Hombre Desliza el pie derecho de vuelta bajo tu cuerpo.

Mujer Desliza el pie izquierdo de vuelta sobre tu cuerpo.

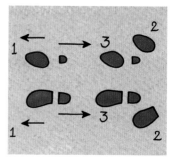

Caminata Samba Lateral

Algunas de las figuras de la Samba se pueden juntar mediante un movimiento de cohesión. La Caminata Samba Lateral es una versión modificada de la figura anterior que te permite avanzar hacia la siguiente figura clásica de Samba: la Volta. Empieza tras terminar una Caminata Samba con el pie izquierdo en Posición de Paseo. El hombre tiene su peso sobre el pie izquierdo, y la mujer sobre el derecho. La pareja está en Posición de Paseo, con su encaramiento a favor del sentido de la corriente. Esta figura utiliza una leve Acción de Suspensión Samba.

1

CUENTA - LENTO

Hombre Avanza un paso corto con el pie derecho, avanzando con la corriente y terminando con las caderas sobre el pie. Permite que la rodilla izquierda se cierre sobre la derecha.

Mujer Avanza un paso corto con el pie izquierdo, avanzando con la corriente y terminando con las caderas sobre el pie. Permite que la rodilla derecha se cierre sobre la izquierda.

2

CUENTA - **A**

Hombre Extiende el pie izquierdo hacia el lateral exterior, girando un octavo de vuelta (45°) hacia la derecha. Deja parte de tu peso sobre el pie izquierdo.

Mujer Extiende el pie derecho hacia el lateral exterior, girando un octavo de vuelta (45°) hacia la izquierda. Deja parte de tu peso sobre el pie derecho.

3

CUENTA - LENTO

Hombre Desliza el pie derecho hacia la izquierda bajo tu cuerpo. Has terminado en Posición de Paseo Abierto.

Mujer Desliza el pie derecho hacia la izquierda bajo tu cuerpo. Has terminado en Posición de Paseo Abierto.

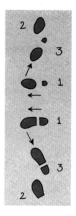

Trabajo de pies
1.BF, 2.B (sobre el borde del pie), 3.F

Continúa con las Voltas de Desplazamiento o con los Bota Fogos en Posición de Sombra.

Voltas de Desplazamiento

La Volta es un movimiento de la Samba tan lleno de ritmo vibrante y de color que se ha convertido en una figura clásica en el repertorio. La popularidad de la Volta la ha llevado a ser adaptada para ser bailada en una amplia variedad de interesantes estilos. En esta versión, los caminos del hombre y de la mujer se cruzan a medida que progresan por la pista con las Voltas de Desplazamiento. El movimiento extiende el ritmo de «Lento, A, Lento» durante dos compases más de música y, convencionalmente, se cuenta como «1, A, 2, A, 3, A, 4». Empieza tras la Caminata Samba Lateral. El hombre tiene su peso sobre el pie derecho y la mujer sobre el izquierdo, en Posición de Paseo Abierto. EL hombre sujeta la mano derecha con su izquierda. La figura usa la Acción de Suspensión Samba profundamente, y el peso del cuerpo se mantiene sobre el pie frontal.

Volta de Desplazamiento hacia la derecha

Hombre Baila una suave curva hacia la pared, y otra hacia la izquierda, para terminar encarando la línea central. Los pies viajarán a lo largo del camino de la figura trazando líneas paralelas. Al principio del movimiento, levanta la mano izquierda, permitiendo a la mujer pasar bajo tu brazo, frente a ti. Cuando la mujer haya pasado, la mano podrá volver a su posición original. Empieza con el pie izquierdo, que se mantendrá al frente.

Mujer Baila una suave curva hacia la línea central, y otra hacia la derecha, para terminar encarando la pared. Los pies viajarán a lo largo del camino de la figura trazando líneas paralelas. Durante este movimiento, el hombre levantará la mano izquierda, permitiéndote pasar bajo su brazo, por delante. Empieza con el pie derecho, que se mantendrá al frente.

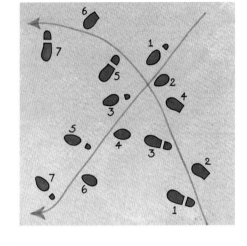

1

CUENTA - LENTO - **1**

Hombre Cruza el pie izquierdo frente al derecho a lo largo de la curva (Cruz Latina).

Mujer Cruza el pie derecho frente al izquierdo a lo largo de la curva (Cruz Latina).

2

CUENTA - **A**

Hombre Abre lateralmente el pie derecho, dando un paso corto a lo largo de la curva (apoya parte del peso).

Mujer Abre lateralmente el pie izquierdo, dando un paso corto a lo largo de la curva (apoya parte del peso).

3

CUENTA - LENTO - **2**

Hombre Cruza el pie izquierdo frente al derecho a lo largo de la curva (Cruz Latina).

Mujer Cruza el pie derecho frente al izquierdo a lo largo de la curva (Cruz Latina).

4

CUENTA - **A**

Hombre Abre lateralmente el pie derecho, dando un paso corto a lo largo de la curva (apoya parte del peso).

Mujer Abre lateralmente el pie izquierdo, dando un paso corto a lo largo de la curva (apoya parte del peso).

5

CUENTA - LENTO - **3**

Hombre Repite el paso 3.

Mujer Repite el paso 3.

6

CUENTA - **A**

Hombre Repite el paso 4.

Mujer Repite el paso 4.

7

CUENTA - LENTO - **4**

Hombre Cruza el pie izquierdo frente al derecho a lo largo de la curva (Cruz Latina).

Mujer Cruza el pie derecho frente al izquierdo a lo largo de la curva (Cruz Latina).

Ahora puedes pasar a la Volta de Desplazamiento hacia la izquierda.

Trabajo de pies

1. BF, 2. T, 3. BF, 4. T, 5. BF, 6. T, 7. BF

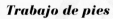

Volta de Desplazamiento hacia la izquierda

Hombre Baila una suave curva hacia la línea central, y otra hacia la derecha, para terminar de cara a la pared. Los pies viajarán a lo largo del camino de la figura trazando líneas paralelas. Al principio del movimiento, levanta la mano izquierda, permitiendo a la mujer pasar bajo tu brazo, frente a ti. Cuando la mujer ha pasado, la mano puede volver a su posición original. Empieza con el pie derecho, que se mantendrá al frente.

Mujer Baila una suave curva hacia la pared, y otra hacia la izquierda, para terminar de cara a la línea central. Los pies viajarán a lo largo del camino de la figura trazando líneas paralelas. Durante este movimiento, el hombre levantará la mano izquierda, permitiéndote pasar bajo su brazo, por delante suyo. Empieza con el pie derecho, que se mantendrá al frente.

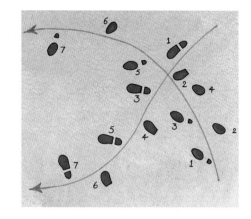

1▶

CUENTA - LENTO - **1**

Hombre Cruza el pie derecho frente al izquierdo a lo largo de la curva (Cruz Latina).

Mujer Cruza el pie izquierdo frente al derecho a lo largo de la curva (Cruz Latina).

2

CUENTA - **A**

Hombre Abre lateralmente el pie izquierdo, dando un paso corto a lo largo de la curva (apoya parte del peso).

Mujer Abre lateralmente el pie derecho, dando un paso corto a lo largo de la curva (apoya parte del peso).

3

CUENTA - LENTO - **2**

Hombre Cruza el pie derecho frente al izquierdo a lo largo de la curva (Cruz Latina).

Mujer Cruza el pie izquierdo frente al derecho a lo largo de la curva (Cruz Latina).

4

CUENTA - **A**

Hombre Abre lateralmente el pie izquierdo, dando un paso corto a lo largo de la curva (apoya parte del peso).

Mujer Abre lateralmente el pie derecho, dando un paso corto a lo largo de la curva (apoya parte del peso).

5

CUENTA - LENTO - **3**

Hombre Cruza el pie derecho frente al izquierdo a lo largo de la curva (Cruz Latina).

Mujer Cruza el pie izquierdo frente al derecho a lo largo de la curva (Cruz Latina).

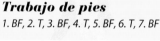

Trabajo de pies
1. BF, 2. T, 3. BF, 4. T, 5. BF, 6. T, 7. BF

Consejo de estilo

Tanto para el hombre como para la mujer es importante que el peso del cuerpo se mantenga sobre el pie frontal durante las Voltas de Desplazamiento, apoyando solo el peso necesario sobre el otro pie para que el primero pueda progresar. La acción de apoyar (almohadilla, pie plano) el pie frontal y el levantamiento (punta) del otro pie no debería exagerarse, de forma que no sea más que una sugerencia del movimiento vertical de la Acción de Suspensión Samba. El cuerpo debería mantenerse recto y ubicado sobre el pie frontal. Los pasos cortos no son solo más cómodos, sino más estilosos.

6▲

CUENTA - **A**

Hombre Abre lateralmente el pie izquierdo, dando un paso corto a lo largo de la curva (apoya parte del peso).

Mujer Abre lateralmente el pie derecho, dando un paso corto a lo largo de la curva (apoya parte del peso).

7▶

CUENTA - LENTO - **4**

Hombre Cruza el pie derecho frente al izquierdo a lo largo de la curva y termina encarando la pared (Cruz Latina).

Mujer Cruza el pie izquierdo frente al derecho a lo largo de la curva y termina encarando la línea central (Cruz Latina).

Tras bailar las Voltas de Desplazamiento hacia la izquierda y la derecha, estás en posición para retomar tu rutina, empezando por la Sacudida Samba hacia la izquierda.

¿Qué hacer con el brazo libre?

En la Samba hay muchos movimientos que requieren agarrar a la pareja solo con una mano. Puedes aportar a tu baile una apariencia extraordinaria y una fuerte sensación de equilibrio siguiendo unas simples guías sobre qué hacer con el brazo que queda libre.

- En los bailes sociales, el brazo libre no debería subir jamás por encima de la altura del hombro. No hay ningún motivo válido para hacer esto; además, el bailarín parece más bajo.
- El brazo libre nunca debe caer al costado del cuerpo porque perjudica al equilibrio.
- En un movimiento de desplazamiento, la posición del brazo libre debería reflejar la altura y curvatura del otro brazo. Los dedos pueden estar o bien juntos con el pulgar extendido, o bien con los dedos anular y meñique separados para conseguir un aspecto más latino.
- Al ejecutar un giro en el sitio, el brazo libre debería cruzarse sobre el cuerpo para volver después a su posición original, reflejando la posición del otro brazo.
- A medida que desarrolles tu habilidad con el baile, el brazo libre podrá empezar a moverse de una forma más natural,

equilibrada y elegante, como un profesional.
- No exageres los movimientos y procura coordinar el movimiento del brazo libre no solo con los tuyos, sino con los de tu compañero.
- Es aconsejable mantener el brazo libre en una relación fija con el cuerpo. Un brazo firme mejora la apariencia del movimiento de piernas y cadera. Para más información, utiliza como referencia las fotografías que acompañan los pasos en esta sección.

Movimiento de piernas y cadera

Se habla mucho acerca del movimiento de caderas de la samba pero, en realidad, un movimiento de caderas adecuado es solo un efecto secundario de un trabajo limpio con las piernas, rodillas y tobillos. La Acción de Suspensión Samba ya ha sido descrita en detalle, y los Consejos de Acción que acompañan las figuras ayudan mucho a la hora de entender los movimientos.

Bota Fogos en Posición de Sombra

Bota Fogo es un barrio de la bella ciudad de Río de Janeiro. Este paso toma su nombre de esta parte de la ciudad. Los Bota Fogos, al igual que las Voltas, se han convertido en una figura clásica y esencial del carácter de la Samba. Puedes insertar los Bota Fogos en Posición de Sombra entre la Caminata Lateral Samba y la Volta de Desplazamiento hacia la Derecha. Durante los Bota Fogos, el hombre mantiene el agarre con la mano izquierda, mientras que la mujer los baila frente a él, cruzándole. Se utiliza una leve Acción de Suspensión Samba. Esta figura progresa ligeramente a favor de la corriente.

1

CUENTA - LENTO

Hombre Adelanta el pie izquierdo, moviéndote hacia la derecha, detrás de la mujer.

Mujer Adelanta el pie derecho, moviéndote frente al hombre.

2

CUENTA - A

Hombre Empezando un giro hacia la izquierda, desplázate lateralmente con el pie derecho, apoyando solo parte del peso en él.

Mujer Empezando un giro hacia la derecha, desplázate lateralmente con el pie izquierdo, apoyando solo parte del peso en él.

3

CUENTA - LENTO

Hombre Da un paso en el sitio con el pie izquierdo, completando un giro de un cuarto de vuelta (90º) hacia la izquierda.

Mujer Da un paso en el sitio con el pie derecho, completando un giro (90º) hacia la derecha.

4

CUENTA - LENTO

Hombre Adelanta el pie derecho, moviéndote hacia la izquierda, detrás de la mujer.

Mujer Adelanta el pie izquierdo, moviéndote frente al hombre.

Trabajo de pies

1.BF, 2.interior de la punta, 3.BF, 4.BF, 5.interior de la punta, 6.BF, 7.BF, 8.interior de la punta, 9.BF

5

CUENTA - A

Hombre Empezando un giro hacia la derecha , desplázate lateralmente con el pie izquierdo, apoyando solo parte del peso en él.

Mujer Empezando un giro hacia la izquierda, desplázate lateralmente con el pie derecho, apoyando solo parte del peso en él.

Consejo de estilo

Si has ejecutado los Bota Fogos tras la Caminata Samba Lateral, puedes continuar tu baile con la Volta de Desplazamiento hacia la derecha.

6

CUENTA - LENTO

Hombre Da un paso en el sitio con el pie derecho, completando un giro de un cuarto de vuelta (90º) hacia la derecha.

Mujer Da un paso en el sitio con el pie izquierdo, completando un giro de un cuarto de vuelta (90º) hacia la izquierda.

7-9

CUENTA - LENTO A LENTO

Hombre y mujer Repite los pasos del 1 al 3.

Combinaciones posibles

- *Caminata Samba Lateral, Bota Fogos, Volta de Desplazamiento hacia la derecha.*
- *Volta de Desplazamiento hacia la derecha, Bota Fogos (4 a 6, después 1 a 3), Volta de Desplazamiento hacia la izquierda. La mitad de la diversión de poner en pie un número de Samba está en la experimentación. No tengas miedo y lánzate.*

Esta figura también puede ser bailada entre la Volta de Desplazamiento hacia la derecha y la Volta de Desplazamiento hacia la izquierda. En este caso, empieza los Bota Fogos en Posición de Paseo en el paso 4. Ejecuta los pasos del 4 al 6 y luego del 1 al 3, continuando con la Volta de Desplazamiento hacia la izquierda.

Patada y Cambio

Una vez has pasado por la Volta de Desplazamiento hacia la derecha, puedes insertar esta divertida figura en tu Samba. El hombre está encarando la línea central y manteniendo su peso sobre el pie izquierdo, cruzado sobre el derecho. La mujer encara la pared, con su peso apoyado sobre el pie derecho, cruzado sobre el izquierdo. El hombre sujeta la mano derecha de la mujer con su mano izquierda.

1

CUENTA - LENTO

Hombre Adelanta el pie derecho, ligeramente hacia la izquierda.

Mujer Adelanta el pie izquierdo, ligeramente hacia la derecha.

Trabajo de pies
1.BF, 2.Patada, 3.BF, 4.B, 5.BF

2

CUENTA - LENTO

Hombre Echándote levemente hacia la izquierda, patea el aire con tu pie izquierdo desde la rodilla.

Mujer Echándote levemente hacia la derecha, patea el aire con tu pie derecho desde la rodilla.

3

CUENTA - LENTO

Hombre Recupera el apoyo sobre el pie izquierdo.

Mujer Recupera el apoyo sobre el pie derecho.

4

CUENTA - **A**

Hombre Coloca el pie derecho tras el izquierdo, dejando en él parte del peso.

Mujer Coloca el pie izquierdo tras el derecho, dejando en él parte del peso.

Consejo de estilo

Para añadir un toque de estilo a la figura, se pueden juntar las manos libres en el paso 2, la Patada. Si el paso resulta muy complejo al principio, puedes intentar sustituir los pasos 4 y 5 por un simple toque en el suelo hacia atrás con pie derecho del hombre y el pie izquierdo de la mujer. El toque tiene una cuenta de Lento.

5

CUENTA - LENTO

Hombre Da un paso en el sitio con el pie izquierdo.

Mujer Da un paso en el sitio con el pie derecho.

Revisión del número de Samba

- *Sacudida Samba a la derecha, a la izquierda y a la derecha, terminando en Posición de Paseo.*
- *Caminata Samba con el pie izquierdo, Caminata Samba con el pie derecho, Caminata Samba con el pie izquierdo.*
- *Caminata Samba Lateral.*
- *Bota Fogos en Posición de Sombra.*
- *Volta de Desplazamiento hacia la derecha.*
- *Patada y Cambio, Patada y Cambio.*
- *Bota Fogos, pasos 4 al 6 y 1 al 3 (opcional).*
- *Volta de Desplazamiento hacia la izquierda.*
- *Sacudida Samba a la izquierda.*
- *Vuelta al principio.*

Muchos bailarines eligen repetir este movimiento antes de seguir con la Volta de Desplazamiento hacia la Izquierda.

Pasos Laterales de Samba

La mayor parte de los movimientos de la Samba toman vida cuando te relajas y disfrutas del ritmo. Los Pasos Laterales de Samba se pueden insertar en el programa tras la Volta de Desplazamiento hacia la izquierda y antes de seguir con la Sacudida Samba a la izquierda. Esta figura se mueve lateralmente por el salón a favor de la corriente. El hombre empieza agarrando las dos manos, con las palmas apuntando a la mujer y a la altura de los hombros. El hombre tiene su peso sobre el pie derecho y encara la pared. La mujer tiene su peso sobre le pie derecho y encara la línea central.

1

CUENTA - LENTO

Hombre Paso lateral con el pie izquierdo.

Mujer Paso lateral con el pie derecho.

Consejo de estilo

Los Pasos Laterales de Samba utilizan una Acción Merengue. Este baile se caracteriza por la forma de retrasar el cambio de peso al pie que se acaba de mover justo hasta que el otro va a efectuar un movimiento.
- *Coloca tu pie en el suelo con una leve presión, pero no transfieras tu peso todavía.*
- *Transfiere tu peso al pie que se ha movido y estira la rodilla. Ejecuta el siguiente paso, sin poner peso en el pie ni apoyar el tacón. Estira la rodilla del nuevo pie, permitiendo que la otra rodilla se relaje y se cruce ligeramente sobre la pierna de apoyo. Realiza esta acción a lo largo de los Pasos Laterales de Samba, salvo en el paso 10.*

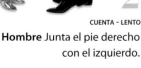

2

CUENTA - LENTO

Hombre Junta el pie derecho con el izquierdo.

Mujer Junta el pie izquierdo con el derecho.

3

CUENTA - RÁPIDO

Hombre Da un paso lateral con el pie izquierdo.

Mujer Da un paso lateral con el pie derecho.

4

CUENTA - RÁPIDO

Hombre Cierra el pie derecho sobre el izquierdo.

Mujer Cierra el pie izquierdo sobre el derecho.

5

CUENTA - LENTO

Hombre y mujer Repite el paso 1 de los Pasos Laterales de Samba.

6-9

CUENTA - LENTO, LENTO, RÁPIDO, RÁPIDO

Hombre y mujer Repite los pasos del 2 al 5.

10

CUENTA - LENTO

Hombre y mujer Repite el paso 2.

El Pavoneo Samba

El Pavoneo Samba es una secuencia de baile ejecutada con la música Samba más rápida y en sincronía con la frase musical. Las parejas están ubicadas en círculo por el salón. Los hombres están en la parte interior del círculo, encarando al exterior, y las mujeres en la parte exterior, mirando al centro. Los bailarines empiezan con ambas manos cogidas.

1

Hombre Mueve el pie izquierdo hacia el costado.

Mujer Mueve el pie derecho hacia el costado.

2

Hombre Cierra el pie derecho sobre el izquierdo.

Mujer Cierra el pie izquierdo sobre el derecho.

3

Hombre Mueve el pie izquierdo hacia el costado.

Mujer Mueve el pie derecho hacia el costado.

4

Hombre Toque lateral con el pie derecho, sin apoyar peso.

Mujer Toque lateral con el pie izquierdo, sin apoyar peso.

5

Hombre Mueve el pie derecho hacia el costado.

Mujer Mueve el pie izquierdo hacia el costado.

6

Hombre Cierra el pie izquierdo sobre el derecho.

Mujer Cierra el pie derecho sobre el izquierdo.

7

Hombre Mueve el pie derecho hacia el costado.

Mujer Mueve el pie izquierdo hacia el costado.

8

Hombre Toque lateral con el pie izquierdo, sin apoyar peso.

Mujer Toque lateral con el pie derecho, sin apoyar peso.

9-16

Hombre Repite los pasos 1 al 8, soltando el agarre de la mano derecha y levantando el brazo izquierdo, bajo el que girará la mujer. Retoma un Agarre de Paseo en el paso 16.

9

Mujer Suelta el agarre de la mano izquierda. Avanza con el pie derecho, girando hacia la derecha bajo el brazo levantado del hombre.

10

Mujer Movimiento lateral con el pie izquierdo, dando la espalda al hombre.

11

Mujer Movimiento lateral con el pie derecho, encarando al hombre.

12

Mujer Toque lateral con el pie izquierdo, sin apoyar peso.

13

Mujer Avanza con el pie izquierdo, girando hacia la izquierda bajo el brazo levantado del hombre.

14

Mujer Movimiento lateral con el pie derecho, dando la espalda al hombre.

15

Mujer Movimiento lateral con el pie izquierdo, encarando al hombre.

16

Mujer Toque lateral con el pie derecho, sin apoyar peso. Termina en Posición de Paseo.

17-28

Hombre y mujer La pareja en Posición de Paseo ejecuta una Caminata Samba con el pie izquierdo y una Caminata Samba con el pie derecho dos veces. Estos pasos se describen de forma completa a principio de la sección de Samba.

29-32

Hombre Suelta el agarre. Repite los pasos del 1 al 4 hacia el centro. Palmada en el paso 32.

Mujer Suelta el agarre. Repite los pasos del 1 al 4 hacia la pared. Palmada en el paso 32.

33-36

Hombre Repite los pasos del 5 al 8, girando hacia fuera para recuperar el agarre inicial.

Mujer Repite los pasos del 5 al 8, girando hacia dentro para recuperar el agarre inicial.

El maestro de ceremonias puede decidir hacer este baile progresivo. Esto significa que, el hombre o la mujer, lo que sea costumbre en cada club de baile, avanzará cambiando de pareja entre los pasos 33 y 36.

Jive Del Lindy Hop al Rock 'n' Roll

Los estilos de baile siempre han seguido las tendencias musicales y ninguno lo ha hecho más que el baile en que se ha convertido el Rock 'n' Roll. Aunque el Rock 'n' Roll es un fenómeno que comenzó en la década de 1950, el baile realmente empezó a emerger en los Estados Unidos más de dos décadas antes. Durante el principio de los años veinte había un auténtico «zoo» de bailes con nombres de animales, siendo, probablemente, el más conocido de ellos el Trote del Pavo, o «Turkey Trot»[3]. A estos se les unían otros bailes enloquecedores como el Charleston o el Black Bottom, cuyos movimientos salvajes se hacían más extremos a medida que la música era más y más rápida. Durante los años veinte, otros bailes y estilos nacieron de estos y del Texas Tommy, o Breakaway, en el que la pareja se apartaba y volvía a juntarse.

El Lindy Hop y el Jitterbug

Hacia el final de la época, este estilo era muy popular. En 1927, cuando el aviador Charles Lindbergh atravesó en solitario el Atlántico a bordo del *Spirit of St. Louis*, los titulares de los periódicos que se hicieron noticia de este evento fueron adoptados como nombre para un nuevo baile: el Lindy Hop. A medida que esta danza continuó desarrollándose durante los años treinta, encontró un hogar en el Harlem Savoy Ballroom, salón de baile donde creció con las increíbles bandas de Swing de la época. Las alineaciones orquestales que tocaban allí suenan como el «quién es quién» del Swing. Benny Goodman, Cab

Arriba: El Lindy Hop se originó a finales de los años veinte, después de que el aviador Charles Lindbergh atravesara el Atlántico. Se desarrolló y ganó popularidad durante las décadas de 1930 y 1940.

Derecha: El Rock 'n' Roll, con su espíritu de los cincuenta, sigue siendo enormemente popular en clases de baile y clubes especializados.

[3] N. de los T.: en este capítulo añadimos los nombres originales de algunos pasos tras su traducción para facilitar la experiencia del bailarín.

Calloway, Tommy Dorsey, Louis Armstrong, Count Basie y Duke Ellington, todos ellos tocaron en el Savoy. Las bandas inspiraban a los bailarines y los bailarines a las bandas, en una espiral ascendente que llevaba a nuevas alturas de danza y expresión musical.

Cuando Benny Goodman dio su concierto en el teatro Paramount, en Nueva York, en el año 1937, los adolescentes enloquecieron y se lanzaron a los pasillos para hacer el «Jitterbug», como llamaron los periódicos a ese baile. La locura atravesó América. Las variaciones técnicas llevaron a estilos como el Boogie-Woogie y el Swing-Boogie, con el término «Jive» emergiendo gradualmente como nomenclatura genérica para cubrir los bailes Lindy Hop, Jitterbug y Boogie-Woogie. Independientemente del término usado en los años cuarenta, el baile era el Swing.

Del Lindy Hop al Rock 'n' Roll

Tras la Segunda Guerra Mundial, los grupos se hicieron más pequeños y la música cambió. Llegando a los años cincuenta, ya no era tan suave y pulida como había sido el Swing, pero tenía un enorme tirón popular. Esta música era el Rock 'n' Roll. Al cambiar la música, cambió la interpretación que hacían los bailarines. Los golpes rítmicos más pesados engendraron un Jive más bidimensional con un toque más agitado. Para el final de la década de 1950, el Jive ya había llegado a los salones y escuelas de baile, pero con un estilo distinto.

La base de todos estos bailes, del Lindy Hop al Rock 'n' Roll, pasando por el Boogie-Woogie, es virtualmente la misma: un ritmo musical de seis golpes (aunque el Lindy Hop también usaba ritmos de ocho golpes). En el baile básico, los bailarines daban dos pasos que se inclinaban o bamboleaban lateralmente, después un paso hacia atrás y luego un paso de reemplazo. El paso hacia atrás y el de reemplazo se han mantenido relativamente intactos, al dar al baile su punto de referencia. Sin embargo, los pasos de inclinación o bamboleo lateral han sufrido muchos cambios estilísticos.

En el Boogie-Woogie, se suele añadir un toque en el suelo para hacer la secuencia: toque, paso, toque, paso, paso hacia atrás, reemplazo. Los pasos se bailan con fuerza en las rodillas.

En las competiciones de Rock 'n' Roll, los toques de Boogie se convirtieron en sacudidas: sacudida, paso, sacudida, paso, paso hacia atrás, reemplazo. Esto se ha vuelto bastante extremo en ciertas competiciones, con números de movimientos acrobáticos impresionantes intercalados entre pasos de baile más básicos. Aún siendo impactante, este estilo interpretativo se basa más en la capacidad acrobática que en la noción de un hombre y una mujer juntándose para bailar. La mayor parte de los bailarines prefieren bailar buena música para su propio disfrute, que es en lo que se enfoca esta sección, dejando de lado los híbridos interpretativos del Rock 'n' Roll.

Las figuras explicadas en el libro son descritas sin sacudidas ni toques en el suelo, con un estilo básico con reminiscencias del Lindy Hop. Cuando los hayas practicado y te sientas seguro con los pasos básicos, puedes añadir las sacudidas Rock 'n' Roll o los toques Boogie si quieres. El Rock 'n' Roll se baila con el cuerpo más recto para simplificar las sacudidas, mientras que el Boogie necesita usar las rodillas bien flexionadas.

Sugerencias musicales

A medida que aprendas los movimientos básicos y empieces a concentrarte en perfeccionar tu estilo, tendrás más necesidad de utilizar la música adecuada. Para los aficionados al Boogie-Woogie, es difícil encontrar algo mejor que *The Calloway Boogie*, grabado en 1940 en Nueva York por Cab Calloway y todavía disponible en el sello musical Giants of Jazz. O *Hamp's Boogie-Woogie*, de Lionel Hampton & His Septet, disponible en el sello Living Traditions. El clásico *Choo Choo Ch'Boogie*, de Louis Jordan, es editado por la productora Giants of Jazz. Otros artistas relevantes son Count Basie, Memphis Slim, Joe Turner, Pete Johnson, Albert Ammons, Milt Buckner y Jay McShann.

Si prefieres el Lindy Hop, la música adecuada es el Swing, con canciones tan recomendables como *Posin*, de Jimmie Lunceford y *Let's Get Together*, de Duke Ellington. Como temas para practicar, *In the Mood*, de Glenn Miller, y *Tippin*, de Erskine Hawkins son especialmente buenos. Toda esta música la edita el sello Living traditions. Puedes buscar temas tanto de estos artistas como de Cab Halloway, Benny Goodman, Lionel Hampton, Count Basie y Artie Shaw en las ediciones de las discográficas Living Traditions y Giants of Jazz.

Empezando

Lo más importante es familiarizarse con el ritmo. Esto es crucial porque tendréis que sincronizaros entre vosotros para hacerlos funcionar, y la pauta es el ritmo. Empieza escuchando algo de música; o de Swing o de Rock 'n' Roll, lo que prefieras. Tanto el Swing como el Rock 'n' Roll tienen cuatro golpes musicales por compás. Comienza escuchando el ritmo de la percusión, en lugar de la melodía. La batería provee el ritmo, y te darás cuenta de cómo enfatiza siempre los golpes primero y tercero de cada compás. No necesitas entender los compases, basta con ser capaz de escuchar los golpes importantes. Una cuenta de Rápido equivale a un golpe musical, una cuenta de Lento a dos. En algunas figuras, como el Arm Breaker (Rompe Brazos), se bailan dos pasos en un golpe musical. Esto se indica mediante una cuenta de Y, y se bailan en Rápido, Y, en el espacio que ocuparía un golpe. Los roles del hombre y de la mujer están definidos. El trabajo del hombre es mantenerse firme, mientras que la mujer evoluciona por la pista.

El papel del hombre:

- Mantener la sincronía musical en la pareja. La mujer debe amoldarse al hombre, aunque él esté fuera de ritmo. Esta tarea es importante de cara a ayudar a la mujer cuando acaba de terminar una vuelta o giro y necesita un punto de referencia para seguir bailando.
- Decidir qué figuras se van a bailar y en qué orden, llevando a la mujer a bailarlas. Tu tarea principal es hacer tus movimientos claros para no confundir a tu pareja. Debes llevarla de forma firme y transparente, no de modo fuerte y agresivo.
- Convertirte en punto de orientación para la mujer. Mientras que te mantienes relativamente en el mismo sitio, la mujer baila alrededor, acercándose y alejándose de ti. Es fácil que ella se desoriente. Al terminar cada paso, ella procurará orientarse buscándote antes de avanzar al siguiente paso. Los pasos del hombre son generalmente más sencillos que los de la mujer, y te permiten «gestionar» el baile.

El papel de la mujer:

- Estar alerta a las intenciones del hombre, comunicadas por su forma de llevar, y no anticipar ni adivinar movimientos. Si anticipas un movimiento, poniendo el peso de tu cuerpo en una dirección determi-

nada, el hombre deberá revisar sus intenciones, aunque esté en la peor posición posible para hacerlo. Como resultado, los movimientos pueden ser muy torpes y aparatosos.
- Asegurarte permanentemente de que tu ritmo esté sincronizado al del hombre y que tu orientación mantenga su relación con la del compañero, especialmente al terminar un movimiento. Comprueba tu ritmo a cada movimiento de «paso atrás, reemplazo». Si no estás sincronizada con el hombre, no intentes frenar o acelerar para compensar; para un momento y retoma el ritmo.

Las parejas deberían estar alerta de no dejarse llevar por la música; esto puede llevarles a equivocaciones en los pasos y a perder el ritmo. Se requiere más concentración en la etapa de aprendizaje, pero merecerá la pena cuando vuestra capacidad para deslizaros de un paso a otro se vuelva natural. En los movimientos de «paso atrás, reemplazo», lo normal es que la pareja esté enfrentada, con la posición en espejo o, en algunos casos, uno junto a otro. Sea lo que sea, asegúrate de estar en esa posición. Si no lo estás, y tu pareja decide lanzarse a un movimiento que requiera de un liderazgo fuerte, puedes encontrarte con el peso de tu cuerpo y tu inercia levantándose contra ti, lo que puede acabar en lesiones.

El agarre básico

Hay una cierta variedad de agarres en el Rock 'n' Roll. El agarre dependerá del movimiento anterior, del movimiento actual y del siguiente. El cambio de un tipo de agarre a otro debería ser bastante natural. A medida que se requieren cambios en la forma de agarrar, el libro nos proporcionará trucos para hacer esos cambios. Al empezar el baile, encara a tu pareja con los pies ligeramente separados. El hombre tiene su peso sobre el pie derecho y la mujer sobre el izquierdo. La mano derecha del hombre rodea la cintura de la mujer, sin atraerla hacia su cuerpo excesivamente. Ella deja reposar su mano izquierda en la parte superior del brazo del hombre. Su mano izquierda está agarrada a la izquierda del hombre, palma contra palma, con los dedos entre los dedos índice y pulgar del hombre, su pulgar enroscado sobre la base del pulgar del hombre.

Empieza el baile con el agarre básico, aunque puede que tengas que usar otros agarres a medida que la coreografía avance.

Jive Básico

En esta introducción al Jive, las descripciones de las figuras se basarán en los movimientos básicos, sin añadir las sacudidas del Rock 'n' Roll ni los toques del Boogie-Woogie. Más adelante, cuando ya tengas práctica, puedes añadir sacudidas o toques a voluntad. En este movimiento básico, es esencial que mantengas las rodillas flexionadas. Los pasos 3 y 4 son conocidos como Paso Atrás y Reemplazo. Hablaremos de ellos a menudo.

1

CUENTA - LENTO

Hombre Balancéate lateralmente con el pie izquierdo, dando un pequeño paso y dejando el pie derecho en el sitio.

Mujer Balancéate lateralmente con el pie derecho, dando un pequeño paso y dejando el pie izquierdo en el sitio.

2

CUENTA - LENTO

Hombre Balancéate lateralmente con el pie derecho, dando un pequeño paso y dejando el pie izquierdo en el sitio.

Mujer Balancéate lateralmente con el pie izquierdo, dando un pequeño paso y dejando el pie derecho en el sitio.

3

CUENTA - RÁPIDO

Hombre Balancéate sobre el pie izquierdo, moviéndolo bajo el cuerpo y colocándolo de forma que la punta quede detrás del tacón derecho. Levanta el pie derecho del suelo ligeramente.

Mujer Balancéate sobre el pie derecho, moviéndolo bajo el cuerpo y colocándolo de forma que la punta quede detrás del tacón izquierdo. Levanta el pie izquierdo del suelo ligeramente.

4

CUENTA - RÁPIDO

Hombre Adelanta el peso de tu cuerpo hacia el pie derecho.

Mujer Adelanta el peso de tu cuerpo sobre el pie izquierdo.

Repite el Jive Básico tantas veces como quieras como forma útil de practicar el ritmo. El Jive Básico también puede girar levemente en el sentido opuesto a las agujas del reloj durante los pasos 1 y 2. Un mínimo de cuatro Jives Básicos deberían ser necesarios para completar una vuelta completa.

Consejo de estilo

En los pasos 1 y 2, puedes inclinarte levemente en la dirección en la que se mueve el paso para mejorar la sensación. En el caso del hombre, esto será también una estupenda forma de indicar a la mujer el movimiento. No utilices los tacones en ningún paso. Intenta mantener los pies bajo el cuerpo en todos los pasos para evitar un movimiento excesivo que complique el baile. Los pasos pequeños son más controlables que los grandes.

Dale estilo a tu Jive

El movimiento básico de «balanceo, balanceo, paso atrás, reemplazo» del Jive puede modificarse para que se ajuste a tu estilo de Jive favorito.

Para el Lindy Hop y el Jitterbug, inclina la parte superior del cuerpo ligeramente hacia adelante, moviendo el centro de gravedad del cuerpo hacia atrás, en una posición parecida a la de sentarse. Baila el Paso Atrás y el Reemplazo deslizando los pies más en contacto con el suelo. Los pasos de balanceo se mantienen como están descritos.

En el caso del Boogie-Woogie, la posición es muy parecida a la del Lindy Hop, pero con las rodillas más flexionadas. En el balanceo hacia la izquierda, el pie derecho da un toque en el suelo frente al izquierdo; en el balanceo hacia la derecha, el pie izquierdo da un toque en el suelo frente al derecho.

Para el Rock 'n' Roll de competición, mantén una postura recta. En el balanceo hacia la izquierda, el pie derecho dará una sacudida hacia adelante con el tobillo suelto. En el balanceo hacia la derecha, el pie izquierdo dará una sacudida hacia adelante con el tobillo suelto. Para bailar de forma social e informal, las sacudidas son opcionales.

Lanzamiento

Los bailarines experimentados no utilizan una serie de movimientos programados, o número de baile, pero antes de que puedas llegar a ese estado, viene bien preparar una rutina de práctica. El Lanzamiento puede introducirse inmediatamente después del Jive Básico. El hombre baila el Jive Básico, girando en los pasos 1 y 2, y llevando a la mujer a una posición abierta. Los pasos 3 y 4 se mantienen iguales.

1

CUENTA - LENTO

Hombre Balancéate lateralmente con el pie izquierdo, dando un pequeño paso y empezando a girar hacia la izquierda. Dirige a la mujer para que empiece a girar bajando tu mano izquierda hacia la cadera izquierda.

Mujer Balancéate hacia adelante sobre el pie derecho, hacia el lateral del hombre.

2

CUENTA - LENTO

Hombre Balancéate lateralmente con el pie derecho, dando un pequeño paso y completando el cuarto de vuelta (90º) hacia la izquierda. Lleva a la mujer a una posición abierta adelantando la mano izquierda a la altura de la cintura.

Mujer Gira sobre el pie derecho para encarar al hombre y balancéate hacia atrás sobre el pie izquierdo, alejándote del hombre en posición abierta.

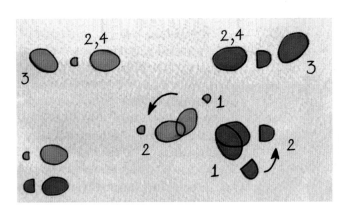

La Unión
*Desde esta posición, baila el Jive Básico avanzando hacia tu pareja en los pasos de Balanceo y retomando el agarre. Esto es lo que se llama la Unión.
De forma alternativa, puedes usar el Giro Bajo el Brazo hacia la derecha.*

3-4

CUENTA - RÁPIDO, RÁPIDO

Hombre Baila los pasos 3 y 4 del Jive Básico.

Mujer Baila los pasos 3 y 4 del Jive Básico.

Giro Bajo el Brazo hacia la derecha

Esta popularísima figura incluye un giro hacia la derecha. La pareja ha bailado el ya familiar ritmo del Jive Básico y acaba de terminar los pasos de Paso Atrás y Reemplazo. Están en una posición abierta, con la mano izquierda del hombre sujetando la derecha de la mujer. El hombre tiene el peso sobre el pie derecho, y la mujer sobre el izquierdo.

1

CUENTA - LENTO

Hombre Balancéate lateralmente con el pie izquierdo, levantando el brazo izquierdo para llevar a la mujer a girar por debajo.

Mujer Gira bajo el brazo izquierdo del hombre. Balancéate hacia adelante sobre el pie izquierdo, empezando a girar hacia la derecha.

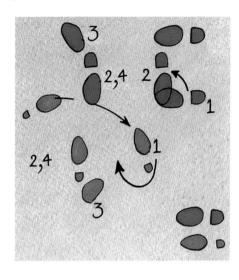

2

CUENTA - LENTO

Hombre Balancéate lateralmente con el pie derecho, dando un cuarto de vuelta (90º) hacia la izquierda y devolviendo la mano izquierda a la altura de la cintura.

Mujer Balancéate lateralmente hacia atrás con el pie izquierdo, continuando el giro hacia la derecha bajo el brazo del hombre.

3-4

CUENTA - RÁPIDO, RÁPIDO

Hombre Baila los pasos 3 y 4 del Jive Básico.

Mujer Baila los pasos 3 y 4 del Jive Básico, continuando el giro hasta encarar al hombre.

Programa de práctica

Puedes continuar con la Unión y el Jive Básico. El programa puede bailarse en esta secuencia: Jive Básico (varias veces, incluyendo un giro hacia la izquierda si se desea), Lanzamiento, Giro Bajo el Brazo hacia la derecha, Unión, Jive Básico.

El Peine

Esta figura se ha convertido en representativa del estilo Rock 'n' Roll, pese a haber nacido 20 años antes, en la era del Lindy Hop. Los Teddy Boys eran conocidos por su obsesión por mantener su pelo perfecto, peinándolo con mucha frecuencia. De este gesto, nace el nombre de esta figura: el Peine. Como es habitual, la pareja ya ha bailado los movimientos de Paso Atrás y Reemplazo. El hombre tiene el peso sobre su pie derecho y la mujer sobre el izquierdo, agarrados por sus manos derechas, preparados para bailar el Peine.

1

CUENTA - LENTO

Hombre Balancéate lateralmente con el pie izquierdo hacia la mujer, levantando la mano derecha sobre tu cabeza como para peinarte.

Mujer Balancéate lateralmente con el pie derecho hacia el hombre, permitiéndole levantar tu mano derecha sobre su cabeza.

Hombre Termina con tu mano derecha sobre tu hombro derecho.

Mujer Gira ligeramente hacia la izquierda para terminar de lado junto al hombre, mirando ambos en la misma dirección.

2

CUENTA - LENTO

Hombre Balancéate lateralmente con el pie derecho, alejándote de la mujer, soltando su mano derecha y permitiendo que esta se deslice sobre tu brazo derecho, espalda y brazo izquierdo, hasta tu mano izquierda, donde recuperas el agarre.

Mujer Balancéate sobre el pie izquierdo, alejándote del hombre, dejando que tu mano derecha se deslice sobre él hasta llegar a su mano izquierda para retomar el agarre.

Consejo de estilo

Mientras que en el Rock 'n' Roll de los años cincuenta, lo típico es que el hombre se eche levemente hacia atrás en los pasos 1 y 2, el estilo más libre y expresivo del Lindy Hop permitía una interpretación mucho más personal, dando pie incluso a que la parte superior del cuerpo del hombre se inclinase mucho más hacia adelante durante este movimiento.

3-4

COUNTS – RÁPIDO, RÁPIDO

Hombre Ejecuta los pasos clásicos de Paso Atrás y Reemplazo, retomando la posición original, frente a frente.

Mujer Ejecuta los pasos clásicos de Paso Atrás y Reemplazo, retomando la posición original, frente a frente. Termina con el peso sobre el pie izquierdo.

Al practicar, pasa del Peine a la Unión para retomar el programa original. Si quieres empezar a explorar otras opciones, intenta pasar del Peine al Giro Bajo el Brazo hacia la derecha.

Giros Básicos

Intercalar giros básicos entre las figuras normales enriquece enormemente el baile. Hay una cierta variedad de giros que pueden ser ejecutados tanto desde la Posición Abierta como desde el Agarre Básico.

Cambio de Posición de derecha a izquierda

Para bailar el Cambio de Posición de derecha a izquierda, se empieza con el Agarre Básico. Ejecuta un Jive Básico en estilo Rock 'n' Roll, y se termina con el hombre apoyado en su pie derecho y la mujer en el izquierdo.

1

CUENTA - LENTO

Hombre Balancéate lateralmente sobre el pie izquierdo, levantando el brazo izquierdo para que la mujer pueda bailar por debajo hacia la derecha. A veces es práctico utilizar la mano derecha para confirmar a la mujer que va a bailar bajo tu brazo.

Mujer Balancéate frontalmente sobre el pie derecho, empezando a girar hacia la derecha.

2

CUENTA - LENTO

Hombre Balancéate lateralmente sobre el pie derecho, dando un cuarto de vuelta (90°) hacia la izquierda. Termina bajando el brazo izquierdo a la altura de la cintura.

Mujer Sin dejar de girar hacia la derecha, balancéate hacia atrás sobre el pie izquierdo para encarar al hombre.

Ejecuta los pasos de Paso Atrás y Reemplazo, continúa con el Giro Bajo el Brazo hacia la derecha o con la siguiente figura.

Cambio de Posición de izquierda a derecha

Esta figura rehace el camino trazado por el Cambio de Posición de derecha a izquierda.

1

CUENTA - LENTO

Hombre Balancéate lateralmente sobre el pie izquierdo, levantando el brazo izquierdo para que la mujer pueda bailar por debajo hacia la derecha.

Mujer Balancéate frontalmente sobre el pie derecho, moviéndote bajo el brazo del hombre.

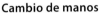

Continúa con una Unión.

2

CUENTA - LENTO

Hombre Balancéate lateralmente sobre el pie derecho, dando un cuarto de vuelta (90°) hacia la derecha. Termina bajando el brazo izquierdo hasta la altura del Agarre Básico.

Mujer Con el peso en el pie derecho, gira hacia la izquierda bajo el brazo del hombre para encararle, y balancéate lateralmente sobre el pie izquierdo.

3-4

CUENTA - RÁPIDO, RÁPIDO

Hombre Baila los pasos de Paso Atrás y Reemplazo, de cara a la mujer en un Agarre Básico.

Mujer Baila los pasos de Paso Atrás y Reemplazo, de cara al hombre en un Agarre Básico.

Cambio de Manos por Detrás de la Espalda

Esta estilosa figura no es en absoluto complicada si se siguen las indicaciones. Empieza de la forma acostumbrada, tras bailar los movimientos de Paso Atrás y Reemplazo, en Posición Abierta.

1

CUENTA - LENTO

Hombre Balancéate frontalmente con el pie izquierdo, y toma la mano derecha de la mujer con tu mano derecha.

Mujer Balancéate frontalmente con el pie derecho, ligeramente hacia la izquierda del hombre.

Hombre Balancéate lateralmente con el pie derecho, haciendo un cuarto de vuelta hacia la izquierda. Poniendo ambas manos a la espalda, pasa la mano derecha de la mujer a tu mano izquierda. Termina dando la espalda a la mujer.

Mujer Balancéate lateralmente con el pie izquierdo, haciendo un cuarto de vuelta hacia la derecha. Termina encarando la espalda del hombre.

Cambio de manos

Cambiar las manos cuando es requerido en esta figura es trabajo del hombre. Tanto el Cambio de Posición de izquierda a derecha como el de derecha a izquierda pueden acabar con cualquiera de las manos del hombre. Si se

ha realizado un Giro Bajo el Brazo, deberías completar el cambio de mano al final del movimiento de bajar el brazo. Nunca sueltes la mano de la mujer hasta no tenerla sujeta con la otra mano.

2

CUENTA - LENTO

3-4

CUENTA - RÁPIDO, RÁPIDO

Hombre Baila los movimientos de Paso Atrás y Reemplazo, girando un cuarto de vuelta hacia la izquierda para terminar encarando a la mujer en Posición Abierta.

Mujer Baila los movimientos de Paso Atrás y Reemplazo, girando un cuarto de vuelta hacia la derecha para terminar encarando al hombre en Posición Abierta.

Dale vida a tu Jive

Ahora que ya estás familiarizado con algunas de las figuras clásicas del Jive y del Rock 'n' Roll, puedes empezar a perfeccionar tu estilo.

• Procura, por lo general, mantener los pasos cortos. Recuerda que el objetivo no es desplazarte por la pista.

• El hombre debe intentar evitar concentrarse en lo que hace su pareja y nunca debe tratar de seguirla. Nunca mires a los pies de tu pareja. En muchos bailes, cuando la mujer retrocede, el hombre avanza. Este no es el caso del Jive, así que mejor concéntrate en tus pasos y movimientos.

• Evita cualquier imprecisión en los pasos.

• Mantén un ritmo firme y cíñete a él. El hombre no debería, por ejemplo, demorarse para darle más tiempo a la mujer para terminar un giro.

• Evita la tentación de tomar «atajos». La mujer, en particular, debe evitar realizar los giros demasiado pronto. Aprende los movimientos con claridad, y pronto conseguirás que estos trabajen para ti, en lugar de trabajar tú para ellos.

• Mantén los movimientos compactos. Evita alejarte demasiado de tu pareja, dado que esto hará el baile incómodo y puede, en algunos casos, conseguir que se pierda la conexión entre los dos.

Llevar a la pareja

Ya habrás asimilado unos cuantos trucos prácticos y útiles acerca de cómo llevar a la pareja a lo largo de las figuras de baile que has ido aprendiendo. Aquí hay más consejos para ayudarte.

armónica. El hombre lleva a la mujer solo a través de movimientos del brazo, los cuales pueden ser de avance o retroceso en relación a sus propias caderas, o levantando el brazo. Esto hace que la mujer pivote sobre sus pies, haciéndola girar. El brazo del hombre jamás debería extenderse con intención de tirar o empujar a la mujer.

• En Posición Abierta, la mano del hombre debería estar con la palma hacia arriba, sujetando los dedos de la mujer levemente entre el pulgar y la misma palma.

• En los giros bajo el brazo, el hombre debería levantar su brazo lo suficiente para que la mujer pudiera girar debajo sin necesidad de agacharse.

• Si la mujer está girando frente al hombre, los brazos de ambos deberían moverse de forma

• Cuando el hombre lleva a la mujer a girar o dar vueltas bajo su brazo hacia la derecha usando su mano derecha, la palma de su mano debería rotar 270° sobre la mano de la mujer para que ambas estuvieran palma contra palma. El dorso de la mano del hombre debe estar encarando su propio cuerpo. De esta forma, si el brazo se levanta por encima de la cabeza de la mujer, y luego baja de nuevo por debajo de su cabeza, ella girará de forma automática. El hombre puede decidir la velocidad a la que baja el brazo para que el movimiento se ajuste mejor a la música. La velocidad a la que baja el brazo tiene una influencia directa sobre la velocidad a la que gira la mujer.

Pasos de Gallina y Salto

Ha llegado la hora de entrar en un terreno más divertido con una figura que ha soportado perfectamente el paso del tiempo. Los Pasos de Gallina nacieron con el Lindy Hop y fueron usados a lo largo de los años del Jitterbug, antes de convertirse en uno de los pasos favoritos de los bailarines de Rock 'n' Roll. Los que practicaban el Lindy Hop, ejecutaban este paso con el hombre inclinado hacia adelante, en contraste con la postura más erguida del Rock 'n' Roll. La figura comienza con un Lanzamiento en Giro.

Lanzamiento en Giro

1-2
CUENTA - LENTO, LENTO

Hombre Baila los pasos 1 y 2 del Lanzamiento. Al final del paso 2, atrae hacia ti el brazo izquierdo con firmeza para hacer girar a la mujer de forma que te encare.

1
CUENTA - LENTO

Mujer Balancéate frontalmente sobre el pie derecho, hacia el lateral izquierdo del hombre.

2
CUENTA - LENTO

Mujer Con el peso en el pie derecho, gira para dar la espalda al hombre y balancéate frontalmente sobre el pie izquierdo en Posición Abierta. No extiendas tu brazo completamente ni des un paso demasiado largo. Con el peso sobre el pie izquierdo, da la vuelta hacia la derecha para encarar al hombre con las rodillas juntas, la izquierda flexionada y la derecha extendida, con el pie derecho girado hacia fuera levemente.

> *Deberías sentir la tensión entre los brazos como si tu pareja y tú estuvierais tirando el uno del otro ligeramente.*

Pasos de Gallina

1
CUENTA - LENTO

Hombre Cierra el pie izquierdo sobre el derecho.

Mujer Pasa el peso de tu cuerpo hacia adelante sobre el pie derecho. Con las rodillas juntas, gira el pie izquierdo ligeramente hacia fuera.

2
CUENTA - LENTO

Hombre Da un ligero paso hacia atrás con el pie derecho.

Mujer Pasa el peso de tu cuerpo hacia adelante sobre el pie izquierdo. Con las rodillas juntas, gira el pie derecho ligeramente hacia fuera.

Consejo de estilo

Conocer con claridad la acción de los Pasos de Gallina es muy importante de cara a conseguir el aspecto y sensación clásicos de la figura. Al dar el paso atrás con el pie derecho, la punta del pie se apoya contra el tacón izquierdo. El tacón solo baja al mover el peso para permitir al pie izquierdo retroceder en el siguiente paso. El mismo mecanismo se aplica cuando se retrocede con el otro pie.

3

CUENTA - RÁPIDO

Hombre Da un ligero paso atrás con el pie izquierdo.

3-6

CUENTA - RÁPIDO, RÁPIDO, RÁPIDO, RÁPIDO

Mujer Repite los pasos 1 y 2 un par de veces.

4

CUENTA - RÁPIDO

Hombre Da un ligero paso atrás con el pie derecho.

5-6

CUENTA - RÁPIDO, RÁPIDO

Hombre Repite los pasos 3 y 4.

Salto

1

CUENTA - RÁPIDO

Hombre y mujer Salta hacia adelante, hacia tu compañero, aterrizando sobre ambos pies separados y las rodillas muy flexionadas.

2

CUENTA - RÁPIDO

Hombre y mujer Pausa.

Continúa con el Jive Básico, el Lanzamiento u otro Lanzamiento en Giro para repetir los Pasos de Gallina. El primer balanceo después del Salto servirá para mover el peso de tu cuerpo, dado que el pie ya está en posición.

Rompebrazos

Este es el movimiento que todo el mundo quiere aprender a hacer. En el Jive, se le llama Giro Apache y, en el Lindy Hop, Texas Tommy. En el Rock 'n' Roll, el nombre de la figura nos da cierta advertencia: conviene practicarlo lentamente al principio para acostumbrarte a los movimientos. Cuando se baila a su velocidad real, el Rompebrazos es bastante espectacular. Empieza en Posición Abierta, con la mano derecha de la mujer en la mano izquierda del hombre. Al terminar los clásicos movimientos de Paso Atrás y Reemplazo, el hombre tiene su peso sobre el pie derecho, y la mujer sobre el izquierdo. Durante el desarrollo de la figura, deberías realizar, por lo menos, un giro de media vuelta hacia la derecha.

1

CUENTA - LENTO

Hombre Balancéate frontalmente sobre el pie izquierdo, comenzando un giro hacia la derecha y llevando a la mujer hacia tu lado derecho. Entonces, sin soltar la mano derecha de la mujer, coloca ambas manos en la espalda de ella, a la altura de la cintura.

Mujer Balancéate frontalmente sobre el pie derecho, hacia el lado derecho del hombre.

2

CUENTA - RÁPIDO

Hombre Cruza el pie derecho tras el izquierdo, girando la punta y la rodilla hacia fuera y sigue girando hacia la derecha. Pasa la mano derecha de la mujer de tu mano izquierda a la derecha, y empieza a tirar levemente hacia abajo, haciendo a la mujer girar hacia la derecha.

Mujer Da pasos muy cortos en los pasos 2 y 3, de forma que estés bailando virtualmente en el sitio. Con el peso en el pie derecho, gira hacia la derecha y da un paso lateral con el pie izquierdo, permitiendo al hombre mover tu brazo derecho detrás de tu espalda.

3

CUENTA - RÁPIDO

Hombre Da un paso lateral con el pie izquierdo, sin dejar de girar hacia la derecha, y tirando con la mano derecha hasta que la mujer termine de «desenvolverse».

Mujer Continúa girando y da un paso con el pie derecho.

Continúa con un Paso Triple, o Chassé, que implica tres pasos de baile en dos golpes musicales.

4

CUENTA - RÁPIDO

Hombre Da un paso lateral con el pie derecho.

Mujer Da un paso lateral con el pie izquierdo.

Y ▶

CUENTA – Y

Hombre Acerca el pie izquierdo al derecho, sin llegar a juntarlos.

Mujer Acerca el pie derecho al izquierdo, sin llegar a juntarlos.

5 ▶

CUENTA - RÁPIDO

Hombre Da un paso lateral con el pie derecho.

Mujer Da un paso lateral con el pie izquierdo.

6-7

CUENTA - RÁPIDO, RÁPIDO

Hombre Baila los pasos de Paso Atrás y Reemplazo.

Mujer Baila los pasos de Paso Atrás y Reemplazo.

Rompebrazos con Triple Giro

Este es un final más espectacular, y también más avanzado. La mujer realiza un triple giro mientras el hombre ejecuta los Tres Pasos, o Chassé. La figura es igual que antes, con estas leves modificaciones::

1-3

CUENTA - LENTO, RÁPIDO, RÁPIDO

Baila los pasos 1 a 3 del Rompebrazos. Al final de este paso, el hombre levanta su brazo derecho por encima de la cabeza de la mujer.

4

CUENTA - RÁPIDO

Hombre Baja el brazo derecho, llevando a la mujer a girar media vuelta (180º).

Mujer Da media vuelta (180º) para terminar encarando al hombre.

CUENTA - Y

Hombre Levanta el brazo derecho, llevando a la mujer a girar otra media vuelta (180º).

Mujer Da media vuelta (180º) para terminar de espaldas al hombre.

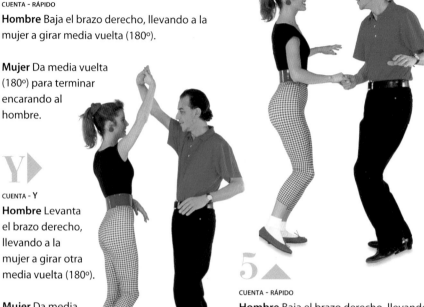

5

CUENTA - RÁPIDO

Hombre Baja el brazo derecho, llevando a la mujer a una media vuelta (180º) final.

Mujer Da la última media vuelta (180º) para terminar encarando al hombre, y descansa.

6-7

CUENTA - RÁPIDO, RÁPIDO

Hombre Baila los pasos de Paso Atrás y Reemplazo.

Mujer Baila los pasos de Paso Atrás y Reemplazo.

> *El hombre debe ser muy preciso al marcar los pasos, y no esperar a que la mujer termine los giros por su cuenta. Al levantar y bajar el brazo en el tiempo adecuado, ayuda a la mujer a girar en ritmo. La mujer debería dejarse llevar en las vueltas. Mantén los pies separados y las piernas firmes durante los giros.*

Paso Sacudida (Jig Walks)

Esta elegante figura se origina en los salvajes movimientos del Lindy Hop. Funciona igual de bien en el Boogie-Woogie como en el Rock 'n' Roll, y puede resultar impresionante. Sin embargo, la mayor parte de los bailarines aprenden rápido la forma de bailarlo adecuadamente y evitar hacerse daño al ejecutar las patadas simultáneas entre las piernas de la pareja. Puede estar precedida de algo muy simple, como el Jive Básico, terminando en Posición Abierta.

1

CUENTA - RÁPIDO

Hombre Acercándote mucho a la mujer, levanta la rodilla izquierda y patea hacia afuera y por debajo, dejando el pie suelto. Tu pierna izquierda debería estar por encima de la pierna derecha de la mujer durante la patada.

Mujer Cuando el hombre adopta una posición de Agarre Cercano, eso indica que vais a bailar el Paso Sacudida. Levanta la rodilla derecha y patea hacia adelante y abajo, dejando el pie suelto. Tu pierna derecha debería estar por debajo de la pierna izquierda del hombre durante la patada.

2

CUENTA - RÁPIDO

Hombre Apoya tu peso en el pie izquierdo.

Mujer Apoya tu peso en el pie derecho.

3

CUENTA - RÁPIDO

Hombre Levanta la rodilla derecha y patea hacia adelante y abajo, dejando el pie suelto.

Mujer Levanta la rodilla izquierda y patea hacia adelante y abajo, dejando el pie suelto.

4

CUENTA - RÁPIDO

Hombre Apoya tu peso en el pie derecho. Si mantienes el Agarre Cerrado, eso indicará a la mujer que vais a bailar otros cuatro tiempos del Paso Sacudida. Si no deseas eso, continúa con claridad hacia los movimientos de Paso Atrás y Reemplazo.

Mujer Apoya tu peso en el pie derecho.

Cuando tengas esta figura bien practicada, puedes disfrutar bailando el Paso Sacudida de forma sucesiva, girando cada vez un poco más a la derecha, en el sentido de las agujas del reloj. Para continuar con tu programa usual, después de los movimientos de Paso Atrás y Reemplazo, añade un Jive Básico.

Bailes de salón internacionales

Los bailes de pareja estándar forman, junto con los bailes latinoamericanos, la base del programa educativo en cualquier escuela de baile convencional. Los cursos y las clases incluyen generalmente ambos estilos, que también se bailan en las noches de fiesta. La mayor parte de las escuelas enseñan primero el Foxtrot Social, el Vals y el Quickstep a fin de desarrollar las habilidades básicas. Pasada esta experiencia, se puede iniciar un acercamiento al Tango Moderno y el Foxtrot Lento, desde una posición de fuerza.

Para aquellos que tienen un estilo de vida muy ocupado o errático, las clases privadas pueden ser una forma económicamente efectiva de confeccionar la educación a medida de los requerimientos individuales. Para más información, contacta con tu escuela de baile local.

En la mayor parte de los países, los bailarines ávidos tienen la oportunidad de llevar cuenta de su progreso mediante exámenes periódicos para aficionados. Estos exámenes son llevados a cabo por un examinador asignado por la organización de profesores de baile a la que esté afiliado el profesor que imparte el curso. No son necesarios, pero un resultado exitoso aporta satisfacción y seguridad en uno mismo.

Los medios de comunicación suelen mostrar erróneamente los bailes de pareja estándar o de salón como algo muy formal y generalmente acartonado. En realidad, estos bailes no son ninguna de esas cosas. Los bailes son sencillamente patrones de movimiento ejecutados al compás de un ritmo musical. Son los bailarines y la situación los que definen cómo de formal o informal es el evento. En mi experiencia, la mayor parte de los bailarines son gente divertida que aman la vida y tan solo quieren pasar un buen rato yendo a la pista de baile simplemente por el placer de hacerlo. Si no eres así todavía, pronto serás como ellos.

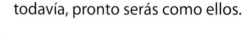

En la pista

La pista de baile, esté abarrotada o no, es un lugar de la mayor importancia y debería ser tratada con el mismo respeto con el que se trata a los bailarines.

Al caminar, hazlo siempre alrededor de la pista, nunca a través, especialmente cuando hay gente bailando. La aparición súbita de una persona tratando de esquivar a los bailarines puede provocar caos en la pista y convertirse en un obstáculo descortés e innecesario para las parejas.

Al entrar en la pista es importante hacerlo tratando de causar el menor trastorno posible. Dado que los hombres suelen comenzar los pasos mirando hacia la parte exterior de la pista de baile, es un error común entrar de espaldas, con la atención puesta únicamente en la pareja, en lugar de

Colócate en la posición inicial solo tras haber evaluado la situación de la pista de baile. Si no lo haces, puedes obstaculizar a los otros bailarines.

La música del Vals
La música del Vals está estructurada con tres golpes musicales por compás. El Vals Básico está también construido en secciones de tres pasos. Por tanto, cada paso corresponde a un golpe musical. El primer golpe de cada compás se acentúa o enfatiza. El baile se debería empezar siempre en este golpe. Mientras la música da una cuenta de 1-2-3, lo normal es bailar los movimientos de camina-lateral-acerca del Vals Básico.

El compás del Vals es de 3 por 4, con un tempo recomendado internacionalmente de 30 compases por minuto. Esto significa que cada sección del Vals dura solo dos segundos. Este ritmo es realmente fácil de bailar y disfrutar.

hacerlo como el resto de los bailarines. Hacer esto estorbará enormemente a las parejas que estén en la pista, por lo que conviene acercarse con cuidado, tomarse el tiempo para comprobar el sentido de la corriente y entrar con toda consideración hacia los demás.

Al dejar la pista, especialmente al abandonarla sin terminar el baile, se debería mostrar la misma consideración. Si estás dejando una canción a medias, deberías bailar aproximándote al borde de la pista, salir al llegar al extremo, y caminar alrededor del perímetro hasta volver a tu sitio.

La pista de baile

Antes de empezar con los pasos, incluyo ciertas formas de orientación por el salón.
- La corriente del tráfico de la pista es siempre en el sentido contrario a las agujas del reloj.
- La orientación de los bailarines se establece siempre en relación a la pared más cercana, la línea central de la pista y en términos de zigzags.

Moverse con la corriente
Asumiendo que el salón es rectangular, mantén tu posición siempre cerca de una pared, asegurándote de que esta se encuentre a la derecha del hombre y a la izquierda de la mujer. De esta forma, el hombre está preparado para caminar frontalmente con la corriente, y la mujer para hacerlo de espaldas. El movimiento general de la figura a bailar se desplazará, de cualquier manera, con la corriente.

La línea central
Desde la misma posición, la línea central de la pista estará a la izquierda del hombre y a la derecha de la mujer.

Zigzags
Partiendo de la línea central, si trazamos una línea diagonal imaginaria hacia la pared paralela, en un ángulo de aproximadamente 45º, obtenemos lo que llamaremos un «Zig». Si hacemos lo mismo, partiendo desde la pared, hasta la línea central, otra vez en un ángulo de unos 45º, tendremos lo que pasaremos a llamar un «Zag». En el Vals Básico y en el Quickstep, el hombre avanza frontalmente a lo largo de los «Zigs», y retrocede por los «Zags», «cosiendo» así los bordes de la pista. De forma opuesta, la mujer retrocede por los «Zigs» y avanza

por los «Zags», consiguiendo moverse ambos con la corriente. Todos los bailes descritos utilizan el mismo método. A medida que te desplaces por la pista, recuerda que irás encontrando esquinas, y deberás acomodarte a ellas.

Arrinconamiento
Cuando gires una esquina, tendrás que reorientarte, utilizando la nueva pared y la línea central, que siempre corre paralela a la pared que estás usando. Los zigzags corren entre la nueva línea central y la nueva pared igual que antes. La corriente, por supuesto, se moverá de forma acorde con la esquina.

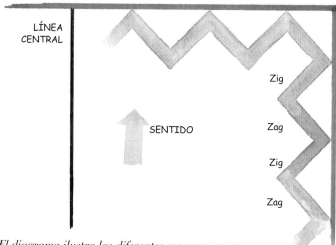

El diagrama ilustra las diferentes maneras en que los bailarines se orientan en el salón. Puedes ir acostumbrándote a todo esto practicando en casa.

El agarre

Al tomar un agarre para el Vals, el Quickstep o el Foxtrot Lento, el hombre toma la mano derecha de la mujer en su mano izquierda y la acerca hacia sí. Esto le permite ubicarla ligeramente a su derecha. Si la posición es correcta, los botones de la camisa del hombre deberían estar en posición opuesta al hombro derecho de la mujer.

Para tomar el agarre, el hombre presenta su mano izquierda como si fuera un policía controlando el tráfico. La mujer engancha su dedo corazón entre el pulgar y el índice de la mano del hombre, luego cierra el índice y el anular sobre su dedo corazón y, finalmente deja reposar el meñique sobre los demás, enroscando su pulgar en torno a la base del pulgar del hombre. Las manos unidas deberían estar justo por debajo de la línea de los ojos, sujetas de manera firme pero no rígida. El hombre coloca entonces las puntas de los dedos de su mano izquierda al borde de la mano derecha de su pareja con los dedos apuntando hacia el suelo. De esta forma, la parte inferior de las muñecas de ambos está encarada hacia el suelo. Esta forma de agarrar las manos mejorará el equilibrio considerablemente y hará más simple la tarea del hombre de llevar a la mujer al empezar a bailar.

El hombre hará una copa con su mano derecha, colocándola justo debajo del omóplato izquierdo de la mujer. Idealmente, las puntas de los dedos del hombre deberían estar apoyadas sobre la columna de ella. La mujer extiende los dedos de su mano izquierda, permitiendo que el pulgar se ubique naturalmente en su posición normal. Apoya la mano izquierda en el hombro o en la parte superior del brazo del hombre con la muñeca recta y plana. No es necesario que los dedos anular y meñique queden apoyados en el brazo del hombre. Tanto el hombre como la mujer tienen sus codos ligeramente delante de sus espaldas y separados del cuerpo. Los hombros deberían estar relajados, nunca tensos o encogidos.

Ambos deberían mantenerse erguidos, levantando el diafragma

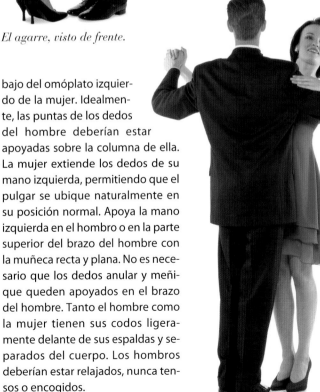

El agarre, visto de frente.

El agarre, visto por detrás.

para conseguir una buena postura. El hombre y la mujer mantienen contacto con la zona baja del diafragma y la zona alta del estómago durante la mayor parte del baile. Deberían tener sus cabezas levemente giradas hacia la izquierda y la barbilla alta. El peso de la cabeza puede tener un efecto negativo en el equilibrio si no se mantiene en esta posición. Nunca te mires los pies. La espalda y los brazos del hombre proveen un marco en el que la mujer está contenida. Un buen marco es esencial para bailar bien y para llevar correctamente a la mujer.

El agarre y la posición inicial pueden dar sensación de excesiva rigidez para el bailarín primerizo, obstaculizando su fluidez de movimiento, pero con práctica se puede conseguir una buena postura de forma cómoda y relajada. Esta es una de las habilidades más importantes que caracterizan a un compañero con el que es fácil bailar. El marco creado por los brazos del hombre, y reforzado por su espalda y diafragma debe mantenerse fijo y firme, hasta tal punto que los brazos nunca se mueven independientemente del cuerpo. Una vez se ha conseguido esto, la mujer debería sentir un claro liderazgo por parte del hombre.

La mayor parte del proceso de llevar a la mujer no es algo que el hombre haga activamente; es el resultado de una danza clara y positiva. La mejor forma de llevar es aquella que no deja a la mujer otra opción que la de bailar lo que desea el hombre sin necesidad de pensárselo. Si la mujer tiene que hacer el esfuerzo de seguir al hombre, gran parte del placer de bailar se pierde para ella. La mujer debería aceptar el liderazgo del hombre, no tratar de adivinar qué va a hacer y lanzarse a una acción que puede ser errónea.

La mujer tiene una responsabilidad cuando está avanzando y el hombre retrocede, dado que ella es la que puede ver hacia dónde se mueve la pareja. Si están bailando hacia algún obstáculo, debería indicárselo al hombre. Esto se puede hacer apretando el pulgar y el dedo corazón de la mano izquierda sobre el hombro de la pareja y permitiendo entonces que el hombre les dirija en una maniobra evasiva.

Esta posición muestra el marco creado por los brazos del hombre. Los brazos, la espalda y el diafragma se mueven todos juntos, ninguno debe hacerlo de forma independiente. Esto provee de un marco para poder llevar a la mujer.

La mujer indica problemas tácticos con una leve presión de su mano izquierda.

Piernas y pies

Puede parecer sorprendente que deje esta sección para el final pero, dado que bailamos con todo el cuerpo, una vez el mismo cuerpo está trabajando adecuadamente, los pies y las piernas se encargarán de sí mismos la mayor parte del tiempo. Las rodillas son muy importantes; te sentirás más cómodo, relajado y en control si puedes mantenerlas flexionadas continuamente. Bailar, en un sentido básico de la palabra, no es muy diferente de caminar. Sin embargo, es muy común que personas que pueden caminar perfectamente, encuentran grandes dificultades cuando tienen que avanzar un sencillo paso adelante, simplemente por el hecho de que están «bailando» y no caminando por la calle.

Intenta no alejarte demasiado de tu pareja y no temas pisarle los pies. Al estar la mujer posicionada levemente a la derecha del hombre, cuando él da un paso hacia adelante con el pie derecho, su pie se meterá entre los pies de la mujer. Al hacerlo con el pie izquierdo, este se moverá por la parte exterior de la mujer. Lo mismo ocurre cuando la mujer avanza y el hombre retrocede. Al utilizar esta técnica, es muy difícil pisar al compañero, a no ser que creéis un hueco entre vosotros.

Dar un paso

Al dar un paso, mueve tu pie hacia la posición deseada y recuerda mover el peso de tu cuerpo hacia ese pie.

Con qué pie empezar

Algunos profesores enseñan el Vals o el Quickstep empezando con el pie izquierdo para el hombre. Esto es lógico cuando avanzamos y queremos iniciar un giro a la derecha, lo que hacemos rotando el pie derecho al avanzar. Es un buen movimiento para empezar porque la mujer puede sentir la curva e instintivamente sabe que, dado que ella se mueve hacia atrás, lo natural para ella es empezar retrocediendo su pie izquierdo. Si el hombre empezara adelantando su pie izquierdo y obviando el giro, la mujer no tendría un liderazgo claro.

Izquierda: Intenta no alejarte demasiado de tu pareja y no temas pisarle los pies. Al estar la mujer posicionada levemente a la derecha del hombre, cuando él da un paso hacia adelante con el pie derecho, su pie se meterá entre los de la mujer.

Derecha: Cuando el hombre avanza con el pie izquierdo, este pie se moverá por la parte exterior de la mujer. Lo mismo ocurre cuando la mujer avanza y el hombre retrocede. Al utilizar esta técnica, es muy difícil pisar al compañero.

Arriba y a la derecha: Al dar un paso, coloca tu pie en la posición deseada y recuerda echar el peso del cuerpo sobre ese mismo pie.

Conocimientos de la pista

Tanto tu posicionamiento en la pista como tu progreso alrededor de la misma deberían estar ligados a la corriente del tráfico. El conjunto de la habilidad, la experiencia y la capacidad de anticipación necesarias para moverte entre los otros bailarines es llamado «conocimiento de la pista».

A medida que te acostumbres a bailar por el salón, te irás dando cuenta de que el conocimiento de la pista es más complejo e importante de lo que puede parecer en un principio. La habilidad para evitar problemas y anticipar las situaciones son atributos esenciales en un buen bailarín. Esta habilidad se desarrolla con la práctica, pero puede adquirirse con más facilidad siguiendo unas pautas básicas. La mayor responsabilidad en estas pautas recae en el hombre.

• Es extremadamente importante adherirse a la orientación dada del salón. Si te permites vagar fuera del camino preestablecido, luego es muy difícil volver a retomarlo.

• Si estás siguiendo a una pareja que va a doblar una esquina, mantente en la pared a su lado. Para el momento en que llegues a la esquina, lo más normal es que ellos ya se hayan movido.

• Evita bailar hacia una esquina si hay una pareja en ella. Corres el riesgo de que se lancen sobre ti cuando salgan de la esquina.

• Las mujeres, aun con la mejor intención de ayudar, no deberían tratar de llevar a los hombres.

Todos los pasos de baile mostrados en este libro han sido seleccionados no solo por su atractivo como figuras fáciles de disfrutar, sino por su utilidad de cara a desarrollar el conocimiento de la pista. A medida que tu repertorio crezca, también lo hará tu habilidad.

El conocimiento de la pista se trata básicamente de la capacidad de moverse alrededor de los obstáculos, como desplazarse en medio del tráfico. A medida que te acostumbres a moverte por la pista de baile, tu estilo se volverá más relajado y fluido.

Foxtrot Social

Para muchos, la habilidad de entrar en la pista de baile y moverse de forma cómoda, confiada, y sin llamar la atención, es toda una meta en sí misma. Esta versión del Foxtrot Social provee un movimiento fácil y respetable, asequible a bailarines primerizos que solo quieran disfrutar del placer de bailar. Pese a ser denominado Foxtrot, este baile funciona bien con un amplio espectro de música; desde el Blues al Quickstep; del Tango al Rock 'n' Roll; incluso se puede bailar con alguna música pop contemporánea. De hecho, puedes ejecutar el Foxtrot Social con casi cualquier música cuyo compás

sea de 2/4 o de 4/4. Lo que significa virtualmente cualquier música, exceptuando aquella que esté en tiempo de Vals. El tempo puede variar según el estilo musical escogido.

Utiliza el agarre básico de baile de salón pero, en este estilo, puedes permitirte hacerlo más relajado e informal. El Foxtrot Social es un baile compacto, ideal para pistas de baile abarrotadas, así que mantén los pasos pequeños. Empieza en un Zig. El hombre tiene el peso sobre su pierna derecha, con los pies juntos. La mujer corresponde, dejando su peso sobre la pierna izquierda.

Movimiento Básico

1

CUENTA - LENTO

Hombre Avanza con el pie izquierdo a lo largo del Zig.

Mujer Retrocede con el pie derecho a lo largo del Zig.

2

CUENTA - LENTO

Hombre Avanza con el pie derecho a lo largo del Zig, empezando a girar del Zig al Zag.

Mujer Retrocede con el pie izquierdo a lo largo del Zig, empezando a girar del Zig al Zag.

3

CUENTA - RÁPIDO

Hombre Da un paso lateral con el pie izquierdo, girando del Zig al Zag.

Mujer Da un paso lateral con el pie derecho, girando del Zig al Zag.

4
CUENTA – RÁPIDO

Hombre Cierra el pie derecho sobre el izquierdo. Termina con el peso sobre la pierna derecha, de espaldas al Zag.

Mujer Cierra el pie izquierdo sobre el derecho. Termina con el peso sobre la pierna izquierda, de frente al Zag.

5
CUENTA – LENTO

Hombre Retrocede un paso con el pie izquierdo a lo largo del Zag.

Mujer Avanza un paso con el pie derecho a lo largo del Zag.

Consejo de estilo
Las rodillas y los codos han de estar relajados, da pasos pequeños, siéntete cómodo y disfruta del ritmo.

6
CUENTA – LENTO

Hombre Retrocede un paso con el pie derecho a lo largo del Zag.

Mujer Retrocede un paso con el pie izquierdo a lo largo del Zag.

7
CUENTA – RÁPIDO

Hombre Da un paso lateral con el pie izquierdo, girando del Zag al Zig.

Mujer Da un paso lateral con el pie derecho, girando del Zag al Zig.

8
CUENTA – RÁPIDO

Hombre Cierra el pie derecho sobre el izquierdo. Termina en el Zig.

Mujer Cierra el pie izquierdo sobre el derecho. Termina en el Zig.

El Movimiento Básico puede repetirse continuamente. Puedes curvarlo para sortear las esquinas con comodidad. La forma más comoda del hacerlo es que el hombre, en el paso 6, curve su pie derecho ligeramente hacia dentro mientras retrocede.

Giro de Pivote Inverso

Una vez dominado el Movimiento Básico, querrás incluir más pasos. El Giro de Pivote Inverso es una figura simple pero efectiva que te ayudará a evitar choques con otros bailarines y a maniobrar en las esquinas de la pista. La palabra «Inverso» significa simplemente que el giro se realiza hacia la izquierda, y no implica ningún tipo de movimiento especial hacia atrás. Empieza como en el Movimiento Básico.

1

CUENTA - LENTO

Hombre
Avanza con el pie izquierdo, relajando la rodilla. Deja el pie derecho detrás de ti.

Mujer
Retrocede con el pie derecho.

2

CUENTA - LENTO

Hombre Balancéate suavemente hacia atrás, sobre tu pie derecho. Mantén la mano derecha en su sitio con firmeza, asegurándote de que la mujer te acompaña en el movimiento.

Mujer Balancéate suavemente hacia adelante, sobre tu pie izquierdo.

3

CUENTA - RÁPIDO

Hombre Da un pequeño paso lateral con el pie izquierdo, girando un cuarto de vuelta (90°) en el sentido opuesto a las agujas del reloj.

Mujer Da un pequeño paso lateral con el pie derecho, girando con el hombre.

4

CUENTA - RÁPIDO

Hombre Cierra el pie derecho sobre el izquierdo. Termina con el peso sobre el pie derecho.

Mujer Cierra el pie izquierdo sobre el derecho. Termina con el peso sobre el pie izquierdo.

> *Al ejecutar el Giro de Pivote Inverso en una esquina, basta con que completes la secuencia una sola vez para terminar encarando la dirección correcta. Sin embargo, cuando utilices el Giro de Pivote Inverso para evitar a otras parejas, puede que tengas que repetir la figura varias veces. Por ejemplo, repetir estos pasos cuatro veces te dejará exactamente en el mismo sitio donde empezaste la maniobra, permitiendo que el tráfico de bailarines que te bloqueaba avance y te deje sitio.*

Giro de Pivote Natural

En este sentido, la palabra «Natural» significa solo que el giro se realiza hacia la derecha, en el sentido de las agujas del reloj. Con un poco de práctica, puedes añadir este paso a tu repertorio. Es especialmente útil en las esquinas. Combinado con el Giro de Pivote Inverso, dará sensación de fluidez a tu baile. Empieza como en la figura anterior.

Combinación
Intenta bailar el Giro de Pivote Natural a lo largo del lateral del salón. Terminarás en un Zig, preparado para moverte hacia la Línea Central. Añade después tres Giros de Pivote Inverso para volver a tu posición original.

> *En la orientación que se especifica en esta sección, estarás bailando el Giro de Pivote Natural para doblar una esquina.*

1

CUENTA - LENTO

Hombre Avanza con el pie izquierdo a lo largo del Zig.

Mujer Retrocede con el pie derecho.

2

CUENTA - LENTO

Hombre
Avanza con
el pie derecho,
empezando a girar hacia la
derecha.

Mujer Retrocede con el pie
izquierdo, empezando a girar
hacia la derecha.

3

CUENTA - RÁPIDO

Hombre Da un paso lateral con el
pie izquierdo, girando hacia la
derecha para terminar dando la
espalda al centro de la pista.

Mujer Da un paso lateral con el
pie derecho, girando hacia la
derecha para terminar encarando
el centro de la pista.

4

CUENTA - RÁPIDO

Hombre Cierra el pie derecho
sobre el izquierdo. Termina con el
peso sobre el pie derecho, dando
la espalda al centro de la pista.

Mujer Cierra el pie izquierdo
sobre el derecho. Termina con el
peso sobre el pie izquierdo,
encarando el centro de la pista.

5

CUENTA - LENTO

Hombre Retrocede con el pie
izquierdo, girando sobre la punta
para continuar la vuelta hacia la
derecha.

Mujer Avanza con el pie derecho,
girando hacia la derecha.

Consejo de estilo

*Muchos bailarines suelen sentir que los pasos del 5 al 6 son
como un leve bamboleo, lo que les ayuda a girar mejor.*

6

CUENTA - LENTO

Hombre Avanza
con el pie
derecho,
continuando
el giro hacia
la derecha para
moverte sobre el Zig
de la nueva pared.

Mujer Retrocede
con el pie
izquierdo,
continuando el
giro hacia la
derecha para
moverte sobre
el Zig de la
nueva pared.

7

CUENTA - RÁPIDO

Hombre Da un
paso lateral con
el pie izquierdo,
continuando el
giro hacia la
derecha para
terminar en el Zag.

Mujer Da un paso lateral con el pie
derecho, continuando el giro hacia la
derecha para terminar en el Zag.

8

CUENTA - RÁPIDO

Hombre Cierra
el pie derecho
sobre el izquierdo.
Termina con el
peso sobre el pie
derecho en el Zag.

Mujer Cierra el pie
izquierdo sobre el
derecho. Termina
con el peso sobre
el pie izquierdo en
el Zag.

*Continúa con los pasos 5 al 8
del Movimiento Básico.*

Paso Lateral

Es momento de intentar esta magnífica figura, ideal para frenar tu progreso por la pista. Es muy flexible, y puede ser incorporada tras los pasos 1 y 2 o los pasos 7 y 8 del Movimiento Básico, minimizando el giro para que el hombre termine encarando directamente la pared. El hombre tiene su peso sobre el pie derecho, la mujer sobre el izquierdo.

1

CUENTA - RÁPIDO

Hombre Paso lateral con el pie izquierdo.

Mujer Paso lateral con el pie derecho.

2

CUENTA - RÁPIDO

Hombre Da un leve toque con el pie derecho en el suelo, cerca del pie izquierdo.

Mujer Da un leve toque con el pie izquierdo en el suelo, cerca del pie derecho.

3 ▶

CUENTA - RÁPIDO

Hombre Paso lateral con el pie derecho.

Mujer Paso lateral con el pie izquierdo.

4 ▶

CUENTA - RÁPIDO

Hombre Da un leve toque con el pie izquierdo en el suelo, cerca del pie derecho.

Mujer Da un leve toque con el pie derecho en el suelo, cerca del pie izquierdo.

5

CUENTA - RÁPIDO

Hombre Paso lateral con el pie izquierdo.

Mujer Paso lateral con el pie derecho.

6

CUENTA - RÁPIDO

Hombre Cierra el pie derecho sobre el izquierdo. Termina con el peso sobre el pie derecho.

Mujer Cierra el pie izquierdo sobre el derecho. Termina con el peso sobre el pie izquierdo.

7

CUENTA - RÁPIDO

Hombre Paso lateral con el pie izquierdo.

Mujer Paso lateral con el pie derecho.

8

CUENTA - RÁPIDO

Hombre Da un leve toque con el pie derecho en el suelo, cerca del pie izquierdo.

Mujer Da un leve toque con el pie izquierdo en el suelo, cerca del pie derecho.

9

CUENTA - RÁPIDO

Hombre Paso lateral con el pie derecho.

Mujer Paso lateral con el pie izquierdo.

10

CUENTA - RÁPIDO

Hombre Da un leve toque con el pie izquierdo en el suelo, cerca del pie derecho.

Mujer Da un leve toque con el pie derecho en el suelo, cerca del pie izquierdo.

El hombre continúa con el Movimiento Básico, pero curva el primer paso hacia el Zig, para llevar a la mujer hacia la siguiente figura y recuperar la alineación normal.

Baile social: normas de etiqueta

La cortesía parece, en un principio, una idea demasiado anticuada como para ser tratada en un libro de baile moderno. Sin embargo, tanto la buena educación como la consideración hacia los demás son intemporales, y siempre bien recibidas. Aquí hay algunas guías básicas que, de ser seguidas, ayudarán a que disfrutes más bailando y permitas disfrutar a los demás.

En muchos clubes de baile, lo normal es bailar con diferentes parejas en una misma noche. Sin embargo, lo justo es que, tanto el primer como el último baile, sea con la pareja con la que has venido. Antes de que un hombre invite a una mujer a bailar, es inteligente observarla en la pista durante un rato con otra persona y tomar nota del tipo de cosas que hace, para no lanzarse a una vergonzosa serie de movimientos excesivamente complicados si ella es una bailarina novata. Lo mismo se aplica a una pareja a la que nunca hayas visto; empieza con movimientos básicos, y avanza paulatinamente. Si tu pareja lo encuentra algo complicado, regálale una sonrisa y empieza un movimiento más simple. No intentes lucirte; nadie, menos aún una nueva pareja, lo apreciará. Si vas a un evento de baile sin pareja, como hace mucha gente, evita monopolizar a nadie. Si las cosas funcionan bien con alguien, siempre podéis tener una cita y volver juntos otro día, en calidad de pareja.

Las mujeres deberían tener en cuenta la cantidad de coraje que hace falta, por parte de un hombre, para pedir un baile. Si un hombre te pide bailar, siéntete halagada y acepta. Si él no te gusta, puedes dar excusas gentiles en caso de que te lo vuelva a pedir, pero por lo menos habrás tenido la cortesía de permitirle bailar contigo al menos una vez. Si eres tímida o principiante, el hombre apreciará tu modestia al decírtelo, de forma que no te avergüence lanzándose a una serie de movimientos excesivamente complejos. De la misma manera, el hombre novato debería presentarse como un principiante a la hora de pedir un baile a una mujer.

Al entrar en la pista, es importante hacerlo sin causar problemas a los otros bailarines. Dado que en los bailes de salón el hombre suele empezar encarando la pared, es un fallo habitual que él empiece caminando de espaldas, con toda su atención puesta en la mujer, en lugar de ubicarse en relación a los otros bailarines. Hacer esto crea un obstáculo irritante e innecesario para las demás parejas. Lo mejor es acercarse con cuidado y darse un momento para comprobar la dirección e intensidad del tráfico.

Muestra consideración hacia el resto de gente en la pista, especialmente cuando esté abarrotada. Evita los movimientos que requieran mucho espacio cuando no haya sitio para realizarlos. Si no paras de chocar con otros bailarines, es momento de tomártelo con calma. En cualquier caso, lo mejor es acercarse a la pareja cuando la pista esté llena, y es una oportunidad estupenda para entablar conversación.

Cuando el baile haya terminado, agradece a tu pareja y dale la opción de bailar el siguiente contigo. Es importante que eso sea opcional; no hay que darlo por hecho en ningún caso. Si estáis dejando la pista, el hombre debería acompañar a la mujer al menos hasta el borde de la pista, aunque lo ideal es que lo haga hasta su sitio. Al dejar la pista, especialmente durante el transcurso de un baile, se debe mostrar la misma consideración. Si has terminado antes que la música durante un baile de desplazamiento, deberías seguir bailando hasta el borde de la pista, y salir en ese punto.

Bajo ninguna circunstancia se deben meter bebidas en la pista. No solo tienden a derramarse arruinando el suelo, sino que también suelen caerse, y una pista de baile llena de cristales rotos es algo peligroso. Si debes cruzar la pista para ir y venir del bar, espera a que el baile termine, o encuentra un sitio mejor. Fumar en la pista de baile es peligroso, y denota un grado enorme de ignorancia.

Recuerda siempre que tener un poco de consideración es fácil, y siempre bienvenido.

El tipo de vestimenta

Los eventos de baile social suceden en un amplio espectro de niveles sociales, lo que modifica el grado de formalidad o informalidad. Por lo general, los bailes entre semana suelen ser más informales que los eventos en viernes o sábado. Si no estás seguro, deberías ponerte en contacto con el organizador y consultar.

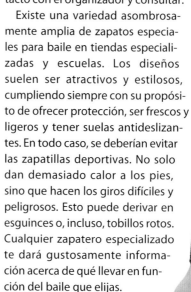

Existe una variedad asombrosamente amplia de zapatos especiales para baile en tiendas especializadas y escuelas. Los diseños suelen ser atractivos y estilosos, cumpliendo siempre con su propósito de ofrecer protección, ser frescos y ligeros y tener suelas antideslizantes. En todo caso, se deberían evitar las zapatillas deportivas. No solo dan demasiado calor a los pies, sino que hacen los giros difíciles y peligrosos. Esto puede derivar en esguinces o, incluso, tobillos rotos. Cualquier zapatero especializado te dará gustosamente información acerca de qué llevar en función del baile que elijas.

Llevar ropa que sea tanto elegante como apropiada al estilo de baile que hayas elegido, mejorará tanto tu interpretación como tu apariencia.

Vals

El Vals es uno de los bailes de salón más populares de la Historia. Tanto al comienzo de una relación, como en la celebración de una boda, el Vals es el único baile cuyas reminiscencias románticas nos llevan inexorablemente a los momentos más felices de la vida.

Cuando miramos hacia los orígenes de este baile, descubrimos que se ha adaptado de forma remarcable a los cambios de moda a lo largo de su historia de más de dos siglos. El Vals, que simboliza el romance, comenzó su existencia a finales del siglo XVIII un como baile regional germano-austríaco llamado *Ländler*. Se caracterizaba por los movimientos rotatorios que ejecutaban hombres y mujeres unidos como parejas. A principios del siglo XIX, los bailarines de este estilo dieron un paso controvertido, ya que los hombres comenzaron a sujetar a las mujeres con la mano alrededor de la cintura. Hubo un gran debate acerca de la moralidad del Vals, hasta que el zar ruso Alejandro otorgó al baile su sello de aprobación real bailándolo en público. La enorme popularidad de los Valses Vieneses, compuestos y ejecutados por la familia Strauss a lo largo de la segunda mitad del siglo XIX, consiguieron que hacia final de siglo el Vals hubiera llegado a la cúspide de su popularidad.

Con la llegada de la Primera Guerra Mundial, toda una nueva generación de bailarines buscaba una forma más fresca, natural y menos estilizada de disfrutar del Vals. La revolución estilística empezó a tomar forma con la llegada de otro baile llamado Boston, en el que los bailarines empleaban un agarre más «moderno», cadera con cadera, y se movían a un ritmo más relajado. Boston casi desapareció al terminar la guerra pero, a pesar de ello, sirvió de influencia para formar el nuevo estilo del Vals.

En 1914, la fiebre del Foxtrot se expandió desde América hasta Europa, eclipsando al Vals, que era percibido entonces como una influencia germánica no deseada.

Llegado 1921, con el Vals en decadencia pero no extinto, la revista *The Dancing Times* convocó una conferencia de profesores de baile en Londres con objetivo de discutir asuntos de relevancia y actualidad. Uno de esos asuntos era el declive del Vals durante la guerra y la confusión creada en torno a la falta de una técnica sólida y estandarizada. De esta conferencia nació la técnica universal «Paso Adelante-Paso Lateral-Cierre», bailada a día de hoy y característica del Vals Moderno. Dado que estos desarrollos fundamentales tuvieron lugar en Inglaterra, el Vals Estándar es conocido a veces como Vals Inglés. Con su estilo renovado y más natural que nunca, el Vals se reinstauró rápido en los salones de baile de todo el mundo y se convirtió en uno de los más apreciados bailes estándar internacionales.

Basándose en las técnicas definidas durante los años veinte y cultivadas durante los treinta, el Vals ha seguido desarrollándose a lo largo del siglo XX, dando lugar a una increíble variedad de figuras y combinaciones para uso y disfrute de aquellos que lo bailan. Espero, de todo corazón, que pronto te conviertas en uno de ellos.

Conocimiento de pista básico

Cuando estés bailando en la pista junto con otras parejas, deberías mantener la atención en el movimiento y dirección de los demás. Saber evitar problemas es una gran ventaja para un bailarín. Formas de hacerlo se describen más adelante a lo largo de esta sección. Sin embargo, hay ciertas normas que conviene mencionar ahora.

- *Tiene sentido que los bailarines más experimentados dejen lugar a los novatos.*
- *Quien quiera que vea un problema potencial, debería iniciar la acción para evitarlo. Esto suele aplicarse a la pareja que está al final de la corriente.*
- *Nunca bailes a lo largo de la línea central del salón o en contra de la corriente. Con un poco de práctica, la habilidad de evitar meterte en problemas se convertirá en una satisfacción en sí misma.*

El Vals se ha ido adaptando a las modas cambiantes durante más de dos siglos.

Vals Básico

Algunas escuelas de baile recomiendan bailar el Vals en líneas rectas alrededor de la pista. Esto no es incorrecto pero, dado que la mayor parte de los bailarines ejecutan este estilo en zigzag, el método de las líneas rectas está abocado a causar problemas, generando tropiezos entre quienes ocupan la pista de baile. Además, el carácter del Vals sugiere giros elegantes y gráciles. Por eso, vamos a empezar con el método internacionalmente reconocido del Vals, incluyendo sus característicos giros en zigzag, que lo hacen más interesante y placentero. El Vals Básico descrito aquí consiste en cuatro secciones de tres pasos cada una, creando una breve secuencia de 12 pasos. Cada sección tiene un Paso Adelante, un Paso Lateral y un Cierre. Empieza con el agarre descrito previamente, los pies juntos, y a una distancia de 1,5 metros, aproximadamente, del borde de la pista, para tener suficiente espacio para moverte libremente. El hombre está preparado para avanzar a lo largo del Zig, y la mujer para retroceder.

Sección 1

1

2

3

Hombre Avanza con el pie derecho, girando levemente hacia la derecha (en el sentido de las agujas del reloj).

Mujer Retrocede con el pie izquierdo, girando levemente hacia la derecha (en el sentido de las agujas del reloj).

Hombre Gira del Zig al Zag dando un paso lateral con la punta del pie izquierdo.

Mujer Gira del Zig al Zag dando un paso lateral con la punta del pie derecho.

Hombre Ya en el Zag, cierra el pie derecho sobre el izquierdo y apoya el talón del pie derecho.

Mujer Ya en el Zag, cierra el pie izquierdo sobre el derecho y apoya el talón del pie izquierdo.

Sección 2

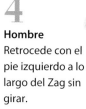

4

5

6

Hombre Retrocede con el pie izquierdo a lo largo del Zag sin girar.

Mujer Retrocede con el pie derecho a lo largo del Zag sin girar.

Hombre Paso lateral con la punta del pie derecho.

Mujer Paso lateral con la punta del pie izquierdo.

Hombre Ya en el Zag, cierra el pie derecho sobre el izquierdo. El pie derecho se apoya completamente; el talón izquierdo se levanta del suelo.

Mujer Ya en el Zag, cierra el pie izquierdo sobre el derecho. El pie izquierdo se apoya completamente; el talón derecho se levanta del suelo.

El balanceo

El balanceo es una característica fundamental para un baile fluido y relajado. Cuando un pie se mueve, el cuerpo se balancea hacia el otro lado ligeramente de forma natural, ayudando al equilibrio. Si los pasos son pequeños, el balanceo será casi imperceptible pero, a medida que te acostumbres al Vals y empieces a bailarlo con más libertad, podrás permitirte balanceos más exagerados para mejorar tu estilo.

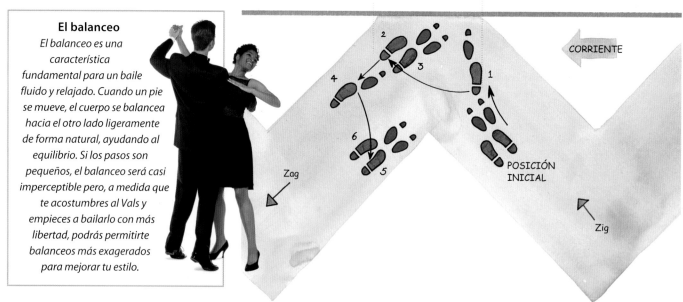

CORRIENTE

Zag

POSICIÓN INICIAL

Zig

Sección 3

7

Hombre
Retrocede con el pie derecho, girando levemente hacia la izquierda (en el sentido opuesto a las agujas del reloj).

Mujer Retrocede con el pie izquierdo, girando levemente hacia la izquierda (en el sentido opuesto a las agujas del reloj).

8

Hombre Paso lateral con la punta del pie izquierdo, girando del Zag al Zig.

Mujer Paso lateral con la punta del pie derecho, girando del Zag al Zig.

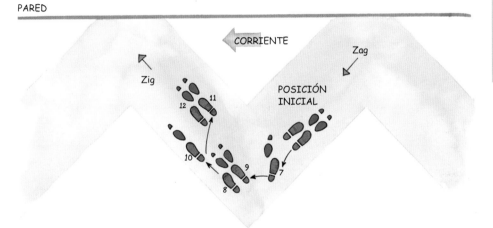

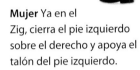

9

Hombre
Ya en el Zig, cierra el pie derecho sobre el izquierdo y apoya el talón del pie derecho.

Mujer Ya en el Zig, cierra el pie izquierdo sobre el derecho y apoya el talón del pie izquierdo.

Notas
- *Como habrás observado, cada sección empieza con un pie distinto.*
- *Las secciones alternan movimientos curvos con movimientos rectos.*
- *El patrón de movimiento general del Vals Básico es un zigzag a lo largo de la pista.*
- *Es esencial asegurarse de que el segundo paso de cada sección sea efectivamente lateral y no se convierta en otro paso frontal.*
- *No caigas en la tentación de desviarte del patrón descrito; la precisión es vital.*
- *Practica el Vals, procurando relajarte y asentarte en un ritmo firme. Deberías darte cuenta de que el camino en el que te mueves tiene un ancho de un metro, aproximadamente.*

¿Mala orientación?
Si te encuentras desviándote hacia el centro de la pista o hacia la pared, deberías comprobar si estás haciendo el mismo número de giros hacia la derecha que hacia la izquierda en las secciones de giro (secciones 1 y 3).

PARED

CORRIENTE

Zig

Zag

POSICIÓN INICIAL

12 11 10 9 8 7

Sección 4

Estos tres pasos son solo uno de los cuatro ejemplos posibles de un Paso de Cambio Cerrado. Un Paso de Cambio Cerrado es cualquier movimiento de «Paso Adelante-Paso Lateral-Cierre» sin giro. Avanza o retrocede, y puede empezar con cualquiera de los pies.

10

Hombre Avanza a lo largo del Zig con el pie izquierdo y sin girar.

Mujer Avanza a lo largo del Zig con el pie derecho y sin girar.

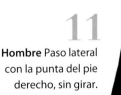

11

Hombre Paso lateral con la punta del pie derecho, sin girar.

Mujer Paso lateral con la punta del pie izquierdo, sin girar.

12

Hombre Junta el pie izquierdo con el derecho y apoya el talón del pie izquierdo.

Mujer Junta el pie derecho con el izquierdo y apoya el talón del pie derecho.

Ahora puedes repetir los 12 pasos básicos desde el principio y bailar el Vals por toda la pista. Por el momento, cuando alcances una esquina, limítate a girar y reorientarte todo lo rápido que puedas a los zigzags de la nueva pared. El hombre puede, para conseguir esto fácilmente, acentuar fuertemente el giro a la izquierda del paso 7.

BAILES DE SALÓN INTERNACIONALES

Giro Natural en Esquina

Una vez te hayas acostumbrado al ritmo regular y al patrón de movimiento del Vals Básico, querrás empezar a emplear una figura que te ayude a sortear las esquinas con más fluidez y comodidad. En los bailes estándar, cualquier giro hacia la derecha se llama un Giro Natural, sin importar lo antinatural que pueda parecer al principio. El giro natural implica dos secciones de tres pasos. Cada una de estas secciones sigue el patrón familiar de «Paso Adelante-Paso Lateral-Cierre». Empieza como el Vals Básico, con los pies juntos. El hombre tiene su peso sobre el pie izquierdo y la mujer sobre el derecho, a 1,5 metros, aproximadamente, del final de la pista. El hombre está preparado para avanzar por el Zig y la mujer para retroceder.

Sección 1

Esta sección comprende los tres primeros pasos del Vals Básico, pero con un giro más acentuado.

1

Hombre Avanza con el pie derecho, girando hacia la derecha (en el sentido de las agujas del reloj).

Mujer Retrocede con el pie izquierdo, girando hacia la derecha (en el sentido de las agujas del reloj).

2

Hombre Continúa el giro y da un paso lateral con la punta del pie izquierdo.

Mujer Continúa el giro y da un pequeño paso lateral con la punta del pie derecho.

3

Hombre Sigue girando hasta dar la espalda a la esquina, de frente a la corriente. Junta el pie derecho con el izquierdo, dejando tu peso sobre el pie derecho. La pared está ahora a tu izquierda.

Mujer Sigue girando hasta encarar la pista de baile, mirando a favor de la corriente. Junta el pie izquierdo con el derecho, dejando tu peso sobre el pie izquierdo.

Sección 2

Sigue girando en la misma dirección a medida que sorteas la esquina para terminar en Zig en el comienzo de la nueva pared.

4

Hombre Sigue girando hacia la derecha (en el sentido de las agujas del reloj) y retrocede un paso con el pie izquierdo.

Mujer Sigue girando hacia la derecha (en el sentido de las agujas del reloj) y avanza un paso con el pie derecho.

5

Hombre Sigue girando hacia la derecha (en el sentido de las agujas del reloj) y da un pequeño paso lateral con la punta del pie derecho.

Mujer Sigue girando hacia la derecha (en el sentido de las agujas del reloj) y da un paso lateral con la punta del pie izquierdo.

6

Hombre Sigue girando hacia la derecha (en el sentido de las agujas del reloj) para terminar en el Zig de la nueva pared. Junta el pie izquierdo con el derecho y deja tu peso sobre el pie izquierdo.

Mujer Sigue girando hacia la derecha (en el sentido de las agujas del reloj) para terminar en el Zig de la nueva pared. Junta el pie derecho con el izquierdo y deja tu peso sobre el pie derecho.

> Has sorteado una esquina con éxito y estás en un Zig, preparado para avanzar usando el Vals Básico.

Consejo práctico: pasos cortos

En el paso 2 de la mujer y en el 5 del hombre, el bailarín debería dar un paso relativamente corto hacia el costado para ayudar a su pareja a girar alrededor. La persona que está retrocediendo en el giro es la que está en la parte interior de la curva, por lo que debería dar pasos más cortos. Es un truco muy útil, por lo que conviene recordarlo y ponerlo en práctica al bailar.

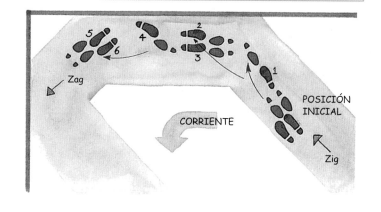

Derecha: Un paso adelante en la cuenta 1 generalmente será un paso normal, empezando por el talón.

Izquierda: Un paso lateral en la cuenta 2 se levantará, normalmente, sobre la punta del pie.

Derecha: Un cierre en el paso 3 será acompañado por un movimiento de apoyo, de punta a talón, sobre el pie que se acaba de mover.

Izquierda: En las figuras con cuatro pasos dentro de un solo compás, como por ejemplo el Chassé, el bailarín irá elevándose gradualmente sobre las puntas de los pies durante los tres primeros pasos, para descender suavemente en el cuarto con un movimiento «punta-talón».

• *Ciertas excepciones a estas guías serán especificadas en la figura en cuestión, en caso de ser relevante para el disfrute del baile. El Alzamiento y Caída no ocurre en el Foxtrot Social ni el Tango Moderno.*

Encajar el Vals Básico en la pista

Al bailar el Vals Básico, te darás cuenta de que, cuando quieres hacer un Giro Natural en la esquina, puedes estar preparado para realizarlo o demasiado pronto, o demasiado tarde. Como norma general, es mejor hacerlo antes, dado que hacerlo después puede llevar a que acabes saliendo de la pista. Con un poco de práctica, sin embargo, podrás medir tu progresión por la pista para llegar a la esquina en el momento perfecto para realizar bien el Giro Natural.

Suele asumirse, de forma incorrecta, que esto se puede conseguir haciendo los pasos más largos. Esto solo sirve para que el baile se vuelva incómodo. La respuesta, aun siendo más sutil, no es difícil. El ángulo de los giros realizados durante el

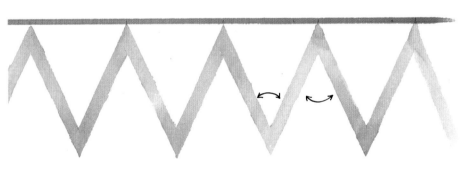

Vals Básico puede ajustarse para hacer que el movimiento sea más o menos extenso por el lateral de la pista. El bailarín experto no suele preocuparse de la esquina hasta los últimos 12 pasos del Vals Básico, generalmente, en los que puede ajustar el ángulo para tener suficiente espacio para realizar el Giro Natural.

Ten en cuenta que muchos bailarines inexpertos suelen intentar un Vals Básico de más, cuando en realidad deberían estar realizando un Giro Natural u otro movimiento apto para sortear la esquina. Este error suele significar que el bailarín no ha planeado con la suficiente precisión, por lo que es importante empezar a pensar en la esquina cuando hayas progresado por dos tercios de la pista, como máximo.

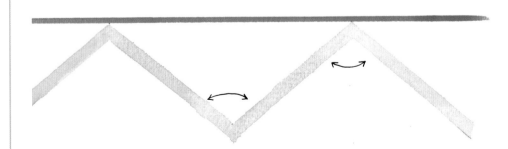

Ángulo más ajustado = Menor desplazamiento

Ángulo menos ajustado = Mayor desplazamiento

Cambio Exterior

Los movimientos más útiles suelen ser los más simples. El Cambio Exterior es una figura excelente para extender el Vals Básico en el espacio. Puedes ejecutar el Cambio Exterior inmediatamente después de la sección 1 del Vals Básico y volver a empezar después el mismo Vals Básico desde la sección 1, con el hombre dando su primer paso hacia adelante con el pie derecho por el lateral de la mujer, o ejecutar el Giro Natural en Esquina con el mismo pie derecho y la misma modificación. Puede seguirse, de forma similar, con la Vuelta Natural, descrita más adelante.

2

Hombre Retrocede con la punta del pie derecho, sin salir del Zag.

Mujer Avanza con la punta del pie izquierdo.

1

Hombre Retrocede con el pie izquierdo, sin salir del Zag.

Mujer Avanza con el pie derecho.

3

Hombre Da un paso lateral con el pie izquierdo, empezando a entrar en el Zig.

Mujer Da un paso lateral con el pie derecho, empezando a entrar en el Zig.

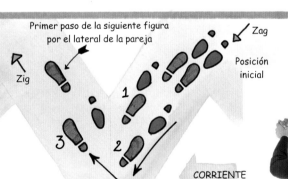

PARED

Primer paso de la siguiente figura por el lateral de la pareja

Zag

Posición inicial

Zig

1

3   2

CORRIENTE

Es importante tener en cuenta que, en el primer paso de la figura que vaya tras el Cambio Exterior, el hombre se encontrará más cómodo bailando «por fuera» de la mujer con su pie derecho; esto significa que el pie derecho avanzará, cruzándose entre el hombre y la mujer.

El movimiento se completa volviendo al Vals Básico o ejecutando el Giro Natural en Esquina.

Cambio Exterior en Posición de Paseo

Esta variación del Cambio Exterior, muy popular y extremadamente útil en términos de relación con la pista, se utiliza para adelantar a parejas más lentas o para mejorar tu progreso por la pista. Incluye un nuevo movimiento llamado Chassé. Empieza con los pasos 1 y 2 del Cambio Exterior como están previamente especificados. En el paso 2, el hombre gira su cabeza ligeramente hacia la izquierda, y la mujer empieza a girar su cabeza hacia la derecha. Sigue así.

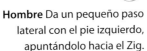

Hombre Da un pequeño paso lateral con el pie izquierdo, apuntándolo hacia el Zig.

Mujer Da un pequeño paso lateral con el pie derecho, apuntándolo hacia el Zag. Gira la cabeza hacia la derecha.

En este movimiento, la mujer no gira su cuerpo. Esto consigue que ella termine en una posición ligeramente abierta, o «de paseo», en el paso 3.

Posición de Paseo

La Posición de Paseo se utiliza con mucha frecuencia en los bailes estándar. Consiste simplemente en que la pareja se ha movido a una posición en la que el hombro izquierdo del hombre y el derecho de la mujer están a una distancia mayor que el hombro derecho del hombre y el izquierdo de la mujer. La pareja está, por tanto, ligeramente abierta hacia la izquierda del hombre y la derecha de la mujer. Es crucial que esta apertura sea pequeña y que no se exagere hasta convertirse en una posición casi paralela, hombro con hombro. En la Posición de Paseo, la mujer mira más a la derecha y el hombre más a la izquierda de lo habitual. Cuando el hombre da un paso con el pie derecho y la mujer con el izquierdo en esta posición, los pies deben ir por en medio de los dos y a lo largo de la misma línea. Dada la posición relativa de sus cuerpos, el pie del hombre debe ir primero. Un paso de este tipo debería ser corto, para evitar distorsionar la figura de la parte superior de los cuerpos..

PARED

CORRIENTE

Las líneas negras muestran la alineación del cuerpo

Chassé desde Posición de Paseo

Este movimiento, que se utiliza habitualmente, tiene cuatro pasos, encajados en el compás usual del Vals de tres golpes mediante una cuenta especial de «1, 2, Y, 3», donde las cuentas de en medio, las de 2 e Y, comparten el segundo golpe musical. El hombre se mueve a lo largo de una línea paralela a la pared, pero manteniendo su alineación respecto al Zig. La mujer se mueve en otra línea paralela a la pared, pero con la cabeza y el cuerpo girando gradualmente para retomar la posición normal, encarando al hombre.

1

Hombre
Avanza con el pie derecho, cruzándolo delante de tu cuerpo a lo largo de la línea.

Mujer
Avanza con el pie izquierdo, cruzándolo delante de tu cuerpo a lo largo de la línea, y comienza a girar hacia la izquierda.

2

Hombre
Avanza con la punta del pie izquierdo manteniendo la progresión a lo largo de la línea.

Mujer
Avanza con la punta del pie derecho, manteniendo la progresión a lo largo de la línea y continuando el giro hacia la izquierda.

Y

Hombre
Junta el pie derecho con el izquierdo, sin apoyar los talones.

Mujer Junta el pie izquierdo con el derecho, sin apoyar los talones, y completa el giro hacia la izquierda encarando al hombre.

3

Hombre Paso lateral con el pie izquierdo, bajando a los talones, sobre la misma línea para terminar en el Zig.

Mujer
Paso lateral con el pie derecho, bajando a los talones, sobre la misma línea para terminar en el Zig.

> Continúa con el Vals Básico, o con el Giro Natural en Esquina, recordando que, en el paso 1, el hombre avanzará con su pie derecho por el lateral de la mujer.

Tres Pasos Girando hacia la derecha

Imagina que estás en un Zig, preparado para bailar el Vals Básico, pero hay otra pareja delante de ti. Es un buen momento para bailar los Tres Pasos Girando hacia la derecha. Cuando hayas terminado con esta figura, la otra pareja probablemente se habrá movido, dejándote espacio para avanzar.

Figuras de pista

Cuando vayas a intentar el Vals Básico, te darás cuenta de que una de las mayores preocupaciones del hombre es evitar a otros bailarines en la pista. A veces, te verás obligado a tomar decisiones en un segundo para evitar chocar con otra pareja. Por eso, es muy importante que el hombre lleve a la mujer dejando sus intenciones muy claras. No debería ni necesitaría mover físicamente a la mujer si ejecuta los pasos que elige con precisión y claridad. La mujer también debería anticipar posibles problemas. Para evitar que el hombre, en un movimiento de retroceso, choque, puede pellizcar levemente su brazo derecho, a modo de aviso. Una vez advertida, el trabajo del hombre es tomar la acción evasiva. Lo más sensato siempre es elegir la acción más simple para salir del problema. Algunos de los movimientos explicados aquí son realmente sencillos, como el Corté Flotante, la Batida o el Giro Natural Corregido. Estas figuras, junto con los Tres Pasos Girando hacia la derecha, son especialmente útiles para sortear el tráfico de forma eficaz y elegante, y evitar cualquier tipo de problema.

1

Hombre
Avanza con el pie derecho, empezando a girar hacia la derecha.

Mujer Retrocede con el pie izquierdo, empezando a girar hacia la derecha.

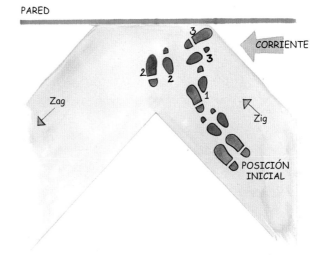

2

Hombre Avanza con la punta del pie izquierdo, continuando el giro hacia la derecha.

Mujer Retrocede con la punta del pie derecho, continuando el giro hacia la izquierda.

3

Hombre Avanza con el pie derecho, cruzándolo levemente frente a tu cuerpo, bajando sobre el talón al costado de la mujer, y continuando el giro para terminar en el Zag. Gira tu cuerpo un poco más hacia la derecha en este paso.

Mujer Retrocede un paso corto con el pie izquierdo bajo tu cuerpo, continuando el giro hacia la derecha para terminar en el Zag. Gira tu cuerpo un poco más hacia la derecha en este paso.

Continúa con el Cambio Exterior con una modificación importante. En el paso 1, mantén la posición girada del cuerpo del final de los Tres Pasos Girando hacia la derecha. La mujer da el primer paso del Cambio Exterior por la parte externa del hombre o, lo que es lo mismo, pasando el pie entre ella y su pareja, y empieza a girar ligeramente hacia la izquierda, para alinearse con el hombre a medida que llega al paso 2.

Corté Flotante

El Corté Flotante es una figura tradicional del Vals. Puede ser bailada tras el paso 6 del Vals Básico, especialmente si el espacio que hay frente a la pareja está ocupado por otros bailarines. Empieza en el Zag, habiendo pasado la sección 2 del Vals Básico. El hombre tiene su peso sobre el pie izquierdo y la mujer sobre el derecho. Ambos tienen los pies juntos.

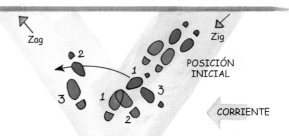

1

Hombre Retrocede con el pie derecho, girando ligeramente hacia la izquierda, o en el sentido opuesto a las agujas del reloj.

Mujer Avanza con el pie izquierdo, girando levemente hacia la izquierda, o en el sentido opuesto a las agujas del reloj.

2

Hombre Paso lateral con la punta del pie izquierdo, girando hasta llegar al Zig.

Mujer Gira del Zag al Zig con un movimiento lateral con la punta de ambos pies, permitiendo que el pie izquierdo dé un toque ligero al pie derecho.

3

Hombre Ya en el Zig, apoya el peso del cuerpo de forma lateral sobre el talón derecho.

Mujer Ya en el Zig, apoya el peso del cuerpo de forma lateral sobre el talón izquierdo.

Continúa con la sección 2 del Vals Básico, pero sin realizar ningún giro, de forma que permanezcas en el Zig. En el primer paso, la mujer avanza con su pie derecho por el lateral del hombre, cruzándolo entre los dos cuerpos. Terminada esta sección, vuelve a empezar el Vals Básico.

Batida

La Batida es un movimiento muy popular en el Vals. Es fácil introducirlo tras el paso 9 (sección 3) del Vals Básico. Dado que la Batida interrumpe de forma momentánea tu progreso por la pista, es bueno como movimiento de freno si hay otra pareja delante obstruyendo el camino. La pareja está en un Zig con los pies juntos. El hombre tiene su peso en el pie derecho, y la mujer en el izquierdo.

1

Hombre Avanza con el pie izquierdo a lo largo del Zig.

Mujer Retrocede con el pie derecho a lo largo del Zig.

2

Hombre Paso lateral en contra de la corriente con la punta del pie derecho, todavía en el Zig.

Mujer Paso lateral en contra de la corriente, con la punta del pie izquierdo, girando del Zig al Zag.

3

Hombre Cruza el pie izquierdo tras el derecho y apoya el talón. Gira muy levemente hacia la derecha.

Mujer Cruza el pie derecho tras el izquierdo, apoyando el talón.

Ahora, dado que la mujer ha abierto su lado derecho, estás en Posición de Paseo. Sigue con el Chassé desde Posición de Paseo que bailaste antes como parte del Cambio Exterior desde Posición de Paseo.

Giro Natural Corregido con Pivote Inverso

Si estás bailando un Giro Natural en Esquina, y te encuentras con que la esquina está congestionada de tráfico, puedes corregir el movimiento en el giro y pivotar hacia la izquierda, saliendo del problema. Empieza como el Giro Natural en Esquina.

1 **Hombre** Avanza con el pie derecho, empezando a girar hacia la derecha.

Mujer Retrocede con el pie izquierdo, empezando a girar hacia la derecha.

2

Hombre Avanza con la punta del pie izquierdo, girando más acusadamente hacia la derecha, pero manteniendo tu mirada en el Zig. Balancéate levemente hacia la izquierda.

Mujer Retrocede con la punta del pie derecho, girando más acusadamente hacia la derecha. Balancéate levemente hacia la derecha y permite que tu cabeza gire y se mueva hacia la derecha.

3

Hombre Recupera el giro, bajando el peso al talón derecho y girando fuertemente hacia la izquierda, con el pie izquierdo delante del derecho y las rodillas juntas. Termina en el Zig de la nueva pared, dispuesto a avanzar hacia la línea central a lo largo del Zag.

Mujer Avanza con el pie izquierdo, apoyando el talón, y gira fuertemente hacia la izquierda con las rodillas juntas. Permite que tu cabeza vaya hacia la izquierda para recuperar su posición natural. Termina en el Zig de la nueva pared.

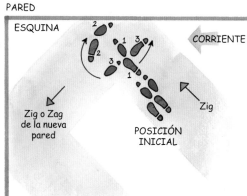

Habiendo sorteado la esquina, puedes seguir con los pasos del 10 al 12 (sección 4) del Vals Básico, o con la Batida, usando el Zig de la nueva pared.

Opciones de pista-guía

Ya tienes una serie de opciones que te ayuden a manejarte con el tráfico en la pista en cada estadio del Vals Básico y en las esquinas, en caso de que la zona a la que te diriges esté ocupada por otros bailarines. A medida que practiques, mejorarás gradualmente tu tiempo de respuesta a las condiciones de la pista, y ganarás en capacidad de evitar problemas. Lógicamente, no es necesario esperar a que haya un obstáculo para elegir cualquiera de estas figuras. Puedes ejecutarlas para mejorar tus habilidades de pista o solo por el placer de bailarlas. La práctica no solo hace las cosas más fáciles; las hace posibles. Cuando te veas bailando tu repertorio de movimientos sin necesidad de un gran esfuerzo, será momento de imponerte retos más complejos.

Después de la sección 1
Cambio Exterior, o Cambio Exterior en Posición de Paseo y Chassé en Posición de Paseo.

Después de la sección 2
Corté Flotante.

Después de la sección 3
Batida y Chassé en Posición de Paseo.

Después de la sección 4
Tres Pasos Girando hacia la Derecha y Cambio Exterior.

Vuelta Natural

Sin ser una figura básica, la Vuelta Natural se ha convertido en el método estándar internacional de sortear las esquinas en el Vals. Además, la Vuelta Natural es también la forma estandarizada de girar en esquina en el Quickstep. La figura comienza en el mismo sitio que el Giro Natural en Esquina. Piensa en esta figura como en una de seis pasos. Ya has visto tres de ellos, así que, con un poco de paciencia, podrás dominar esta versión simplificada de la Vuelta Natural con relativa sencillez. Empieza bailando los pasos del 1 al 3 del Giro Natural en Esquina. El hombre está encarado en contra de la corriente con el peso sobre el pie derecho. La mujer mira a favor de la corriente con su peso sobre el pie izquierdo. Ambos tienen los pies juntos.

4

Hombre Retrocede con el pie izquierdo, manteniendo el peso abajo o girando el pie izquierdo hacia dentro para realizar un giro acentuado hacia la derecha. Mantén las rodillas juntas. Al principio, esto puede parecer incómodo o aparatoso, pero es solo cuando practicas los pasos. Al hacerlo a su velocidad real, el movimiento fluirá de forma cómoda y natural.

Mujer Avanza con el pie derecho, manteniendo el peso abajo y girando acusadamente hacia la derecha para terminar en el Zig de la nueva pared. Mantén las rodillas juntas.

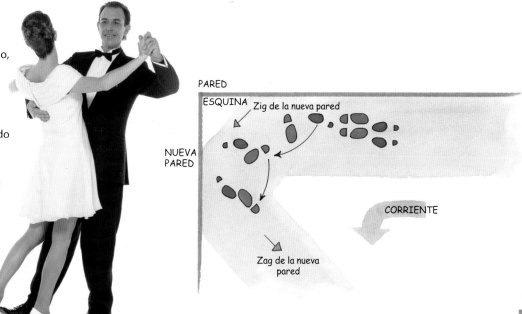

5

Hombre Avanza entre los pies de la mujer con el pie derecho, siguiendo el Zig de la nueva pared. Elévate sobre la punta del pie derecho y continúa el giro hacia la derecha, girando el pie derecho sobre la punta y manteniendo el pie izquierdo detrás.

Mujer Retrocede con la punta del pie izquierdo a lo largo del Zig de la nueva pared, continuando el giro hacia la derecha. Acerca el pie derecho por detrás hasta que toque el pie izquierdo.

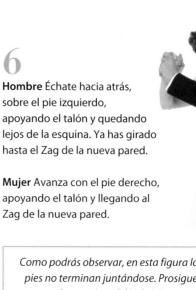

6

Hombre Échate hacia atrás, sobre el pie izquierdo, apoyando el talón y quedando lejos de la esquina. Ya has girado hasta el Zag de la nueva pared.

Mujer Avanza con el pie derecho, apoyando el talón y llegando al Zag de la nueva pared.

> **Consejos de pista**
> *Si al ejecutar la Vuelta Natural encuentras la esquina bloqueada, puedes detener la figura bailando el Giro Natural Corregido con Pivote Inverso descrito anteriormente.*

> *Como podrás observar, en esta figura los pies no terminan juntándose. Prosigue con la sección 3 del Vals Básico.*

Telemark Flotante

El Telemark Flotante es una figura clásica que, no solo es muy útil en términos de pista, sino que además tiene una presencia maravillosa y no es difícil de llevar para el hombre. La descripción de los movimientos debe ser seguida con atención antes de pretender ejecutar la figura con éxito. Es importante no confundir el nombre de esta figura con el del Corté Flotante descrita anteriormente. Baila el Telemark Flotante tras la sección 3 del Vals Básico. Estarás en el Zig, con los pies juntos. El hombre tiene su peso sobre el pie derecho, la mujer sobre el izquierdo.

1

Hombre Avanza con el pie izquierdo a lo largo del Zig, girando tu cuerpo hacia la izquierda de forma que el pie esté casi cruzando por delante de ti. Relaja las rodillas y enfoca tu mirada en la dirección del Zig.

Mujer Retrocede con el pie derecho en el Zig, girando tu cuerpo hacia la izquierda de forma que tu pie esté casi cruzando por delante de ti. Relaja las rodillas y gira la cabeza hacia la izquierda decididamente en cuanto sientes que el hombre te lleva claramente a esta figura.

2

Hombre Avanza por el Zig con la punta del pie derecho, girando el cuerpo hacia la derecha de forma que encare en la misma dirección que el pie.

Mujer Retrocede por el Zig con la punta del pie izquierdo, girando el cuerpo hacia la derecha de forma que encare en la misma dirección que el pie. Gira tu cabeza hacia la derecha de forma gradual para que termines mirando al hombre.

3

Hombre Da un pequeño paso lateral con el pie izquierdo plano, siguiendo la línea del borde de la pista. El pie izquierdo debe acabar apuntando en la dirección del Zig y el cuerpo en Posición de Paseo.

Mujer Da un pequeño paso lateral con el pie derecho plano, siguiendo la línea del borde de la pista. El pie derecho debe acabar apuntando en la dirección del Zag. Gira tu cabeza hacia la izquierda para terminar en Posición de Paseo.

> *Continúa con el Chassé en Posición de Paseo.*

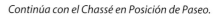

Grupo de Telemark Abierto

Ahora que ya tienes cierta práctica en la combinación de figuras, y empiezas a comprender las múltiples características del Vals, incluyendo la Posición de Paseo, puedes desear intentar nuevas combinaciones que incluyan este movimiento. Al ejecutar esta figura, debes tener cuidado y consideración con los otros bailarines, dado que este movimiento se desplaza a través de la corriente hacia el centro de la pista. En cualquier caso, debes empezar adquiriendo la posición adecuada para bailar el Telemark Abierto.

Sección 1

Baila la Vuelta Natural como lo harías en una esquina, pero hazlo en el lateral de la pista. Cuando hayas completado el giro (360º), terminarás en el Zig, en contra de la corriente.

Sección 2

Ejecuta la sección 3 del Vals Básico para terminar encarando el centro de la pista en el Zag. Habrás girado un cuarto de vuelta (90º) hacia la izquierda. Ahora estás preparado para experimentar la elegancia del Telemark Abierto.

1

Hombre Avanza con el pie izquierdo a lo largo del Zag hacia el centro de la pista, empezando a girar hacia la izquierda.

Mujer Retrocede con el pie derecho a lo largo del Zag hacia el centro de la pista, empezando a girar hacia la derecha.

2

Hombre Avanza con la punta del pie derecho, todavía en el Zag, hacia el centro de la pista, continuando el giro hacia la izquierda. Termina con el pie derecho al costado, dando la espalda al Zig.

Mujer Retrocede con el pie derecho, manteniendo el contacto del talón con el suelo. Continúa el giro hacia la izquierda con el talón derecho y gira la cabeza gradualmente hacia la derecha a medida que te levantas sobre la punta del pie izquierdo.

3

Hombre Continúa el giro sobre el pie derecho y da un pequeño paso lateral, apoyando el peso sobre el pie izquierdo en la dirección del Zig en Posición de Paseo.

Mujer Continúa el giro sobre el pie izquierdo y da un pequeño paso lateral, apoyando el peso sobre el pie derecho en la dirección del borde de la pista en Posición de Paseo. Tu cabeza está girada hacia la derecha.

Continúa con el Chassé desde Posición de Paseo o con la Horquilla desde Posición de Paseo.

BAILES DE SALÓN INTERNACIONALES

Horquilla desde Posición de Paseo

El Cambio Exterior, la Batida, el Telemark Flotante y el Telemark Abierto pueden terminar, o terminan todos en Posición de Paseo y, generalmente, siguen con el Chassé desde Posición de Paseo. Sin embargo, dado que el camino puede estar bloqueado, es útil tener una ruta alternativa. Esta sensacional figura siempre parece más complicada de lo que realmente es, dando un acabado profesional al Vals incluso en bailarines de nivel intermedio. Empieza desde cualquiera de las figuras antes mencionadas, terminándolas en Posición de Paseo.

1

Hombre Avanza con el pie derecho, cruzándolo frente a tu cuerpo, siguiendo la línea del borde de la pista.

Mujer Avanza con el pie izquierdo, cruzándolo frente a tu cuerpo, siguiendo la línea del borde de la pista.

Consejo de estilo

El hombre baila los pasos 1 y 2 a lo largo de una línea paralela a la pared, pero manteniendo la alineación respecto al Zig. La mujer baila los pasos 1 y 2 a lo largo de una línea paralela a la pared.

2

Hombre Avanza con la punta del pie izquierdo, apuntándolo en la dirección del Zig. Acerca a la mujer a tu lado derecho cerrando tu cuerpo ligeramente hacia la izquierda.

Mujer Movimiento lateral con la punta del pie derecho, a lo largo de la misma línea, pero girando acusadamente hacia la izquierda para acercar tu lado derecho al hombre. Tu cabeza recupera su posición natural.

3

Hombre Con el peso sobre el pie izquierdo, balancéate y gira acusadamente hacia la derecha en el Zag. Da un pequeño paso frontal con el pie derecho, bajando tu peso en el lateral de la mujer. Gira tu cuerpo un poco más a la derecha al dar este paso y gira tu cabeza hacia la derecha para mirar a la mujer. Ten en cuenta que el giro del cuerpo se debe hacer antes que el paso.

Mujer Da un pequeño paso hacia atrás con el pie izquierdo plano, bajando el peso y girando acusadamente hacia la derecha para terminar en el Zag. Gira tu cuerpo un poco más hacia la derecha al dar este paso.

Observa el fuerte balanceo hacia la derecha del hombre y la izquierda de la mujer en el paso 3. Continúa con el Cambio Exterior.

Horquilla desde el paso 6 del Vals Básico

La Horquilla no tiene porqué ser ejecutada siempre desde la Posición de Paseo. Puedes empezarla también desde el paso 6 del Vals Básico, en cuyo caso se modifica de la siguiente manera. Utiliza este movimiento en cualquier situación en la que el camino esté bloqueado y quieras frenar tu avance.

1 ▶

Hombre Retrocede con el pie derecho por el Zag.

Mujer Avanza con el pie izquierdo por el Zag.

2

Hombre Da un paso lateral con la punta del pie izquierdo.

Mujer Da un paso lateral con la punta del pie derecho.

◀**3**

Hombre Con el peso sobre el pie izquierdo, balancéate y gira levemente hacia la derecha, sin salir del Zag. Da un pequeño paso hacia adelante con el pie derecho, cruzándolo por delante de tu cuerpo y apoyándolo completamente al costado de la mujer. Gira tu cuerpo un poco más hacia la derecha al dar este paso y gira la cabeza hacia la derecha para mirar a la mujer.

Mujer Retrocede un pequeño paso con el pie izquierdo, bajando el peso de tu cuerpo y girando levemente hacia la derecha. Gira tu cuerpo un poco más hacia la derecha al dar este paso.

Continúa como desde los Tres Pasos girando a la derecha.

Flotación desde Posición de Paseo

Siempre es conveniente tener una figura útil para el movimiento en pista guardado para bailar si el camino frente a ti está obstruido. Esta figura puede ser realizada tras la Batida, el Cambio Exterior Terminando en Posición de Paseo, el Telemark Abierto o el Telemark Flotante. Los pasos 2 y 3 son similares al Corté Flotante, pero se entra desde la Posición de Paseo.

1

Hombre Avanza con el pie derecho, cruzándolo frente a tu cuerpo en Posición de Paseo.

Mujer Avanza con el pie izquierdo, cruzándolo frente a tu cuerpo en Posición de Paseo.

2

Hombre Da un pequeño paso hacia adelante con la punta del pie izquierdo, girando hacia la izquierda. Indica la «Flotación» balanceándote hacia la derecha.

Mujer Avanza con la punta del pie derecho, girando hacia la izquierda para terminar encarando al hombre con tus pies paralelos pero separados. Balancéate hacia la izquierda y gira la cabeza hacia ese mismo lado.

3

Hombre Retrocede en contra de la corriente con el pie derecho, bajando el peso a los talones, y termina encarando en la dirección del Zig.

Mujer Avanza en contra de la corriente con el pie izquierdo, bajando el peso a los talones.

Continúa con cualquiera de las figuras sugeridas para seguir tras el Chassé Progresivo hacia la derecha. Puedes incluso empezar el Giro Abierto Impetuoso desde esta posición. Recuerda que, en el siguiente paso, la mujer deberá avanzar con el pie derecho por el costado del hombre.

Tres Pasos girando hacia la izquierda

Para aportar interés y flexibilidad a tu Vals, introducimos un movimiento que gira hacia la izquierda. Empieza con las secciones 1 y 2 del Grupo de Telemark Abierto. El hombre está en el Zag, encarando la línea central de la pista, y la mujer está al revés. Ambos tienen los pies juntos. El hombre tiene su peso sobre el pie derecho y la mujer sobre el izquierdo. Aunque este movimiento termine con el hombre encarado en contra de la corriente, ten cuidado de no bailarlo moviéndote en esa dirección.

1

Hombre Avanza con el pie izquierdo, girando hacia la izquierda.

Mujer Retrocede con el pie derecho, girando hacia la izquierda.

2

Hombre Avanza con la punta del pie derecho, continuando el giro hacia la izquierda y añadiendo un balanceo.

Mujer Retrocede con la punta del pie izquierdo, continuando el giro hacia la izquierda y añadiendo un balanceo.

3

Hombre Arrastrando el pie izquierdo frente al pie derecho, avanza un paso, bajando el peso sobre los talones y continuando el giro.

Mujer Arrastrando el pie derecho frente al pie izquierdo, avanza un paso, bajando el peso sobre los talones y continuando el giro.

La figura termina con el hombre mirando en contra de la corriente y la mujer a favor. Ajustando el giro ligeramente, puedes seguir con la Horquilla, como lo harías después del paso 6 del Vals Básico, o con el Corté Flotante terminando con el hombre en el Zig mirando hacia la pared. Una forma espectacular de continuar sería con el Sobre-Balanceo.

Sobre-Balanceo

Esta figura clásica tiene una amplia variedad de formas y estilos. En esta versión, la pareja se detiene momentáneamente cuando el hombre lleva a la mujer a un giro amplificado por un balanceo levemente exagerado. Dado que el giro se hace en el sitio, este movimiento tiene mucha utilidad en pista. Empieza bailando los Tres Pasos girando hacia la izquierda. El hombre está encarado en contra de la corriente, con el peso sobre el pie izquierdo. La mujer mira a favor de la corriente, con el peso sobre el pie derecho. Ambos tienen los pies juntos. El Sobre-Balanceo se baila a lo largo de una línea paralela al borde de la pista.

1

Hombre Retrocede a lo largo de la línea con el pie derecho.

Mujer Avanza a lo largo de la línea con el pie izquierdo.

2

Hombre Retrocede a lo largo de la línea con el pie izquierdo, relajando la rodilla. Con el peso sobre el pie izquierdo, comienza un giro hacia la izquierda, acompañado por un leve balanceo, y lleva a la mujer como si la condujeras a Posición de Paseo.

Mujer Avanza con la almohadilla del pie derecho como si trataras de adelantar al hombre, poniendo el lado derecho por delante. Relaja la rodilla derecha, dejando el pie izquierdo extendido detrás. Con el peso sobre el pie derecho, gira hacia la izquierda, acompañando con un leve balanceo hacia la derecha. Termina con la cabeza hacia la derecha.

3

Hombre Con el peso todavía en el pie izquierdo y la rodilla levemente flexionada, incrementa el balanceo hacia la izquierda ligeramente y continúa el giro hacia la izquierda para terminar encarando la pared, con el pie derecho extendido hacia el costado, pero sin apoyar peso en él.

Mujer Con el peso todavía en el pie derecho y la rodilla ligeramente flexionada, incrementa el balanceo hacia la derecha ligeramente y continúa el giro hacia la izquierda para terminar de espaldas a la pared, con el pie izquierdo extendido hacia el costado, pero sin apoyar peso en él.

4

Hombre Con el peso todavía sobre el pie izquierdo, la rodilla levemente flexionada y el pie derecho extendido hacia el costado, continúa el giro para llegar al Zig, cambiando el balanceo de izquierda a derecha y llevando el lado izquierdo levemente hacia atrás y empujando frontalmente con las caderas.

Mujer Con el peso todavía sobre el pie derecho, la rodilla levemente flexionada y el pie izquierdo extendido hacia el costado, continúa el giro para llegar al Zig, cambiando el balanceo de derecha a izquierda y permitiendo que la cabeza vuelva hacia ese mismo lado. El balanceo hacia la izquierda debería exagerarse levemente girando el cuerpo un poco más hacia la izquierda.

5

Hombre Junta el pie derecho con el izquierdo. Después sube sobre la punta del pie derecho y termina el balanceo, llevando a la mujer a Posición de Paseo.

Mujer Junta el pie izquierdo con el derecho. Después sube sobre la punta del pie derecho y termina el balanceo mientras giras la cabeza hacia la derecha para terminar en Posición de Paseo.

6

Hombre Da un pequeño paso lateral bajando el peso sobre el pie izquierdo, siguiendo la línea lateral de la pista. Termina en Posición de Paseo.

Mujer Da un pequeño paso lateral bajando el peso sobre el pie derecho, siguiendo la línea lateral de la pista. Termina en Posición de Paseo.

La mejor salida de esta posición es el Chassé desde Posición de Paseo, pero se puede optar por cualquiera de las salidas sugeridas desde la Posición de Paseo.

Oscilación

La Oscilación es el resultado final de un buen bailarín interpretando el Vals. Mientras estés aprendiendo los primeros pasos del Vals, entendiendo el ritmo y la cadencia, no tendrás tiempo de preocuparse de esto, pero tarde o temprano querrás mejorar tu estilo y disfrutar más profundamente añadiendo la Oscilación a tu baile. Si suspendes un péndulo sobre la pista, tiras de él, y lo dejas caer, viajará trazando un arco en línea recta. Esto es la Oscilación. Bailar el Vals correctamente implica oscilar de esa forma natural. En la mayoría de bailes estándar, la acción de la Oscilación tiene efecto en lados alternos del cuerpo a cada compás musical o grupo de tres golpes. Puedes oscilarte en cualquier figura. Aquí utilizamos el Giro Natural para explicarlo en detalle.

Izquierda: En el paso 1, el hombre avanza con el pie derecho a lo largo del Zig.

Izquierda: A medida que el hombre gira hacia la derecha en el paso 2, la Oscilación tendrá efecto en su lado izquierdo, haciéndole levantar su peso y ayudándole a empujar su lado izquierdo hacia la pared más rápido que el derecho, que se convierte en el centro del giro.

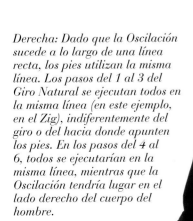

Derecha: Dado que la Oscilación sucede a lo largo de una línea recta, los pies utilizan la misma línea. Los pasos del 1 al 3 del Giro Natural se ejecutan todos en la misma línea (en este ejemplo, en el Zig), indiferentemente del giro o del hacia donde apunten los pies. En los pasos del 4 al 6, todos se ejecutarían en la misma línea, mientras que la Oscilación tendría lugar en el lado derecho del cuerpo del hombre.

Derecha: En el paso 3, la Oscilación continúa de forma natural hacia arriba, llevando el lado izquierdo del hombre con ella y haciéndole girar y seguir alzándose con el impulso de la Oscilación. Cuando el bailarín está girando, la Oscilación le hará inclinar su cuerpo hacia el centro del giro. Esta inclinación es lo que llamamos «balanceo».

Consejo de estilo

Cuando añades la Oscilación a una figura, el paso 2, que suele ser un paso lateral, lleva todo el ímpetu de la Oscilación y, por tanto, es más largo que los pasos 1 y 3. La Oscilación es la responsable de mantener una cantidad proporcional de giro, alineamiento, alzamiento y caída, trabajo de pies, balanceo y longitud de los pasos en muchas figuras del Vals. La Oscilación lleva también a una forma de moverse menos enérgica y más económica. Es un ingrediente imprescindible del buen baile que tu profesor puede ayudarte a desarrollar más extensamente.

Quickstep

Con su tiempo vivaz, el Quickstep se ha convertido en uno de los bailes de salón más populares.

El Quickstep es, junto con el Vals, uno de los dos bailes de salón más populares. Supuestamente, el humorista estadounidense Harry Fox inventó este baile mientras trabajaba en el teatro de *burlesque* justo antes de la Primera Guerra Mundial. En esa época, la ley prohibía que mujeres ligeras de ropa se movieran en el escenario; requería expresamente que se quedaran quietas en poses de índole artística. Para aprovecharse de esta ley, Fox ideó un baile que le permitiera ejecutar unos pocos pasos alrededor de la mujer estática entre chiste y chiste. El gremio de músicos y productoras discográficas, conocido entonces como el Tin Pan Alley (del inglés: «callejón del cazo de lata»), empezó a promocionar rápidamente la música y el baile bajo el nombre de «Foxtrot».

El Foxtrot consistía en una caminata lenta durante dos golpes musicales y una serie de pasos rápidos, o trotes, cada uno en un tiempo musical. En su origen, dependía fuertemente de pasos de otros estilos, como el One-Step o el Rag, pero los profesores de baile empezaron a crear pasos nuevos para satisfacer la demanda popular. En 1915, el Foxtrot había llegado al Reino Unido y alcanzado una nueva cota de popularidad. En ese momento, este estilo se bailaba a una velocidad de unos 32 compases por minuto pero, en 1916, los bailarines empezaron a adaptarlo a un tempo más lento, con una cadencia más arrastrada. Para diferenciarlo del Foxtrot normal, más rápido, este nuevo estilo empezó a llamarse Saunter, y fue este baile el que acabó evolucionando hasta ser la base del Foxtrot Lento.

Hacia el final de la Primera Guerra Mundial, el jazz empezaba a tener voz propia, expresando el sentimiento liberador de posguerra. En los años veinte, el ritmo de vida se aceleró, al igual que el Foxtrot,

cada vez más influido por el jazz. La mayor parte de bandas solían interpretar el Foxtrot a un tempo vertiginoso de 50 compases por minuto, el Quick Foxtrot. Entonces, en 1925, apareció el Charleston. Aún siendo un baile de moda extremadamente popular, carecía de potencial a largo plazo. Sin embargo, en 1927, se combinó con el Quick Foxtrot para convertirse en el baile con el tedioso nombre de Q.T.F.T. & C. (Quick Time Fox Trot y Charleston). El Charleston empezó a decaer, pero su influencia siguió viva en el Q.T.F.T. & C., renombrado como Quickstep.

Durante los años treinta y cuarenta, el carácter vívido del Quickstep se fusionó con los sonidos de las Big Bands de Swing. En las décadas posteriores, había ya suficiente cantidad de melodías aptas para mover los pies o temas románticos y vivaces para los que el Quickstep era el baile natural. Aunque el tempo haya bajado gradualmente, de los 54 a 56 atléticos compases de 1929 a los de 48 a 50 tranquilos compases por minuto de los noventa, el Quickstep no ha perdido ni un ápice de su vitalidad.

En sus estadios más avanzados, el Quickstep es una combinación de oscilaciones corporales y saltos sincopados, bailados a una velocidad impresionante. En su forma más social, este baile ofrece un patrón repetitivo fácil para todo el mundo. Esperamos que tu pareja y tú abracéis el ritmo y cadencia en que se ha convertido el Quickstep clásico.

Sugerencia musical

La música del Quickstep está compuesta por cuatro golpes musicales por compás. El primer y tercer golpe están acentuados, siendo el primero más fuerte. Es en este golpe, el primero, en el que se empieza a bailar. En seguida te familiarizarás con la cuenta de los pasos como Rápidos o Lentos. Un paso Rápido equivale a un golpe musical, mientras que uno Lento equivale a dos.

La mayoría de los movimientos del Quickstep consisten en un paso Lento, seguido de dos Rápidos. Algunos, como el Cuarto de Vuelta a la derecha, se completan con otro paso Lento mientras que otros, como el Giro Natural, tienen un ritmo distinto. Dado que tanto el primer como el tercer golpe están acentuados, no tienes por qué terminar los movimientos en un solo compás necesariamente. El Cuarto de Vuelta hacia la derecha, con una cuenta de Lento-Rápido-Rápido-Lento, se completa en un compás y medio, mientras que el Giro Natural, con su cuenta de Lento-Rápido-Rápido-Lento-Lento-Lento lleva dos compases y medio para ser completado. No hace falta que seas consciente de esto al bailar; basta con que comprendas la diferencia entre un paso Lento y un paso Rápido.

Musicalmente, el Quickstep tiene un compás de 4/4 y un tempo recomendado internacionalmente de 50 compases por minuto aunque, para bailes sociales, este tempo oscila de los 48 a los 52 compases por minuto. Es una velocidad algo más elevada que el de una caminata enérgica, y puede parecer demasiado rápido para empezar. No obstante, a medida que te familiarices con el Quickstep y recuerdes dar pasos cortos al bailar, la misma inercia de los movimientos te ayudará a mantener el ritmo.

Quickstep Básico

Tal y como está descrito aquí, el Quickstep Básico consiste en dos secciones: la primera mitad avanzando y la segunda retrocediendo. Ambas se desplazan por la pista en el sentido opuesto a las agujas del reloj, siguiendo la corriente. Los movimientos de Paso Lateral-Cierre-Paso Lateral de los pasos del 2 al 4 de ambas secciones se conocen como Chassé. Empieza con el agarre clásico, con los pies juntos y situados a un metro y medio del borde de la pista, con suficiente espacio para bailar. El hombre está preparado para avanzar por el Zig, y la mujer para retroceder en la misma dirección.

Mitad de Avance
Cuarto de Vuelta hacia la derecha

1
CUENTA - LENTO

Hombre Avanza por el Zig con el pie derecho, empezando a girar hacia la derecha.

Mujer Retrocede por el Zig con el pie izquierdo, empezando a girar hacia la derecha.

2
CUENTA - RÁPIDO

Hombre Paso lateral con la punta del pie izquierdo, moviéndote en una línea paralela al borde de la pista, y encarando la pared.

Mujer Paso lateral con la punta del pie derecho, moviéndote en una línea paralela al borde de la pista, y encarando la línea central.

3
CUENTA - RÁPIDO

Hombre Sin apoyar los talones, junta el pie derecho con el izquierdo, continuando el giro hacia el Zag, de espaldas a la línea central.

Mujer Sin apoyar los talones, junta el pie izquierdo con el derecho, continuando el giro hacia el Zag.

4
CUENTA - LENTO

Hombre Retrocede por el Zag hacia la línea central con el pie izquierdo, bajando el peso para apoyar los talones.

Mujer Avanza por el Zag hacia la línea central con el pie derecho, bajando el peso para apoyar los talones.

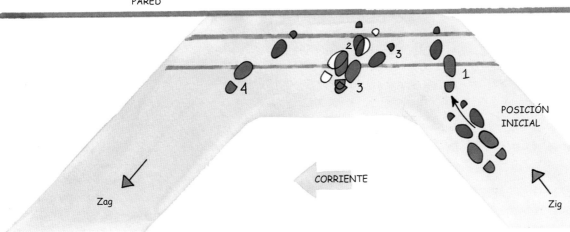

PARED

POSICIÓN INICIAL

CORRIENTE

Zag

Zig

Mitad de Retroceso
Chassé Progresivo

1
CUENTA – LENTO

Hombre Retrocede por el Zag con el pie derecho, hacia la línea central, y empezando a girar hacia la izquierda.

Mujer Avanza por el Zag con el pie izquierdo, hacia la línea central, y empezando a girar hacia la izquierda.

Consejo de estilo

Cuando empieces a practicar el Quickstep Básico, evita los pasos largos. Da un aspecto más limpio y es más cómodo mantener los pasos cortos y controlados.

2
CUENTA – RÁPIDO

Hombre Paso lateral con la punta del pie izquierdo, desplazándote en una línea paralela al borde de la pista y con el pie izquierdo apuntando en la dirección del Zig.

Mujer Paso lateral con la punta del pie derecho, desplazándote en una línea paralela al borde de la pista y girando levemente hacia la izquierda para acabar de espaldas a la pared.

3
CUENTA – RÁPIDO

Hombre Sin apoyar los talones, junta el pie derecho con el izquierdo. Termina encarando el Zig.

Mujer Sin apoyar los talones, junta el pie izquierdo con el derecho. Continúa el giro para terminar de espaldas al Zig.

4
CUENTA – LENTO

Hombre Paso lateral con el pie izquierdo, bajando el peso para apoyar los talones, con la punta del pie izquierdo apuntando en la dirección del Zig.

Mujer Paso lateral con el pie derecho, bajando el peso para apoyar los talones.

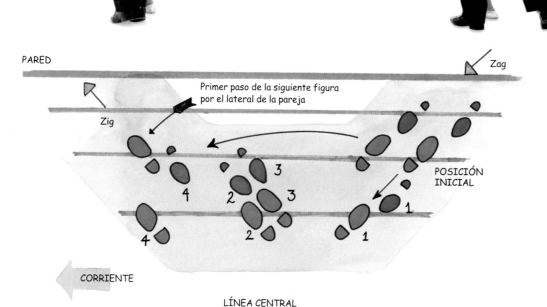

PARED

Zag

Zig

Primer paso de la siguiente figura por el lateral de la pareja

POSICIÓN INICIAL

4 2 3

4 2 3

1

1

CORRIENTE

LÍNEA CENTRAL

Ahora puedes repetir el Quickstep Básico con una leve modificación. En cada paso 1 del Quickstep Básico, o de cualquier otra figura, el hombre avanzará con su pie derecho por el lateral de la mujer. Los pasos de la mujer se mantienen igual.

Alzamiento y Caída

El Alzamiento y Caída es la elevación que el bailarín siente al moverse sobre las puntas de los pies y luego bajar desde la rodilla, el tobillo y las puntas para acabar con los pies planos. Por tanto, el Alzamiento y Caída llevará al bailarín tanto a estar por encima como por debajo de su altura normal. En realidad, el Alzamiento y Caída es un subproducto de la oscilación natural del Quickstep, dando al baile la velocidad y fluidez que han asegurado su popularidad y continuidad. Una buena acción de oscilación es algo que los bailarines de competición entrenan duro durante años. Los bailarines sociales también pueden incluir algo de Alzamiento y Caída para mejorar la sensación y atractivo de su interpretación siguiendo unas simples guías.

Izquierda: El movimiento frontal del paso 1 suele ser una caminata normal, manteniendo el peso abajo, pero empezando a elevarse hacia el final a medida que el peso del cuerpo se va transfiriendo hacia las puntas.

Izquierda: En el último paso del compás, sin importar si es un paso 3 o 4, el bailarín generalmente bajará su peso hasta poner los pies planos.

Derecha: El movimiento lateral del paso 2 suele levantarse en la punta de los pies.
- *Generalmente, los bailarines caminan o bien manteniéndose con el peso abajo, o bien bajándolo, en los pasos de cuenta Lento.*
- *La mayoría de los pasos rápidos se bailan sobre las puntas.*

Derecha: En las figuras con cuatro pasos en un compás musical, por ejemplo en el Chassé, el bailarín se irá elevando gradualmente durante los tres primeros pasos para descender con suavidad en el cuarto paso, siempre empleando el mecanismo «punta-talón» del pie.

Giro Natural en Esquina

En todos los bailes estándar, el Quickstep incluido, hay figuras especiales, diseñadas para ayudar a los bailarines a sortear las esquinas. Esta es una de las más fáciles, que te ayudará a fluir fácilmente por la esquina y te dejará en la misma posición en la que empezaste para volver a arrancar con el Quickstep Básico desde la nueva pared. Comienza tras el Quickstep Básico. El hombre tiene su peso sobre el pie izquierdo, preparado para avanzar por el Zig, y la mujer tiene su peso sobre el pie derecho, preparada para retroceder por el Zig. Puedes, por supuesto, empezar tu baile por el Giro Natural, si comienzas en una esquina. Esta es la forma en la que está explicada la figura aquí. Sin embargo, si la ejecutas tras el Quickstep Básico, debes recordar que el primer paso del hombre ha de ser por el lateral de la mujer.

Giro Natural

1

CUENTA - LENTO

Hombre Avanza por el Zig con el pie derecho, empezando a girar hacia la derecha.

Mujer Retrocede por el Zig con el pie izquierdo, empezando a girar hacia la derecha.

2

CUENTA - RÁPIDO

Hombre Paso lateral a lo largo del Zig con la punta del pie izquierdo, continuando el giro hacia la derecha.

Mujer Paso lateral a lo largo del Zig con la punta del pie derecho, continuando el giro hacia la derecha.

3
CUENTA – RÁPIDO

Hombre Sin apoyar los talones, junta el pie derecho con el izquierdo y baja el peso, girando para mirar en contra de la corriente.

Mujer Sin apoyar los talones, junta el pie izquierdo con el derecho y baja el peso, girando para mirar a favor de la corriente.

En la Esquina

4
CUENTA – LENTO

Hombre Retrocede con el pie izquierdo, continuando el giro hacia la derecha y levantando la punta del pie derecho del suelo sin despegar el talón.

Mujer Avanza con el pie derecho, continuando el giro hacia la derecha.

5
CUENTA – RÁPIDO

Hombre Tira del pie derecho hacia atrás, con el talón en contacto con el suelo, y arrástralo alrededor, continuando el giro para terminar mirando en la dirección del Zig de la nueva pared, con los pies paralelos y ligeramente separados.

Mujer Paso lateral con el pie izquierdo, continuando el giro hacia la derecha para encarar la pared.

6
CUENTA – LENTO

Hombre Avanza con el pie izquierdo a lo largo del Zig de la nueva pared.

Mujer Retrocede con el pie derecho, continuando el giro hacia la derecha para terminar retrocediendo en el Zig de la nueva pared.

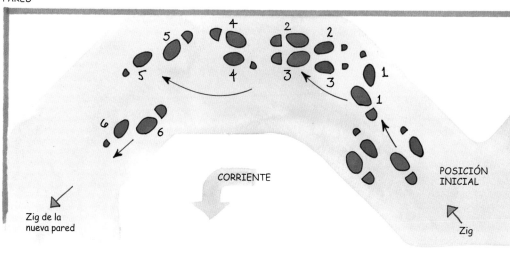

PARED

NUEVA PARED

Zig de la nueva pared

CORRIENTE

POSICIÓN INICIAL

Zig

Vuelta Natural

Ya te has familiarizado con la Vuelta Natural como método habitual de sortear esquinas en el Vals. También es la forma estándar de girar las esquinas en el Quickstep. En este estilo, la Vuelta Natural puede ser ejecutada tras el Quickstep Básico y los pasos del 1 al 3 del Giro Natural en Esquina, recordando que el hombre da su primer paso por el lateral de la mujer. La Vuelta Natural en el Quickstep tiene una cuenta distinta a la del Vals.

1-3
CUENTA - LENTO, RÁPIDO, RÁPIDO

Baila los pasos del 1 al 3 del Giro Natural en Esquina.

Consejo de estilo
Al bailar esta figura, es importante que el hombre mantenga la mirada hacia la izquierda en todos los pasos.

4
CUENTA - LENTO

Hombre Retrocede con el pie izquierdo, girándolo hacia dentro para dar una vuelta acusada hacia la derecha. Mantén las rodillas juntas. Esto puede parecer incómodo o aparatoso en un principio, pero solo lo parece porque estás practicando la figura paso a paso. Al hacerlo a su velocidad normal, el movimiento fluirá de forma más cómoda.

Mujer Avanza con el pie derecho, girando de forma acusada hacia la derecha para finalizar el paso y terminar de espaldas al Zig de la nueva pared. Mantén las rodillas juntas.

5
CUENTA - LENTO

Hombre Avanza con el pie derecho entre las piernas de la mujer a lo largo del Zig de la nueva pared, y elévate sobre la punta del pie. Continúa el giro hacia la derecha sobre la punta, dejando el pie izquierdo atrás.

Mujer Retrocede con la punta del pie izquierdo por el Zig de la nueva pared, continuando el giro hacia la derecha. Acerca el pie derecho hasta que toque el izquierdo.

6
CUENTA - LENTO

Hombre Relaja tu peso sobre el pie izquierdo, lejos de la esquina, habiendo girado hasta el Zag de la nueva pared.

Mujer Avanza con el pie derecho hacia la línea central por el Zag de la nueva pared, bajando el peso hasta el talón.

Continúa bailando la mitad del retroceso del Quickstep Básico o el Chassé Progresivo.

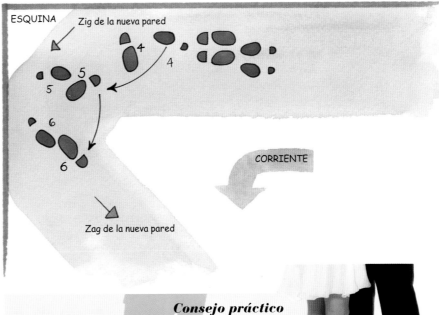

PARED

ESQUINA — Zig de la nueva pared

NUEVA PARED

CORRIENTE

Zag de la nueva pared

Consejo práctico
Algunos hombres se ayudan pensando en los pasos del 4 al 6 como un balanceo hacia atrás, un balanceo hacia arriba y adelante y otro balanceo hacia atrás, sin olvidar el giro. Tomar el paso 5 como si fuera un paso lateral es un fallo común a muchos hombres, como se muestra en la imagen.

Paso Bloqueado

Ahora ya puedes bailar de forma continuada el Quickstep Básico, utilizando tanto el Giro Natural como la Vuelta Natural para sortear las esquinas. El Paso Bloqueado nos ayudará a completar tu repertorio de figuras estándar internacionales del Quickstep Básico. El nombre puede llevar a confusión; los pies se mueven con bastante libertad y están realmente «bloqueados». Los pasos son los mismos para el hombre que para la mujer. Cuando el hombre baila el Paso Bloqueado en Avance, la mujer baila el Paso Bloqueado en Retroceso, y viceversa. Como mecanismo útil para posicionarse antes de entrar en una esquina, el hombre puede bailar el Paso Bloqueado en Avance y la mujer el Paso Bloqueado en Retroceso tras el Quickstep Básico. También puede insertarse entre los dos grupos del Quickstep Básico. Al bailar el Paso Bloqueado, imagina una línea paralela a la pared, y muévete sobre ella.

Paso Bloqueado en Avance

Empiezas mirando hacia el Zig, con el peso sobre el pie izquierdo. Durante el movimiento, mantén el encaramiento hacia el Zig, pero muévete a lo largo de la línea paralela a la pared.

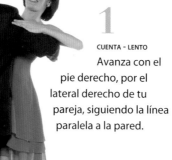

1
CUENTA - LENTO
Avanza con el pie derecho, por el lateral derecho de tu pareja, siguiendo la línea paralela a la pared.

2
CUENTA - RÁPIDO
Avanza con la punta del pie izquierdo, siguiendo la línea.

3
CUENTA - RÁPIDO
Sin bajar el peso, cruza el pie derecho tras el izquierdo.

4
CUENTA - LENTO
Avanza con el pie izquierdo por la línea, bajando el peso hasta los talones.

Paso Bloqueado Doble
Para añadir un toque de estilo al Paso Bloqueado, que hará tu Quickstep Básico más brillante, puedes repetir los pasos 2 y 3 antes de proceder al 4. A esto se le llama el Paso Bloqueado Doble.

PARED

CORRIENTE

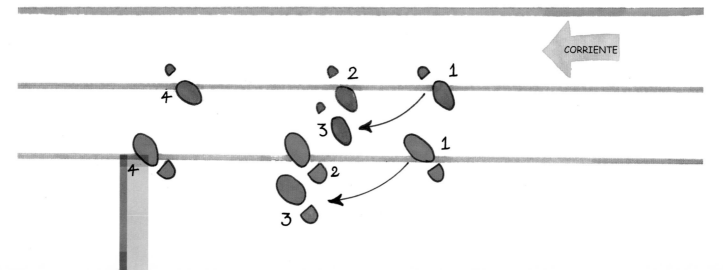

Paso Bloqueado en Retroceso

Empieza de espaldas al Zig, con los pies separados y el peso sobre el derecho.
Durante el movimiento, desplázate por la línea paralela a la pared.

1

CUENTA – LENTO

Retrocede con
el pie izquierdo
por la línea
paralela a
la pared.

2

CUENTA – RÁPIDO

Retrocede con la
punta del pie
derecho por la línea.

3

CUENTA – RÁPIDO

Sin bajar el peso, cruza
el pie izquierdo por
delante del derecho.

4

CUENTA – LENTO

Retrocede por la
línea con el pie
derecho, bajando el
peso hasta los
talones.

Encajar el Quickstep Básico en la pista

Al bailar el Quickstep Básico, te darás cuenta de que, cuando quieres ejecutar el Giro Natural o la Vuelta Natural en una esquina, nunca estarás en la ubicación adecuada. Como regla general, es mejor empezar a bailar la figura de esquina con espacio de sobra ya que, de hacerlo con el sitio demasiado justo, corres el riesgo de acabar saliendo de la pista. Con un poco de práctica, sin embargo, ese problema desaparecerá, ya que aprenderás a medir tu progresión por la pista para llegar a las esquinas con el espacio perfecto para girar. En el Quickstep, la longitud de los pasos jamás debería ampliarse hasta el punto en que las figuras y las posiciones queden distorsionadas. Es mejor ajustar los án-

gulos de los Zigzags durante el Quickstep Básico. Un giro más agudo resultará en una mayor progresión, mientras que un giro más leve, conseguirá una progresión menor. Además, ciertas figuras como el Paso Bloqueado, pueden utilizarse para extender el Quickstep Básico y ayudarte a encontrar la ubicación perfecta. Como advertencia, debes saber que es un fallo típico de los novatos el intentar bailar un Quickstep Básico de más en lugar de ocuparse de la esquina a tiempo. Este error suele venir de una falta de planificación por parte del bailarín, por lo que es importante empezar a considerar la distancia hacia la esquina cuando te encuentres a mitad de pista.

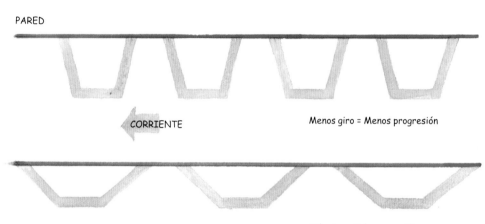

PARED

CORRIENTE

Menos giro = Menos progresión

Más giro = Más progresión

Horquilla Natural y Final en Carrera

Imagina que estás en un Zig, preparado para empezar el Quickstep Básico o el Paso Bloqueado, y el espacio que tienes por delante está bloqueado por otros bailarines. Este es el momento de bailar la Horquilla Natural y concluirla con un movimiento estiloso llamado el Final en Carrera, que puede usarse más adelante con otras figuras.

Horquilla Natural

1

CUENTA - LENTO

Hombre Avanza por el Zig con el pie derecho, girándolo hacia fuera por el costado diestro de la mujer, y empieza a girar hacia la derecha.

Mujer Retrocede con el pie izquierdo, empezando a girar hacia la derecha.

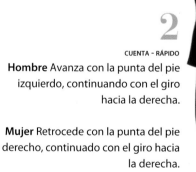

2

CUENTA - RÁPIDO

Hombre Avanza con la punta del pie izquierdo, continuando con el giro hacia la derecha.

Mujer Retrocede con la punta del pie derecho, continuado con el giro hacia la derecha.

Consejo de estilo

Para ayudarte a girar, mira cómo el hombre se inclina o balancea hacia la derecha y la mujer hacia la izquierda en los pasos 2 y 3.

3

CUENTA - RÁPIDO

Hombre Avanza con el pie derecho cruzándolo ligeramente frente al cuerpo y por el lateral de la mujer, bajando el peso a los talones y continuando con el giro hacia la derecha, de forma que termines encarando casi en contra de la corriente.

Mujer Da un pequeño paso hacia atrás con el pie izquierdo, cruzándolo ligeramente frente al cuerpo y por el lateral del hombre, y continuando con el giro hacia la derecha hasta quedar encarada casi a favor de la corriente.

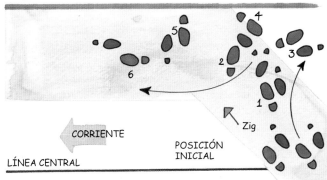

PARED

CORRIENTE

LÍNEA CENTRAL

POSICIÓN INICIAL

Zig

Consejo de tiempo
Hasta que tengas el paso dominado, baila los pasos 2 y 3 como Lento.

Final en Carrera

El Final en Carrera también puede insertarse tras los pasos del 1 al 3 del Giro Natural o la Vuelta Natural. En este caso, el paso 2 de la mujer se deberá hacer en línea con el hombre. De hacerlo en una esquina, simplemente muévete con la corriente y dobla el final en corriente para girar.

1

CUENTA - LENTO

Hombre Retrocede con el pie izquierdo por el Zig, empezando a girar hacia la derecha.

Mujer Avanza con el pie derecho por el lateral diestro del hombre y girando hacia la derecha por el Zig.

2

CUENTA - RÁPIDO

Hombre Da un paso lateral con la punta del pie derecho, encarando la línea central y, sin dejar de girar hacia la derecha, inclínate hacia la izquierda.

Mujer Da un paso lateral con la punta del pie izquierdo encarando la pared y, sin dejar de girar hacia la derecha, inclínate hacia la derecha.

3

CUENTA - RÁPIDO

Hombre Gira tu lado izquierdo hacia adelante para encarar la corriente e inclínate hacia la izquierda, bajando el peso sobre el pie derecho.

Mujer Gira tu lado derecho hacia atrás para girar en contra de la corriente e inclínate hacia la derecha, dando un pequeño paso hacia atrás con el pie derecho y bajando el peso hasta los talones.

Continúa con el Quickstep Básico, con el hombre dando su primer paso hacia adelante por el lateral de la mujer y girando un poco más de lo usual para retomar la orientación normal. Otra opción es empezar el Paso Bloqueado. Para conseguir un toque de estilo, intenta combinar la Horquilla Natural, el Paso Bloqueado (en Retroceso para el hombre y en Avance para la mujer) y el Final en Carrera, para volver al programa con otro Paso Bloqueado (esta vez en Avance para el hombre y en Retroceso para la mujer) o el Quickstep Básico.

Cambio Exterior

Esta es otra figura muy sencilla que aporta una sensación maravillosa y que ayudará a ampliar tu repertorio de movimientos de Quickstep. Además, es una figura muy útil en pista, que te permitirá adelantar a otras parejas más lentas que estén obstruyendo tu camino. En este movimiento, la mujer no gira su cuerpo. De esta manera, ella termina con una posición ligeramente abierta, o de Paseo, al final del paso 3. Puedes insertarlo en tu programa después de los pasos del 1 al 3 del Giro Natural o de la Vuelta Natural, reduciendo levemente el giro para que el hombre termine en el Zag encarando la pared. El hombre tiene su peso sobre el pie derecho y la mujer sobre el izquierdo. Ambos tienen los pies juntos.

1

CUENTA - LENTO

Hombre Retrocede con el pie izquierdo por el Zag.

Mujer Avanza con el pie derecho por el Zag.

2

CUENTA - RÁPIDO

Hombre Retrocede por el Zag con la punta del pie derecho, empezando a girar hacia la izquierda.

Mujer Avanza con la punta del pie izquierdo.

3

CUENTA - RÁPIDO

Hombre Da un pequeño paso lateral con el pie izquierdo a lo largo de la línea paralela al borde de la pista, bajando el peso a los talones, para terminar encarando la pared en Posición de Paseo, con el pie izquierdo apuntando en la dirección del Zig.

Mujer Da un pequeño paso lateral con el pie derecho a lo largo de la línea paralela al borde de la pista bajando el peso a los talones, girando la cabeza hacia la derecha para terminar en Posición de Paseo.

Continúa con el Chassé desde Posición de Paseo.

Chassé desde Posición de Paseo

Un Chassé es, simplemente, un movimiento de «Paso Lateral-Cierre-Paso Lateral», movimiento que ya has realizado en el Quickstep Básico. En este caso, el Chassé se ejecuta desde la Posición de Paseo, tras el Cambio Exterior. Los bailarines se mueven en una línea paralela al borde de la pista manteniendo su orientación respecto al Zig. Además, la mujer mueve la cabeza gradualmente hacia la izquierda a medida que retoma su posición normal encarando al hombre.

1

CUENTA - LENTO

Hombre Avanza un pequeño paso hacia adelante, cruzando el pie derecho por delante de tu cuerpo, a lo largo de la línea.

Mujer Avanza un pequeño paso hacia adelante, cruzando el pie izquierdo por delante de tu cuerpo, a lo largo de la línea y empezando a girar hacia la izquierda.

2

CUENTA - RÁPIDO

Hombre Avanza con la punta del pie izquierdo, todavía en la misma línea.

Mujer Avanza lateralmente con la punta del pie derecho, todavía en la misma línea y continuando el giro hacia la izquierda.

3

CUENTA – RÁPIDO

Hombre Junta el pie derecho con el izquierdo, sin apoyar los talones.

Mujer Junta el pie izquierdo con el derecho, sin apoyar los talones, y completa el giro hacia la izquierda para terminar de cara al hombre.

PARED

3   2 Y   1

CORRIENTE

3   2 Y   1

4

CUENTA – LENTO

Hombre Da un paso lateral con el pie izquierdo a lo largo de la línea, bajando el peso a los talones y terminando en el Zig.

Mujer Da un paso lateral con el pie derecho a lo largo de la línea, bajando el peso a los talones y terminando en el Zig.

> *Continúa con el Quickstep Básico, el Giro Natural en Esquina o la Vuelta Natural, recordando que, en el paso 1 de la siguiente figura, el hombre avanza con su pie derecho por el lateral de la mujer.*

Corté Flotante

Puedes bailar el Corté Flotante inmediatamente después de la mitad en Avance del Quickstep Básico (el Cuarto de Vuelta hacia la Derecha) si el camino está demasiado bloqueado para ejecutar la mitad en Retroceso (el Chassé Progresivo). El hombre tiene su peso sobre el pie izquierdo y la mujer sobre el derecho. Ambos tienen los pies separados.

1

CUENTA – LENTO

Hombre Retrocede por el Zag con el pie derecho, empezando a girar hacia la izquierda.

Mujer Avanza por el Zag con el pie izquierdo, empezando a girar hacia la izquierda.

2

CUENTA – LENTO

Hombre Paso lateral con la punta del pie izquierdo, girando hacia el Zig e inclinándote hacia la derecha.

Mujer Paso lateral con la punta del pie derecho, girando hacia el Zig e inclinándote hacia la izquierda.

3

CUENTA – LENTO

Hombre En el Zig, baja el peso de tu cuerpo lateralmente sobre el pie derecho.

Mujer En el Zig, baja el peso de tu cuerpo lateralmente sobre el pie izquierdo.

> *Tras superar con éxito el problema en la pista, sigue las indicaciones de la siguiente página.*

4

CUENTA - LENTO

Hombre Retrocede con el pie izquierdo, moviéndote momentáneamente en contra de la corriente.

Mujer Avanza con el pie derecho, por el lateral derecho del hombre, moviéndote momentáneamente en contra de la corriente.

5

CUENTA - RÁPIDO

Hombre Paso lateral con la punta del pie derecho, inclinándote hacia la izquierda.

Mujer Paso lateral con la punta del pie izquierdo, inclinándote hacia la derecha.

6

CUENTA - RÁPIDO

Hombre Manteniéndote de puntillas, junta el pie izquierdo con el derecho y baja el peso gradualmente sobre el pie izquierdo hasta apoyar el talón, todavía inclinándote hacia la izquierda. Termina en el Zig.

Mujer Manteniéndote de puntillas, junta el pie derecho con el izquierdo y baja el peso gradualmente sobre el pie derecho hasta apoyar el talón, todavía inclinándote hacia la derecha. Termina en el Zig.

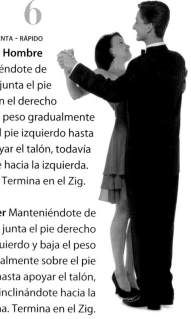

Continúa con el Quickstep Básico, el Giro Natural, la Vuelta Natural o la Horquilla Natural, recordando que en el paso 1 de la siguiente figura el hombre avanzará con el pie derecho por el lateral de la mujer.

Giro Natural con Vacilación

Esta es una variación muy útil del Giro Natural, que puede ser ejecutada tanto al salir de una esquina como en la mitad de la pista, y que se combina muy bien con las demás figuras descritas más adelante. Empieza con los tres primeros pasos del Giro Natural en Esquina.

1-3

Baila los pasos del 1 al 3 del Giro Natural en Esquina.

4

CUENTA - LENTO

Hombre Retrocede con el pie izquierdo, continuando el giro hacia la derecha y levantando la punta del pie derecho del suelo, apoyando solo el talón.

Mujer Avanza con el pie derecho, continuando el giro hacia la derecha.

5

CUENTA - LENTO

Hombre Tira del pie derecho con el talón apoyado, y luego arrástralo alrededor para terminar al lado del pie izquierdo, con una cierta separación. Continúa girando hacia la derecha y termina encarando el Zag hacia la línea central.

Mujer Paso lateral con el pie izquierdo, manteniendo el peso abajo y flexionando las rodillas y continuando el giro hacia la derecha para terminar en el Zag mirando hacia la pared.

6
CUENTA - LENTO

Hombre Arrastra el pie izquierdo hasta que toque el pie derecho, manteniendo el peso sobre el derecho.

Mujer Arrastra el pie derecho hasta que toque el izquierdo, manteniendo el peso sobre el izquierdo.

Continúa con el Chassé Progresivo hacia la derecha, el Chassé con Giro Inverso o el Giro Inverso Abierto Rápido, descritos más adelante.

Sugerencia de estilo

La inclinación del bailarín es como la que realiza el motorista al tomar una curva. Es una característica importante en un estilo agradable, suelto y relajado. Cuando bailes una sección del Quickstep que tenga solo tres pasos en el compás, por ejemplo un movimiento de «Paso-Paso Lateral-Cierre» durante un giro, lo normal es que el cuerpo y la cabeza se inclinen levemente en la dirección contraria a la del pie que se mueve, actuando como contrapeso. La inclinación natural ocurrirá en los pasos del 2 al 3 del Giro Natural de los bailes del Swing, hacia la derecha para el hombre y hacia la izquierda para la mujer. La inclinación es, por tanto, esencial para encontrar un equilibrio cómodo al bailar.

Chassé con Giro Inverso

Esta es una figura corta pero muy práctica que sigue al Giro Natural con Vacilación descrito anteriormente. En terminología de baile, la palabra «Inverso» significa simplemente hacia la izquierda. No significa que la figura se desplace hacia atrás. El hombre tiene su peso sobre el pie derecho y la mujer sobre el izquierdo, con los pies casi juntos. El hombre mira hacia la línea central en el Zag y la mujer hacia la pared también en el Zag.

1
CUENTA - LENTO

Hombre Avanza con el pie izquierdo por el Zag hacia la línea central, empezando a girar hacia la izquierda.

Mujer Retrocede con el pie derecho por el Zag hacia la línea central, empezando a girar hacia la izquierda.

2
CUENTA - RÁPIDO

Hombre Paso lateral con la punta del pie derecho, continuando el giro hacia la izquierda. Inclínate hacia la izquierda.

Mujer Paso lateral con la punta del pie izquierdo, continuando el giro hacia la izquierda. Inclínate hacia la derecha.

3

CUENTA - RÁPIDO

Hombre Junta el pie izquierdo con el derecho y baja el peso sobre el izquierdo. Continúa inclinándote hacia la izquierda para terminar de cara a la corriente.

Mujer Junta el pie derecho con el izquierdo y baja el peso sobre el derecho. Continúa inclinándote hacia la derecha para terminar mirando a favor de la corriente.

PARED

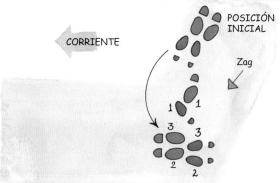

CORRIENTE

POSICIÓN INICIAL

Zag

LÍNEA CENTRAL

Consejo de estilo

El hombre puede girar su pie izquierdo en este movimiento para ayudarle a dirigir el giro, mientras que la mujer se asegurará de dar un paso más corto en el paso 2 para ayudar al hombre a moverse a su alrededor. Lo importante es mantener el movimiento durante el giro y permitir que prosiga naturalmente hacia el siguiente Chassé.

Continúa con el Chassé Progresivo (la mitad en Retroceso del Quickstep Básico), pero girándolo un poco más de lo usual para retomar la orientación normal.

Chassé Progresivo hacia la derecha

Tras el Giro Natural con Vacilación, esta figura puede ayudar a desplazarte rápido por la pista con la corriente. El Chassé, como es habitual, se mueve a lo largo de una línea imaginaria paralela al borde de la pista.

1

CUENTA - LENTO

Hombre Avanza con el pie izquierdo, empezando a girar hacia la izquierda.

Mujer Retrocede con el pie derecho, empezando a girar hacia la izquierda.

2

CUENTA - RÁPIDO

Hombre Da un paso lateral con la punta del pie izquierdo a lo largo de la línea, continuando el giro hacia la izquierda hasta dar la espalda a la pared.

Mujer Da un paso lateral con la punta del pie derecho a lo largo de la línea, continuando el giro para terminar de frente a la pared.

3

Hombre Todavía de puntillas, junta el pie izquierdo con el derecho, continuando el giro hacia la izquierda para terminar de espaldas al Zig.

Mujer Todavía de puntillas, junta el pie derecho con el izquierdo, continuando el giro hacia la izquierda para terminar de frente al Zig.

4

Hombre Da un paso lateral con el pie derecho en la línea, bajando el peso hasta los talones.

Mujer Da un paso lateral con el pie izquierdo en la línea, bajando el peso hasta los talones.

> *Puedes continuar con un final de estilo impresionante: bailando o bien el Paso Bloqueado en Retroceso seguido del Final en Carrera, o bien yendo directamente al Final en Carrera.*

Combinación V-6

Cuando una combinación se vuelve popular, suele convertirse en una figura obligatoria en el baile. La Combinación V-6 mezcla el Paso Bloqueado en Retroceso con una versión modificada del Cambio Exterior. Como su nombre sugiere, la figura se desplaza dibujando una V en el suelo, lo que la hace ideal para bailar por el lado corto de la pista.

La Entrada

Baila la Vuelta Natural en Esquina en el final del lado largo de la pista, y termina con el hombre de espaldas a la nueva línea central en el nuevo Zag. De forma alternativa, también puedes bailar los pasos del 1 al 3 de la Vuelta Natural, empezando en el lado corto de la pista (tras un Giro Natural en Esquina), y minimizando el giro hasta los 90º, para terminar de espaldas a la nueva línea central en el nuevo Zag.

Paso Bloqueado en Retroceso

Si has entrado desde la Vuelta Natural, baila los pasos del 2 al 4 del Paso Bloqueado en Retroceso (en Avance para la mujer), avanzando hacia la línea central del lado corto de la pista. Si has entrado utilizando la forma alternativa de los pasos del 1 al 3 del Giro Natural, baila los pasos del 1 al 4 del Paso Bloqueado en Retroceso (en Avance para la mujer) con la mujer dando su primer paso en línea con el hombre.

Cambio Exterior

El Cambio Exterior se ve ligeramente modificado para encajar en este nuevo contexto.

1

CUENTA - LENTO

Hombre Retrocede con el pie izquierdo por el Zag.

Mujer Avanza con el el pie derecho por el lateral derecho del hombre.

2

CUENTA - RÁPIDO

Hombre Retrocede con la punta del pie derecho por el Zag, empezando a girar hacia la izquierda.

Mujer Avanza con la punta del pie izquierdo, empezando a girar hacia la izquierda.

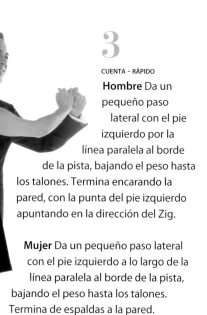

3

CUENTA - RÁPIDO

Hombre Da un pequeño paso lateral con el pie izquierdo por la línea paralela al borde de la pista, bajando el peso hasta los talones. Termina encarando la pared, con la punta del pie izquierdo apuntando en la dirección del Zig.

Mujer Da un pequeño paso lateral con el pie izquierdo a lo largo de la línea paralela al borde de la pista, bajando el peso hasta los talones. Termina de espaldas a la pared.

Salida con Paso Bloqueado

La mejor forma de salir de esta combinación es que el hombre baile el Paso Bloqueado en Avance y la mujer el Paso Bloqueado en Retroceso. El ángulo de la punta de la V puede ser ajustado para que el V-6 encaje en el lado corto de diferentes salones de baile. Si ves que el espacio es muy justo, puedes salir de la combinación bailando una figura de esquina, como la Vuelta Natural, recordando que el primer paso del hombre en la siguiente figura será por el lateral de la mujer. Si hay espacio de sobra, sigue con el Quickstep Básico o con cualquier figura «natural».

Resumen de la combinación V-6	
Vuelta Natural	*Lento, Rápido, Rápido, Lento, Lento, Lento*
Pasos del 2 al 4 del Paso Bloqueado en Retroceso para el hombre y el Paso Bloqueadoen Avance para la mujer	*Rápido, Rápido, Lento*
Cambio Exterior Modificado	*Lento, Rápido, Rápido*
Paso Bloqueado en Avance para el Hombre y Paso Bloqueado en Retroceso para la mujer	*Lento, Rápido, Rápido, Lento*
Si se utiliza la entrada alternativa, la cuenta será:	
Pasos del 1 al 3 de la Vuelta Natural	*Lento, Rápido, Rápido*
Pasos del 1 al 4 del Paso Bloqueado	*Lento, Rápido, Rápido, Lento*

Tipple Chassé en Esquina

Ahora que ya estás construyendo un repertorio amplio, puedes combinar partes de los movimientos que ya conoces con un elemento nuevo en una mezcla atractiva y popular: el Tipple Chassé. Es una figura muy flexible y, en su primera combinación, puedes utilizarla en esquinas. Recuerda dejarte espacio de sobra por delante al ejecutarla. Para empezar, baila los pasos del 1 al 3 del Giro Natural en Esquina o de la Vuelta Natural.

Entrada

El hombre está encarado en contra de la corriente, con los pies juntos y el peso en el derecho.
La mujer mira a favor de la corriente, con los pies juntos y el peso en el izquierdo.

1

CUENTA – LENTO

Hombre
Retrocede con el pie izquierdo, empezando a girar hacia la derecha.

Mujer Avanza con el pie derecho, empezando a girar hacia la derecha.

Consejo de estilo
El hombre debería dar pasos cortos en esta figura.

2

CUENTA – RÁPIDO

Hombre Da un paso lateral con la punta del pie derecho, completando un cuarto de vuelta (90°) hacia la derecha para acabar encarado a favor de la corriente en la nueva pared. Inclínate hacia la derecha y mira por encima del hombro izquierdo de la mujer.

Mujer Da un paso lateral con la punta del pie izquierdo, completando un cuarto de vuelta (90°) hacia la derecha para terminar encarada en contra de la corriente en la nueva pared. Inclínate hacia la izquierda.

4

CUENTA – LENTO

Hombre Da un paso lateral con la punta del pie derecho, inclinándote hacia la derecha y girando hacia el Zig de la nueva pared.

Mujer Da un paso lateral con la punta del pie izquierdo, inclinándote hacia la izquierda y girando hacia el Zig de la nueva pared.

Variación
Cuando hayas practicado el Tipple Chassé normal, puedes variarlo introduciendo un Paso Bloqueado (en Retroceso para el hombre y en Avance para la mujer) entre la Entrada y el Tipple Chassé. La mujer debe modificar levemente la figura para asegurarse de que fluya adecuadamente.

• Da el paso 1 del Paso Bloqueado en Avance en línea con el hombre.

• Da el paso 1 del Tipple Chassé por el lateral derecho del hombre. La cuenta para este Paso Bloqueado será la usual de «Lento, Rápido, Rápido, Lento».

3

CUENTA – RÁPIDO

Hombre Todavía de puntillas, junta el pie izquierdo con el derecho, sin dejar de inclinarte hacia la derecha.

Mujer Todavía de puntillas, junta el pie derecho con el izquierdo, sin dejar de inclinarte hacia la izquierda.

Continúa por el Zig de la nueva pared bailando los pasos del 2 al 4 del Paso Bloqueado (en Avance para el hombre y en Retroceso para la mujer). El hombre avanzará con su lado izquierdo y la mujer retrocederá con el derecho al entrar en el Paso Bloqueado.

Chassé por el Lateral

En esta combinación, el Tipple Chassé se utiliza en una posición diferente. Esta vez, bailarás por el lateral de la pista.

Entrada

Baila el Chassé Progresivo hacia la derecha, seguido del Paso Bloqueado en Retroceso (Paso Bloqueado en Avance para la muje) a lo largo del Zig.

1

CUENTA - LENTO

Hombre Retrocede con el pie izquierdo, empezando a girar hacia la derecha.

Mujer Avanza con el pie derecho por el lateral derecho del hombre, empezando a girar hacia la derecha.

2

CUENTA - RÁPIDO

Hombre Da un paso lateral con la punta del pie derecho, girando hacia la derecha. Inclínate hacia la derecha y mira por encima del hombro izquierdo de la mujer.

Mujer Da un paso lateral con la punta del pie izquierdo, girando hacia la derecha e inclinándote hacia la izquierda.

Consejo de estilo
El hombre debería bailar esta figura dando pasos cortos.

3

CUENTA - RÁPIDO

Hombre Todavía de puntillas, junta el pie izquierdo con el derecho, sin dejar de inclinarte ni de mirar hacia la derecha.

Mujer Todavía de puntillas, junta el pie derecho con el izquierdo, sin dejar de inclinarte hacia la izquierda.

4

CUENTA - LENTO

Hombre Da un paso lateral con la punta del pie derecho, inclinándote hacia la derecha y girando hacia el Zig.

Mujer Da un paso lateral con la punta del pie izquierdo, inclinándote hacia la izquierda y girando hacia el Zig.

Continúa bailando los pasos del 2 al 4 del Paso Bloqueado en Avance (Paso Bloqueado en Retroceso para la mujer). El hombre avanzará con su lado izquierdo y la mujer retrocederá con el derecho al entrar en el Paso Bloqueado.

Tango Moderno

La palabra «Moderno» diferencia este estilo del Tango original auténtico Argentino. A principios de los años treinta el Tango había cambiado tanto para adaptarse a las convenciones de los bailes de salón que se había convertido en un estilo completamente distinto. El Tango Moderno se estableció como una de las danzas estándar en los bailes de salón y en una categoría omnipresente en las competiciones. El estilo duro y arrogante del Tango de los campeonatos oculta su naturaleza esencialmente romántica, expresada en mayor medida en los bailes sociales. Los giros de cabeza exagerados, nota estilística establecida en las competiciones, no son necesarios para disfrutar del Tango Moderno por el mero placer de bailar. Este estilo utiliza, sin embargo, una técnica bastante diferente aplicada a otros bailes de pareja estándar. Empezaremos por explorar esas diferencias. La principal razón de su existencia es su origen; el Tango Moderno, a diferencia de los demás bailes, no depende de la oscilación y la inercia. La fuerza viene de las piernas, más que de las inclinaciones corporales, al contrario que en el Vals, el Quickstep o el Foxtrot Lento. Siendo así, no hay Oscilación, Alzamiento ni Caída; el Tango se baila plano sobre el suelo. Como resultado, este estilo es más fácil de aprender para los bailarines novatos. El Agarre también es distinto.

Sugerencia musical

El Tango más conocido y apreciado es, posiblemente, La Cumparsita. Pero Adiós Pampa Mía, escrita por dos de los grandes maestros del Tango e interpretada por James Last es mi favorito, aunque conviene bajar ligeramente su velocidad para bailarlo. Los arreglos de Klaus Hallen de Verano Porteño son un exponente estupendo del auténtico Tango Argentino. Existen muchas compilaciones de Tango, pero hay que elegir con cuidado, dado que algunos son más aptos para bailar y otros para escuchar. Los Tangos grabados por la orquesta japonesa de Hisao Sudou son realmente buenos, y suelen ser fáciles de encontrar en tiendas especializadas en todo el mundo.

El agarre y la posición de los pies en el Tango

Empieza con un agarre normal. Ahora, permitiendo que los pies se deslicen en el sitio, gira el cuerpo ligeramente hacia la izquierda. El resultado de este giro de cuerpo y piernas será que el pie derecho quede ligeramente por detrás del izquierdo, de tal manera que la cara interna de la almohadilla del pie derecho esté a la altura del arco del pie izquierdo. Ambas rodillas deben estar flexionadas. La mano derecha del hombre abraza un poco más de lo normal la cintura de la mujer y se sitúa un poco más abajo. La mujer ubica su mano izquierda por debajo del brazo derecho del hombre, asegurándose siempre de que sus dedos estén rectos. La mano izquierda del hombre y la derecha de la mujer están juntas, con las palmas levemente apuntadas hacia el suelo.

El agarre y la posición de los pies, visto desde atrás.

El agarre y la posición de los pies, visto desde el frente.

Caminar en el Tango

La forma de caminar del Tango se ha convertido en una característica fundamental de este baile. Empieza con la posición inicial, levemente girada.

- Cualquier paso hacia adelante con el pie izquierdo cruzará ligeramente el cuerpo.
- Cualquier paso hacia atrás con el pie izquierdo será seguido por la mitad izquierda del cuerpo, retrocediendo con el pie.
- Cualquier paso hacia adelante con el pie derecho será acompañado por la mitad derecha del cuerpo, avanzando con el pie.

- Cualquier paso hacia atrás con el pie derecho cruzará ligeramente el cuerpo.

Esto significa que una serie de pasos hacia adelante se curvará, de forma natural, levemente hacia la izquierda. Si los pasos se hacen en línea recta, el efecto y la sensación serán la de caminar casi como un cangrejo. Esto puede parecer extraño al principio, pero llegará a convertirse en una forma integral de tu forma de bailar cuando lo hayas practicado.

Paso adelante con el pie izquierdo.

Paso hacia atrás con el pie izquierdo.

Paso adelante con el pie derecho.

Paso hacia atrás con el pie derecho.

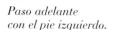

Tiempo y ritmo

El compás habitual del Tango Moderno es de 2/4, pero hay muchos Tangos arreglados en 4/4. Esto no debería preocupar al bailarín social, que puede reconocer el Tango por su ritmo de marcha. El tempo o velocidad usual es de 32 a 33 compases por minuto.

La cuenta básica del Tango es de «Rápido, Lento, Lento», pero muchos movimientos incorporan o no precedidos por dos pasos Lentos de preparación.

La acción de Tango

La acción meramente describe el tipo de estilo de movimiento utilizado. En el Tango es importante poner los pies en su sitio, asegurarse de que se levantan y se apoyan donde deben cuidadosamente, pero con firmeza. No deben deslizarse por el suelo, ni dar pisotones fuertes. Al levantar un pie del suelo, se tiene que empezar por el talón, y el resto del pie debe despegarse gradualmente. Todos los pasos hacia adelante se hacen con el talón; los pasos laterales, generalmente con la cara interna del pie, permitiendo que el resto del pie ruede lentamente hasta la posición plana a medida que el peso cambia de pie. Al cerrar un pie sobre otro, ambos estarán planos. Algo que siempre impresiona y confunde a los principiantes, es la acción

de *staccato* del Tango. Ciertamente, los bailarines experimentados mejoran la apariencia y estilo de su baile con esta acción rápida y cortante, pero la forma de hacerlo puede confundir a los novatos. La acción de *staccato* es el resultado de un movimiento fuerte que termina de forma repentina y clara. El efecto es más impactante que la realidad, dado que esta interrupción abrupta del movimiento hace que los ojos del espectador sigan el movimiento durante una fracción de segundo de más. Esto es interpretado por el cerebro, que intenta compensar lo que acaba de suceder, magnificando la fuerza del movimiento de *staccato*. Por tanto, el *staccato* es una ilusión visual muy astuta y, al igual que los giros bruscos de cabeza, debería ser explorado con la ayuda de un instructor experimentado. Los bailarines que tratan de aprender esto por su cuenta suelen producir un efecto exagerado que resulta perjudicial para su estilo.

Consejo de estilo

Al igual que en los demás bailes de pareja estándar, el hombre establece un marco con su Agarre. Si los brazos del hombre se mantienen en el sitio y no se mueven en absoluto, la mujer se mantendrá en el marco y no tendrá más alternativa que seguir las intenciones del hombre. Aunque los movimientos de los dos bailarines sean fuertes, el hombre nunca debe empujar o tirar de la mujer para llevarla a un movimiento o posición.

Giro en Balanceo

Para empezar con el Tango, vamos a utilizar un sencillo paso básico que incluye dos giros fáciles. La pareja empieza en el Zig, como es habitual, habiendo tomado el agarre especial del Tango. El hombre tiene el peso sobre el pie derecho y la mujer sobre el izquierdo. Ambos tienen los pies juntos. Asegúrate de utilizar la técnica de Tango para caminar y aplicar la acción adecuada.

1

CUENTA - LENTO

Hombre Avanza por el Zig con el pie izquierdo.

Mujer Retrocede con el pie derecho.

2

CUENTA - LENTO

Hombre Avanza por el Zig con el pie derecho.

Mujer Retrocede con el pie izquierdo.

3

CUENTA - RÁPIDO

Hombre Balancéate hacia atrás, sobre el pie izquierdo.

Mujer Balancéate hacia adelante, sobre el pie derecho.

4

CUENTA - RÁPIDO

Hombre Balancéate hacia adelante, sobre el pie derecho.

Mujer Balancéate hacia atrás, sobre el pie izquierdo.

Entre los pasos 2 y 5, gira gradualmente hacia la derecha para terminar en el Zag.

5

CUENTA - LENTO

Hombre Retrocede con el pie izquierdo.

Mujer Avanza con el pie derecho.

6

CUENTA - RÁPIDO

Hombre Retrocede con el pie derecho, empezando a girar hacia la izquierda.

Mujer Avanza con el pie izquierdo, empezando a girar hacia la izquierda.

7

CUENTA - RÁPIDO

Hombre Lleva el pie izquierdo al lateral, sobre el Zig.

Mujer Lleva el pie derecho al lateral, sobre el Zig.

8

CUENTA - LENTO

Hombre Cierra el pie derecho sobre el izquierdo para terminar con el peso sobre el pie derecho en el Zig.

Mujer Cierra el pie izquierdo sobre el derecho para terminar con el peso sobre el pie izquierdo en el Zig.

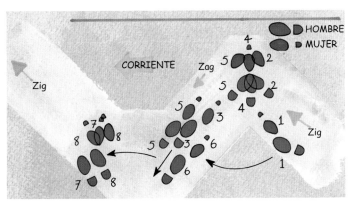

Ahora puedes repetir el movimiento todas las veces que quieras, progresando por la pista. Al llegar a una esquina, baila la misma figura, pero omite el giro entre los pasos 2 al 5, y terminarás en el Zig de la nueva pared. Cuando te sientas cómodo con el Giro en Balanceo, podrás intentar el Enlace Progresivo.

El Enlace Progresivo y el Paseo Cerrado

Este es uno de los movimientos clásicos del Tango Moderno. Es en el Enlace Progresivo en el que los bailarines de competición incorporan las famosas sacudidas de cabeza. Aquí nos vamos a limitar a disfrutar de una versión menos ostentosa. Empieza en la misma posición que el Giro en Balanceo.

Enlace Progresivo

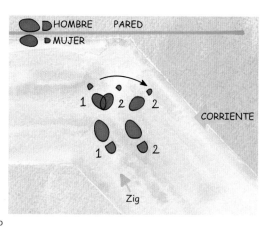

1
CUENTA - RÁPIDO

Hombre Avanza con el pie izquierdo por el Zig.

Mujer Retrocede con el pie derecho por el Zig e inclínate levemente hacia la derecha, girando la cabeza hacia la izquierda para mirar hacia el resto de la pista.

2
CUENTA - RÁPIDO

Hombre Paso lateral con el pie derecho, girando el cuerpo para encarar la pared. Termina en Posición de Paseo.

Mujer Paso lateral y hacia atrás con el pie izquierdo para terminar en Posición de Paseo, con la cabeza hacia la derecha.

Consejo de estilo

Para mejorar la sensación y apariencia del Enlace Progresivo, el hombre puede añadir cierto énfasis mirando por encima del hombro izquierdo de la mujer en el paso 1, para retomar la orientación de la cabeza hacia la izquierda en el paso 2. Cuando este adorno se enfatiza y exagera, el resultado es la sacudida de cabeza antes mencionada.

La Posición de Paseo se explica en detalle en el Vals.

Paseo Cerrado

En el Tango Moderno, lo normal es nombrar a los movimientos desde el último al primero, lo que resulta confuso para los estudiantes. De esta manera, el Paseo Cerrado es en realidad un movimiento de Paseo con un Cierre. Esta es la forma de hacerlo. Los bailarines han completado el Enlace Progresivo y están en Posición de Paseo. En el Paseo Cerrado, la pareja se mueve desde la Posición de Paseo hasta volver a la posición cerrada, o normal.

1
CUENTA - LENTO

Hombre Lleva el pie izquierdo al lateral en la Posición de Paseo.

Mujer Lleva el pie derecho al lateral en la Posición de Paseo.

2
CUENTA - RÁPIDO

Hombre Avanza cruzando el pie derecho por la línea paralela al borde de la pista, en Posición de Paseo.

Mujer Avanza cruzando el pie izquierdo por la línea paralela al borde de la pista, en Posición de Paseo, pero empezando a girar hacia la izquierda.

Durante este movimiento, la mujer gira hacia la izquierda gradualmente para encararse al hombre. Su cabeza va rotando poco a poco hacia la izquierda a lo largo del movimiento.

3

CUENTA - RÁPIDO

Hombre Mueve
el pie izquierdo
lateralmente por
el Zig.

Mujer Mueve el pie
derecho por la línea
paralela al borde de la
pista, girando hacia la
izquierda para encarar
al hombre.

4

CUENTA - LENTO

Hombre Junta
el pie derecho
con el
izquierdo en
el Zig.

Mujer Encarando
al hombre, junta
el pie izquierdo
con el derecho.

Consejo de estilo

*Si los bailarines piensan que están
bailando sobre vías de tren, la figura se
hace más sencilla. El hombre viaja sobre
una vía, y la mujer sobre otra. Cada uno
da sus pasos sobre su vía con precisión.*

> *Puedes alternar el Enlace Progresivo y el Paseo Cerrado con el Giro en Balanceo. Sin embargo, si ves que te vas pegando cada vez más a la pared, puedes poner remedio a este problema cambiando el ángulo de entrada del Giro en Balanceo y haciéndolo más suave, e incrementando su primer giro más hacia la derecha. Ganar experiencia probando cosas nuevas siempre es divertido.*

Combinación de Giro Inverso

Ahora es necesario que juntemos una amalgama de movimientos que, individualmente, consistirán en el Paso Lateral Progresivo, paso con pie derecho y giro inverso, exterior de la mujer y final cerrado. La combinación te llevará lejos de la pared y te acercará a la línea central a medida que avances, haciendo un giro hacia la izquierda. Tras las figuras ya explicadas, esta ayudará a equilibrar la sensación y el aspecto de tu Tango. Empecemos por romper la combinación en sus pasos individuales, para luego reconstruirla juntos. Los bailarines empiezan en su posición normal.

Paso Lateral Progresivo

En este movimiento harás un giro de un cuarto de vuelta (90º) durante los tres primeros pasos.
Empiezas en un Zig, por lo que terminarás en un Zag, encarando la línea central.

1

CUENTA - RÁPIDO

Hombre Avanza con el
pie izquierdo,
empezando a girar hacia
la izquierda.

Mujer Retrocede con el
pie izquierdo, empezando
a girar hacia la izquierda.

2

CUENTA - RÁPIDO

Hombre Mueve el pie
derecho hacia el
costado y ligeramente
hacia atrás,
continuando el giro
hacia la izquierda.

Mujer Mueve el pie
izquierdo hacia el
costado y ligeramente
hacia adelante,
continuando el giro
hacia la derecha.

3

CUENTA - LENTO

Hombre
Avanza
con el pie
izquierdo por el
Zag hacia la línea
central.

Mujer Retrocede con
el pie derecho por el
Zag hacia la línea
central.

Ahora, los bailarines deben ejecutar una caminata simple, el hombre con el pie derecho y la mujer con el izquierdo, por el Zag hacia la línea central, para prepararse para el Giro Inverso.

Giro Inverso

1

CUENTA - RÁPIDO

Hombre Avanza con el pie izquierdo, empezando a girar hacia la izquierda.

Mujer Retrocede con el pie derecho, empezando a girar hacia la izquierda.

2

CUENTA - RÁPIDO

Hombre Mueve el pie derecho hacia el costado, girando hacia la izquierda para acabar en el Zig.

Mujer Mueve el pie izquierdo hacia el costado, girando hacia la izquierda.

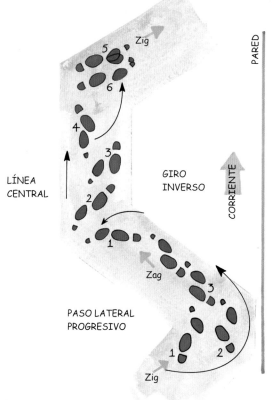

Zig

5

6

4

3

2

1

LÍNEA CENTRAL

GIRO INVERSO

PARED

CORRIENTE

Zag

3

PASO LATERAL PROGRESIVO

1   2

Zig

3

CUENTA - LENTO

Hombre Retrocede con el pie izquierdo.

Mujer Avanza con el pie derecho por el lateral del hombre por la línea paralela al borde de la pista.

4

CUENTA - RÁPIDO

Hombre Retrocede con el pie derecho por la línea paralela al borde de la pista.

Mujer Avanza con el pie izquierdo por la línea paralela al borde de la pista.

5

CUENTA - RÁPIDO

Hombre Gira hacia el Zig con el pie izquierdo al costado.

Mujer Gira hacia el Zig con el pie derecho al costado.

6

CUENTA - LENTO

Hombre Cierra el pie derecho sobre el izquierdo en el Zig.

Mujer Cierra el pie izquierdo sobre el derecho en el Zig.

Variación del Giro Inverso

Cuando modificamos las figuras básicas, conseguimos lo que se llaman las Variaciones. Aquí hay una variación del Giro Inverso que le dará un toque diferente a la figura básica. La variación se produce en la segunda parte del Giro Inverso, por lo que puedes bailar los pasos del 1 al 4 de forma normal.

5

CUENTA - RÁPIDO

Hombre Mueve el pie izquierdo hacia el costado encarando la pared.

Mujer Mueve el pie derecho hacia el costado encarando la línea central.

6

CUENTA - Y

Hombre Cierra el pie derecho sobre el izquierdo.

Mujer Cierra el pie izquierdo sobre el derecho.

7

CUENTA - LENTO

Hombre Da un leve toque en el suelo con el pie izquierdo al costado, moviéndote a Posición de Paseo, con la mirada a lo largo de la línea paralela al borde de la sala.

Mujer Da un leve toque en el suelo con el pie derecho al costado, moviéndote a Posición de Paseo, con la mirada a lo largo de la línea paralela al borde de la sala.

> *Ten presente que la cuenta en los pasos 5 y 6 está partida de tal manera que ambos movimientos se puedan realizar en un solo golpe musical.*
> *Continúa en Posición de Paseo con el Paseo Cerrado que bailaste antes, seguido por el Enlace Progresivo.*

Toque de Pincel

Ya has utilizado el Paso Lateral Progresivo y un paso para maniobrar del Zig al Zag, preparado para ejecutar el Giro Inverso. La naturaleza del movimiento lo hace inherentemente cauteloso. Aquí hay una alternativa que es mucho más osada y denota más confianza: el Toque de Pincel. Empieza como lo harías para el Paso Lateral Progresivo. Empieza en el Zig en la posición inicial. El hombre tiene el peso sobre su pie derecho y la mujer sobre el izquierdo.

1

CUENTA - RÁPIDO

Hombre Avanza con el pie izquierdo, empezando a girar hacia la izquierda.

Mujer Retrocede con el pie derecho empezando a girar hacia la izquierda.

2

CUENTA - RÁPIDO

Hombre Avanza con el pie derecho de forma levemente lateral, continuando el giro hacia la izquierda para terminar en el Zag, preparado para moverte hacia la línea central.

Mujer Retrocede con el pie izquierdo de forma levemente lateral, continuando el giro hacia la izquierda para terminar en el Zag, de espaldas a la línea central.

3

CUENTA - Y

Hombre Da un toque con el pie izquierdo en el pie derecho.

Mujer Da un toque con el pie derecho en el pie izquierdo.

4

CUENTA - LENTO

Hombre Da un toque con el pie izquierdo en el costado, sin apoyar peso.

Mujer Da un toque con el pie derecho en el costado, sin apoyar peso.

> *Para conseguir un efecto más potente, mantén la cabeza y la parte superior del cuerpo muy quietos durante los pasos 3 y 4. Intentar embellecer el movimiento con acciones de cabeza es un error, dado que le quita importancia a los toques con los pies, haciendo los pasos sucios y desordenados. Continúa con dos pasos de Tango hacia el Giro Inverso, o hacia la Variación de Giro Inverso.*

Esquinas

Hay que tener cuidado a la hora de elegir la mejor manera de sortear las esquinas en el Tango Moderno. Nunca se debe usar un Giro Inverso, dado que no solo distorsiona la figura, sino que además es muy incómodo para la mujer. El Giro en Balanceo es una elección excelente, si se evita el giro en los pasos comprendidos del 2 al 5. Esto será cómodo tanto para el hombre como para la mujer. El Paso Lateral Progresivo, seguido de un paso de Tango con el pie derecho del hombre y el izquierdo de la mujer en una cuenta de Lento, es otra forma de sortear una esquina. Esto puede ser seguido por otro Giro en Balanceo, un Enlace Progresivo, o por otro Paso Lateral Progresivo como parte de una Combinación de Giro Inverso.

Cuatro Pasos en Esquina

Este pequeño y compacto movimiento es excelente para las esquinas. Empieza cerca de la esquina en un Zig. El hombre tiene el peso sobre el pie derecho y la mujer sobre el izquierdo. Ambos tienen los pies juntos.

1

CUENTA - RÁPIDO

Hombre Avanza con el pie izquierdo, empezando a girar hacia la izquierda.

Mujer Retrocede con el pie derecho, empezando a girar hacia la izquierda.

2

CUENTA - RÁPIDO

Hombre Da un paso hacia el costado y ligeramente hacia atrás con el pie derecho, completando un cuarto de vuelta hacia la izquierda para terminar en el Zig de la nueva pared.

Mujer Da un paso hacia el costado y ligeramente hacia adelante con el pie izquierdo por el Zag.

Consejo de estilo

Los bailarines avanzados hacen los Cuatro Pasos más cortantes dividiendo el ritmo del golpe 1, dando los pasos en la primera mitad y ejecutando el giro en la segunda.

3

CUENTA - RÁPIDO

Hombre Retrocede con el pie izquierdo.

Mujer Avanza con el pie derecho por el lateral derecho del hombre.

4

CUENTA - RÁPIDO

Hombre Cierra el pie derecho sobre el izquierdo y termina en Posición de Paseo con la cabeza mirando hacia la derecha.

Mujer Con el peso sobre el pie derecho, deslízate para girar un cuarto de vuelta (90º) hacia la derecha. Cierra el pie izquierdo sobre el derecho, moviendo la cabeza hacia la derecha para terminar en Posición de Paseo.

Continúa por la nueva pared con el Paseo Cerrado.

Cuatro Pasos por el Lateral de la Pista

La versatilidad de los Cuatro Pasos permite ser bailados por el lateral de la pista, donde se han convertido en una figura habitual. Empieza en la posición normal, en el Zig.

1

CUENTA - RÁPIDO

Hombre Avanza con el pie izquierdo por el Zig.

Mujer Retrocede con el pie derecho por el Zig.

2

CUENTA - RÁPIDO

Hombre Da un paso hacia el costado y ligeramente hacia atrás con el pie derecho por el Zag hacia la pared.

Mujer Da un paso hacia el costado y ligeramente hacia atrás con el pie izquierdo por el Zag.

3

CUENTA - RÁPIDO

Hombre
Retrocede con el
pie izquierdo.

Mujer Avanza con el
pie derecho por el
lateral diestro del
hombre.

4

CUENTA - RÁPIDO

Hombre Cierra el pie
derecho sobre el
izquierdo y termina en
Posición de Paseo.

Mujer Con el peso sobre el
pie derecho, deslízate para
girar un cuarto de vuelta (90º)
hacia la derecha. Cierra el pie
izquierdo sobre el derecho,
moviendo la cabeza hacia la
derecha para terminar en
Posición de Paseo.

> Ya estás preparado para moverte en Posición
> de Paseo por el Zag hacia la línea central.
> Puedes hacerlo con el Paseo Cerrado, terminando
> con el hombre de cara a la línea central en el Zag. El
> hombre debería dar un paso corto en el paso 3 y seguir con el Giro
> Inverso. Como alternativa, puedes intentar el genial Enlace en Paseo.

Enlace en Paseo

El Enlace en Paseo no debe ser confundido con el Enlace Progresivo, que es una figura completamente diferente. El Enlace Progresivo es un movimiento rápido para volver de la Posición de Paseo a la posición normal tras bailar los Cuatro Pasos por el lateral de la pista. Empieza en Posición de Paseo en el Zag, preparado para avanzar hacia la línea central. El hombre tiene su peso en el pie derecho, y la mujer en el izquierdo.

1

CUENTA - LENTO

Hombre Da un
paso lateral por
el Zag con el pie
izquierdo en
Posición de Paseo.

Mujer Da un paso
lateral por el Zag
con el pie derecho
en Posición de
Paseo.

2

CUENTA - RÁPIDO

Hombre Avanza
con el pie
derecho,
cruzándolo por
delante del cuerpo
y empezando a
girar hacia la
izquierda.

Mujer Avanza con
el pie izquierdo,
cruzándolo por
delante del cuerpo
y empezando a
girar para encarar
al hombre.

3

CUENTA - RÁPIDO

Hombre Toca
el suelo con la
cara interna del
pie izquierdo, juntando
las rodillas y girando en
el Zag para encarar la
línea central.

Mujer Toca el suelo con
la cara interna del pie
derecho, juntando las
rodillas y girando para
terminar encarando al
hombre con la
cabeza hacia la
izquierda.

> Continúa con el Giro Inverso o con dos pasos Tango de preparación para el Giro Inverso o la Variación de Giro Inverso.

Giro Exterior

Ya tienes en tu repertorio una amplia gama de formas de entrar en el Giro Inverso o la Variación de Giro Inverso. Es momento de practicar una alternativa estilosa al Giro Inverso.

1

CUENTA - RÁPIDO

Hombre Avanza con el pie izquierdo, empezando a girar hacia la izquierda.

Mujer Retrocede con el pie derecho, empezando a girar hacia la izquierda.

2

CUENTA - RÁPIDO

Hombre Mueve el pie derecho hacia el costado, girando para terminar de espaldas en el Zig.

Mujer Mueve el pie izquierdo hacia el costado, todavía girando hacia la izquierda.

◀ **3** ▶

CUENTA - LENTO

Hombre Retrocede con el pie izquierdo por el Zag y, girando sobre el mismo pie, arrastra el pie derecho hacia la izquierda hasta que esté en dirección Zig apuntando a la pared.

Mujer Avanza con el pie derecho por el lateral diestro del hombre. Cierra el pie izquierdo sobre el derecho y gira un cuarto de vuelta hacia la derecha, con el peso sobre el pie derecho.

> *Concluye el movimiento bailando los pasos 2 y 3 del Enlace en Paseo para que el hombre termine en el Zig, encarándose a la pared. Es importante que el paso de la mujer en el paso 3 no sea demasiado grande y que la pareja mantenga el movimiento relativamente compacto. Una buena forma de seguir tras esta figura es el Enlace Progresivo seguido del Paseo Cerrado. De estar en una esquina, baila los Cuatro Pasos o el Giro En Balanceo como hemos descrito anteriormente.*

Cinco Pasos

Los Cinco Pasos son la figura más flexible, compacta y útil del Tango Moderno, y están llenos de carácter y estilo. Una de las formas más populares de ejecutar esta figura es hacerlo en lugar del Giro Inverso o el Giro Exterior. Empieza como lo harías para un Giro Inverso o un Giro Exterior.

1

CUENTA - RÁPIDO

Hombre Avanza con el pie izquierdo, empezando a girar hacia la izquierda.

Mujer Retrocede con el pie derecho, empezando a girar hacia la izquierda.

2

CUENTA - RÁPIDO

Hombre Mueve el pie derecho hacia el costado, girando hacia la izquierda para terminar de espaldas en el Zig.

Mujer Mueve el pie izquierdo hacia el costado, todavía girando hacia la izquierda.

3

CUENTA - RÁPIDO

Hombre Mueve tu peso atrás sobre el pie izquierdo sobre el Zag, llevando a la mujer a bailar por tu costado derecho.

Mujer Mueve tu peso hacia adelante sobre el pie derecho en el Zag por el costado derecho del hombre.

4

CUENTA - RÁPIDO

Hombre
Vuelve a mover tu peso sobre el pie derecho en el Zag, llevando a la mujer a bailar en línea contigo. Gira el cuerpo ligeramente hacia la izquierda y mueve la cabeza hacia la derecha para mirar sobre el hombro izquierdo de la mujer.

Mujer Avanza con el pie izquierdo en línea con el hombre, todavía en el Zag.

5

CUENTA - LENTO

Hombre
Toca el suelo con el pie izquierdo, sin apoyar peso, llevando a la mujer a Posición de Paseo y girando la cabeza hacia la izquierda para mirar en dirección Zig.

Mujer Toca el suelo con el pie derecho, sin apoyar el peso, moviéndote a Posición de Paseo y girando la cabeza para mirar en dirección Zig.

Continúa con el Enlace en Paseo terminando con el hombre mirando la pared en dirección Zig. Los Cinco Pasos pueden sustituirse por los Cuatro Pasos reduciendo la cantidad de giro para ajustarse al patrón de los Cuatro Pasos.

Cuatro Pasos con Foto

Esta fabulosa figura desarrolla los Cuatro Pasos para crear un buen momento fotográfico. La peculiar línea en X es el punto fuerte del movimiento; muchos bailarines de competición la utilizan frecuentemente y los fotógrafos la adoran, dado que captura el aspecto, carácter y sensación del Tango Moderno. Baila los Cuatro Pasos por el lateral de la pista como se describen anteriormente.

La línea en X

La pareja puede conseguir la línea en X en el paso 5. Tiene ese nombre por las líneas entre los cuerpos, y las piernas forman una X.

5

CUENTA - LENTO

Hombre Flexiona la rodilla derecha y mueve el pie izquierdo hacia el costado apuntando lejos, sin apoyar peso, en ángulo con el Zag, y llevando a la mujer a girar levemente hacia su derecha.

Mujer Flexiona la rodilla izquierda y mueve el pie derecho hacia el costado apuntando lejos, sin apoyar peso, en ángulo con el Zag, y gira levemente hacia la derecha.

6

CUENTA - LENTO

Hombre Sin extender la rodilla derecha, traza un arco con el pie izquierdo estirado, haciendo un movimiento circular en el suelo, o «Rondé». Cuando quede tras el pie derecho, retrocede un pequeño paso con el izquierdo por el Zag hacia la pared.

Mujer Sin extender la rodilla izquierda, traza un arco con el pie derecho estirado, haciendo un movimiento circular en el suelo, o «Rondé». Cuando quede tras el pie izquierdo, retrocede un pequeño paso con el derecho por el Zag hacia la pared.

CUENTA - Y

Hombre Cierra el pie derecho sobre el izquierdo, girando abruptamente para encarar a la mujer.

Mujer Cierra el pie izquierdo sobre el derecho, girando abruptamente para encarar al hombre.

8

CUENTA - LENTO

Hombre Da un toque en el suelo al costado con el pie izquierdo, sin apoyar el peso, y gira la cabeza hacia la izquierda, en Posición de Paseo.

Mujer Da un toque en el suelo al costado con el pie derecho, sin apoyar peso, y gira la cabeza hacia la derecha, en Posición de Paseo.

Continúa con el Paseo Cerrado, moviéndote por el Zag hacia la Línea Central, o con el Enlace en Paseo.

Efectos Especiales

El Tango Moderno permite el uso de grandes efectos especiales que ayuden a crear la atmósfera del baile. De forma sorprendente, con un poco de conocimiento, muchos de estos efectos son fáciles de poner en práctica.

La Quietud es la Esencia del Tango

Si el tráfico en la pista bloquea tu camino, detente y mantente perfectamente quieto. No intentes moverte de nuevo hasta que tu camino se haya despejado. Los bailarines suelen encontrar complicado el detenerse y quedarse estáticos pero, en el Tango Argentino original, las pausas formaban una parte integral y esencial del estilo. Estas pausas pueden utilizarse de forma muy efectiva en el Tango Moderno.

Moverse a Posición de Paseo con Estilo

Imagina que estás en tu posición inicial habitual, y que otra pareja está bloqueando tu camino hacia la pared. Puedes esperar, o puedes moverte de forma abrupta a la Posición de Paseo para deslizarte por la pista con libertad.

1

CUENTA - Y

Hombre Extiende la pierna izquierda, apuntando hacia adelante con el pie izquierdo, y cruzándola levemente por delante del cuerpo, sin apoyar el peso. Mira hacia la derecha, por encima del hombro izquierdo de la mujer.

Mujer Extiende la pierna derecha hacia atrás levemente, sin apoyar el peso. Gira la cabeza más hacia la izquierda de lo habitual.

2

CUENTA - LENTO

Hombre Acerca el pie izquierdo abruptamente para que toque el suelo al costado, sin apoyar el peso, moviéndote a Posición de Paseo.

Mujer Acerca el pie derecho abruptamente para que toque el suelo al costado, sin apoyar el peso, moviéndote a Posición de Paseo y girando la cabeza bruscamente hacia la derecha.

Chassé en Paseo

El Chassé en Paseo es una forma muy eficaz de moverte por la pista en Posición de Paseo, creando un efecto especial. Empieza y termina en Posición de Paseo, manteniendo las rodillas flexionadas durante toda la figura.

1
CUENTA - RÁPIDO

Hombre Paso lateral con el pie izquierdo en Posición de Paseo.

Mujer Paso lateral con el pie derecho en Posición de Paseo.

2
CUENTA - RÁPIDO

Hombre Cierra el pie derecho sobre el izquierdo en Posición de Paseo.

Mujer Cierra el pie izquierdo sobre el derecho en Posición de Paseo.

3
CUENTA - RÁPIDO

Hombre Repite los pasos 1 y 2.

Mujer Repite los pasos 1 y 2.

4
CUENTA - LENTO

Hombre Toca el suelo al costado con el pie izquierdo, sin apoyar el peso, y en Posición de Paseo.

Mujer Toca el suelo al costado con el pie derecho, sin apoyar el peso, y en Posición de Paseo.

Pausa Pulida en Paseo

Si estás en Posición de Paseo y el camino está bloqueado, puedes convertir la pausa en un momento interesante de la siguiente manera.

1
CUENTA - LENTO

Hombre Retrocede con el pie izquierdo.

Mujer Retrocede con el pie derecho.

2
CUENTA - Y

Hombre Cierra el pie derecho sobre el izquierdo de forma abrupta y gira para encarar a la mujer.

Mujer Cierra el pie izquierdo sobre el derecho de forma abrupta y gira para encarar al hombre.

3
CUENTA - LENTO

Hombre Da un toque en el suelo al costado con el pie izquierdo, sin apoyar el peso, y gira la cabeza hacia la izquierda para terminar en Posición de Paseo.

Mujer Da un toque en el suelo al costado con el pie derecho, sin apoyar el peso, y gira la cabeza hacia la derecha para terminar en Posición de Paseo.

Foxtrot Lento

Tal y como su nombre sugiere, el Foxtrot Lento es la versión lenta del Foxtrot. La versión rápida evolucionó hacia el Quickstep. El trasfondo de ambos estilos está descrito en el capítulo de Quickstep. El Foxtrot Lento es un baile romántico y hermoso al que aspiran la mayoría de los bailarines. Sin embargo, las líneas simples y llenas de gracia de este estilo no permiten ver la complejidad técnica, experiencia y requerimiento físico necesarios para bailarlo. Lo habitual es empezar con el Foxtrot Lento una vez se ha dominado ya el Vals y el Quickstep. La práctica no solo hace las cosas más fáciles; las hace posibles. Con suficiente práctica, el intenso placer de la elegancia de este baile se vuelve asequible.

Consejo de estilo

El Foxtrot Lento es, sin duda, un baile más complejo que los demás bailes de pareja estándar. Sin embargo, con bastante práctica, estudio y comprensión, llegarás a resultados que podrán sorprenderte y a recibir enormes recompensas. Contacta con tu academia de baile cualificada más cercana para profundizar en el Foxtrot Lento.

Tiempo y ritmo

El Foxtrot Lento tiene un tempo tranquilo de 30 compases por minuto, un compás de 4/4 y un ritmo firme de «Lento-Rápido-Rápido», donde un Lento equivale a dos golpes musicales y un Rápido equivale a uno.

Sugerencia musical

El Foxtrot Lento es el baile de los mejores Swings, como On the Sunny Side of the Street, *y temas contemporáneos como* This Business of Love, *de la película* La Máscara*. Las baladas románticas como* Nice 'n' Easy, *de Frank Sinatra, y la maravillosa versión de Hugo Strasser de* Autumn Leaves, *llamada* Der Scheier Vie, *son Foxtrots clásicos y muy bailables. Cualquiera que sea tu gusto musical, puedes encontrar asesoramiento en tiendas especializadas.*

Un breve programa

El Foxtrot Lento, a diferencia del Quickstep, el Vals y el Foxtrot Social, no tiene ningún movimiento básico simple y fácil de repetir, por lo que debemos construir un breve programa de 12 pasos, mezclando el Final Ligero, los Tres Pasos y el Giro Impetuoso.

Final Ligero

Puede parecer raro empezar a bailar con un Final Ligero, pero esta figura solo es el final de otra que encontraremos más adelante. Toma el agarre básico. El hombre tiene su peso sobre el pie izquierdo y la mujer sobre el derecho. Ambos tienen los pies juntos y están en el Zig.

Inclinación

La inclinación natural del cuerpo deriva de la oscilación del baile. Ayuda a dar un estilo simple y relajado al movimiento. Cuando un pie se mueva para dar un paso, el cuerpo se moverá de forma natural en la dirección contraria, haciendo de contrapeso. En el Foxtrot Lento, la inclinación suele cambiar de un lado del cuerpo a otro cada tres pasos. Justo en el medio, cuando la oscilación cambie de un lado a otro, no habrá inclinación. Por tanto, el patrón de inclinación normal en el Foxtrot Lento será «Recto-Derecha-Derecha-Recto-Izquierda-Izquierda», de forma repetida. Existen ciertas excepciones a este patrón, particularmente en las vueltas, por ejemplo en el caso del Giro Impetuoso.

1

CUENTA - LENTO

Hombre Retrocede con el pie derecho y extiende el izquierdo lateralmente en el Zag.

Mujer Avanza con el pie izquierdo y extiende el derecho lateralmente en el Zag.

> *Inclinación del hombre: Recto-Derecha-Derecha*
> *Inclinación de la mujer: Recto-Izquierda-Izquierda*

2

CUENTA – RÁPIDO

Hombre Pasa el peso de tu cuerpo a la punta del pie izquierdo.

Mujer Pasa el peso de tu cuerpo a la punta del pie derecho.

3

CUENTA – RÁPIDO

Hombre Baja el peso de tu cuerpo a los talones, avanzando con el pie derecho por el lateral derecho de la mujer en el Zig.

Mujer Retrocede con el pie izquierdo por el Zig.

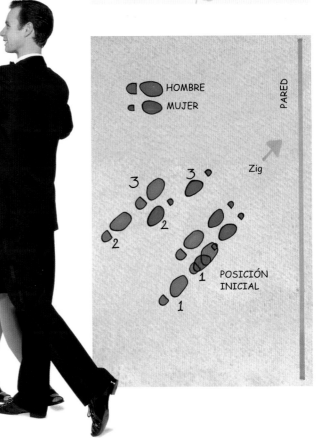

Continúa con los Tres Pasos, el Telemark Flotante o el Onda Inversa.

Consejo de estilo

En cada paso hacia atrás del Foxtrot Lento es importante que la mujer levante del suelo primero la punta del pie y luego el talón.

Los Tres Pasos

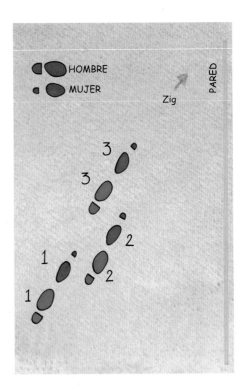

1

CUENTA – LENTO

Hombre Avanza con el pie izquierdo en línea con la mujer, haciendo oscilar el pie derecho hacia adelante por el Zig.

Mujer Retrocede con el pie izquierdo, liberando la punta del pie que queda adelante.

Inclinación del hombre: Recto-Izquierda-Izquierda
Inclinación de la mujer: Recto-Derecha-Derecha

2

CUENTA - RÁPIDO

Hombre Transfiere el peso de tu cuerpo al pie derecho y elévate sobre la punta.

Mujer Retrocede con el pie derecho, liberando la punta del pie que queda adelantada.

3

CUENTA - RÁPIDO

Hombre Baja el peso del cuerpo a los talones, avanzando con el pie izquierdo por el Zig.

Mujer Retrocede con el pie izquierdo, liberando la punta del pie que queda adelantada.

Continúa con el Giro Impetuoso o con el Giro Impetuoso Abierto.

Giro Impetuoso

Las Esquinas

En tu programa corto, deberías intentar bailar las esquinas utilizando el Giro Impetuoso. Al salir de la esquina, el hombre estará en el Zag de la nueva pared, de espaldas a la línea central. Al volver a empezar el programa, la pareja necesitará girar un cuarto de vuelta (90°) hacia la izquierda durante los pasos 1 y 2 del Final Ligero.

1

CUENTA - LENTO

Hombre Avanza con el pie derecho, empezando a girar hacia la derecha y haz oscilar el pie izquierdo hacia adelante por el Zig.

Mujer Retrocede con el pie izquierdo, empezando a girar hacia la derecha.

2

CUENTA - RÁPIDO

Hombre Pasa el peso de tu cuerpo a la punta del pie izquierdo, girando para mirar en contra de la corriente.

Mujer Tira del talón derecho, en contacto con el suelo, para cerrarlo sobre el izquierdo. Sobre el talón izquierdo, con los pies juntos, gira tres octavos de vuelta (135°) hacia la derecha para terminar mirando a favor de la corriente, y elévate sobre la punta del pie derecho.

Inclinación del hombre: Recto-Derecha-Derecha-Recto-Izquierda-Izquierda
Inclinación de la mujer: Recto-Izquierda-Izquierda-Recto-Derecha-Derecha

BAILES DE SALÓN INTERNACIONALES

3

CUENTA - RÁPIDO

Hombre
Retrocede con el pie derecho, bajando el peso a los talones.

Mujer Avanza con el pie izquierdo, en línea con el hombre, bajando el peso a los talones.

4

CUENTA - LENTO

Hombre
Retrocede con el pie izquierdo, empezando a girar hacia la derecha.

Mujer Avanza con el pie derecho empezando a girar hacia la derecha y balancea el pie izquierdo hasta que adelante al hombre.

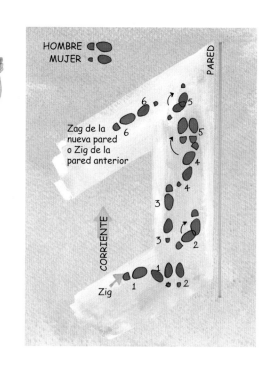

Consejo de estilo

El deseo de bailar mejor de muchos intérpretes termina traduciéndose en esfuerzo físico. Procura mantener el baile relajado y evita propasarte. La longitud de los pasos es un factor muy importante de cara a mantener una sensación de suavidad. Generalmente, sobre tres pasos, la relación de longitud será de «Corto-Largo-Corto», que también corresponde a la acción de «Paso-Oscilación-Paso-Paso». En el primer paso, la cuenta «Lento», el bailarín da un paso y desarrolla la oscilación moviendo el otro pie para prepararlo para el siguiente paso en la cuenta «Rápido». La oscilación se resuelve y neutraliza en el paso 3, al moverse de un lado del cuerpo al otro. En algunos movimientos, como sería un giro sobre el talón (Giro Impetuoso, pasos 1 al 3 de la mujer, 4 al 6 del hombre), la persona que gira no puede dar un paso largo, pero su pareja debe hacerlo.

5

CUENTA - RÁPIDO

Hombre Tira del talón derecho, en contacto con el suelo, para cerrarlo sobre el izquierdo. Con el peso sobre el talón izquierdo y los pies juntos, gira tres octavos de vuelta (135°) hacia la derecha para terminar en el Zag, encarando la línea central. Levántate sobre la punta del pie derecho.

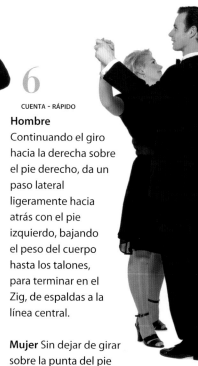

Mujer Sin dejar de girar hacia la derecha, pasa el peso de tu cuerpo lateralmente hacia la punta del pie izquierdo, y acerca el derecho para tocar o acariciar el lateral del pie izquierdo, completando tres octavos de vuelta (135°) para terminar en el Zag, de espaldas a la línea central.

6

CUENTA - RÁPIDO

Hombre
Continuando el giro hacia la derecha sobre el pie derecho, da un paso lateral ligeramente hacia atrás con el pie izquierdo, bajando el peso del cuerpo hasta los talones, para terminar en el Zig, de espaldas a la línea central.

Mujer Sin dejar de girar sobre la punta del pie izquierdo, da un paso diagonal hacia adelante con el pie izquierdo, bajando el peso del cuerpo hasta los talones para terminar en el Zig, encarando la línea central.

Continúa con el Final Ligero.

Consejo de estilo

El programa corto, compuesto por el Final Ligero, los Tres Pasos y el Giro Impetuoso, puede ser repetido y bailado continuamente. Los ángulos de los Zigzags pueden modificarse para crear mayor o menor desplazamiento por la pista y para medir la aproximación de la esquina.

Giro Inverso

En baile, un giro «Inverso» es sencillamente un giro hacia la izquierda. Podemos introducir el Giro Inverso en tu programa corto. Empieza con el Final Ligero igual que antes, pero girándolo un cuarto de vuelta (90º) hacia la izquierda, para terminar con el hombre en el Zag encarando la línea central. Ahora ya puedes bailar el Giro Inverso.

1

CUENTA – LENTO

Hombre Avanza con el pie izquierdo en línea con la mujer, empezando a girar hacia la izquierda y haciendo oscilar el pie derecho hacia adelante a lo largo del Zag.

Mujer Retrocede con el pie derecho, empezando a girar hacia la izquierda.

2

CUENTA – RÁPIDO

Hombre Pasa el peso de tu cuerpo hacia adelante sobre la punta del pie derecho, girando hacia la izquierda para terminar encarado en contra de la corriente.

Mujer Tira del talón izquierdo, en contacto con el suelo, para cerrarlo sobre el derecho. Con el peso sobre el talón derecho y los pies juntos, gira hacia la izquierda para terminar encarada a favor de la corriente y elévate sobre la punta del pie izquierdo.

3

CUENTA – RÁPIDO

Hombre Retrocede con el pie izquierdo, bajando el peso del cuerpo hasta los talones.

Mujer Avanza con el pie derecho, en línea con el hombre, bajando el peso del cuerpo hasta los talones.

Inclinación del hombre: Recto-Izquierda-Izquierda-Recto-Derecha-Derecha
Inclinación de la mujer: Recto-Derecha-Derecha-Recto-Izquierda-Izquierda

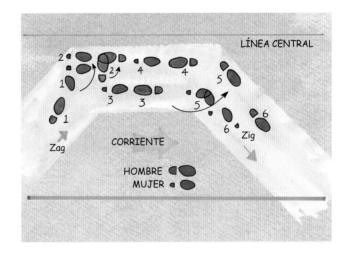

4

CUENTA – LENTO

Hombre Retrocede con el pie derecho, empezando a girar hacia la izquierda y haciendo oscilar el pie izquierdo hacia atrás.

Mujer Avanza con el pie izquierdo, empezando a girar hacia la izquierda y haciendo oscilar el pie derecho hacia atrás.

5

CUENTA – RÁPIDO

Hombre Pasa el peso de tu cuerpo lateralmente hacia la punta del pie izquierdo en el Zig.

Mujer Pasa el peso de tu cuerpo lateralmente hacia el pie derecho, apoyando punta-talón y sin dejar de girar hacia la izquierda.

6

CUENTA – RÁPIDO

Hombre Avanza con el pie derecho por el lateral derecho de la mujer en el Zig, bajando el peso del cuerpo hasta los talones.

Mujer Retrocede con el pie izquierdo por el Zig hacia la pared.

Ahora estás en la misma posición en la que terminaste el Final Ligero. Continúa con los Tres Pasos, la Onda Inversa o el Telemark Flotante.

Entretejido Natural

El Entretejido Natural es una figura excelente del Foxtrot Lento que permite a los bailarines cambiar de dirección rápidamente y moverse por la pista, alejándose de obstáculos en el tráfico. Se baila tras los Tres Pasos. El hombre tiene su peso sobre el pie izquierdo en el Zig, preparado para moverse hacia la pared. La mujer tiene su peso sobre el pie derecho.

1

CUENTA - LENTO

Hombre Avanza con el pie derecho, empezando a girar hacia la derecha.

Mujer Retrocede con el pie izquierdo, empezando a girar hacia la derecha.

2

CUENTA - RÁPIDO

Hombre Muévete lateralmente sobre la punta del pie izquierdo, girando un cuarto de vuelta (90º) hacia la derecha para terminar en el Zag.

Mujer Tira del talón derecho, en contacto con el suelo, para cerrarlo sobre el izquierdo. Con el peso sobre el talón izquierdo y los pies juntos, gira un cuarto de vuelta (90º) hacia la derecha y elévate sobre la punta del pie derecho.

> *Inclinación del hombre: Recto-Derecha-Recto-Izquierda-Recto-Derecha-Derecha*
> *Inclinación de la mujer: Recto-Izquierda-Recto-Derecha-Recto-Izquierda-Izquierda*

Consejo de estilo

Bailando el programa corto y el programa extendido, que incluye el Giro Natural y el Entretejido Natural, aprenderás rápidamente a medir la cantidad de desplazamiento que implicará cada serie de movimientos. Puedes mejorar tu experiencia practicando diferentes combinaciones que se ajusten al tamaño de cualquier pista de baile. Por ejemplo, en una pista de tamaño mediano y forma rectangular, puedes empezar en el lado largo con el programa extendido, incluyendo el Giro Inverso, para llegar a los dos tercios del lado largo. El programa corto completaría ese lado y otro programa corto te permitiría terminar con el lado corto. De forma alternativa, el lado largo podría desarrollarse así: «Final Abierto-Giro Inverso-Tres Pasos-Entretejido Natural-Tres Pasos-Giro Impetuoso».

3

CUENTA - RÁPIDO

Hombre Muévete hacia atrás sobre la punta del pie derecho en el Zag, permitiendo al cuerpo girar para casi encarar en contra de la corriente.

Mujer Muévete hacia adelante sobre la punta del pie izquierdo en el Zag, permitiendo al cuerpo girar para encarar casi a favor de la corriente.

4

CUENTA - RÁPIDO

Hombre Muévete hacia la punta del pie izquierdo.

Mujer Muévete hacia adelante, cruzando levemente la punta del pie derecho, para dar un paso en el Zag por el lateral derecho del hombre.

5

CUENTA - RÁPIDO

Hombre Muévete hacia atrás sobre la punta del pie derecho, empezando a girar hacia la izquierda.

Mujer Muévete hacia adelante sobre la punta del pie izquierdo, empezando a girar hacia la izquierda.

6

CUENTA - RÁPIDO

Hombre Muévete lateralmente sobre la punta del pie izquierdo, girando hacia el Zig.

Mujer Muévete lateralmente sobre el pie derecho, todavía girando hacia la izquierda, apoyando el pie punta-talón.

7

CUENTA - LENTO

Hombre Avanza con el pie derecho por el lateral de la mujer, bajando el peso punta-talón.

Mujer Mueve el pie izquierdo hacia atrás por el Zig.

Consejo de estilo

La figura de Tres Pasos Girando a la Izquierda del Vals puede utilizarse también en el Foxtrot Lento en lugar de los pasos del 1 al 3 del Giro Inverso. Utiliza el ritmo estándar de «Lento-Rápido-Rápido» y sigue con los pasos 4 al 6 del Giro inverso. También sirve como fantástica entrada para la Onda Inversa, omitiendo los pasos del 1 al 3 del Giro Inverso y minimizando el giro.

Continúa con los Tres Pasos, la Onda Inversa o el Telemark Flotante.

Onda Inversa

La Onda Inversa es uno de los movimientos más versátiles y elegantes del Foxtrot Lento. Se combina muy bien tras los Tres Pasos en Curva, minimizando el giro para que el hombre termine en el Zig de espaldas a la corriente. La forma estándar de entrar en la Onda Inversa es hacerlo tras el Giro Inverso. Esta magnífica combinación utiliza algunos de los movimientos con los que ya te has familiarizado. Empieza bailando el Giro Inverso. Luego, baila los pasos del 1 al 3 del Giro Inverso otra vez, empezando de nuevo con el hombre encarado hacia la pared en el Zig y maximizando el giro del movimiento para llegar a la media vuelta, de forma que el hombre termine de espaldas a la pared en el Zig. La cantidad de giro extra puede complicar un poco esto. Es muy importante que la mujer haga su paso 1 muy corto y que el hombre no intente adelantar o forzar el giro.

1

CUENTA - LENTO

Hombre Retrocede con el pie derecho, empezando a girar hacia la izquierda.

Mujer Avanza con el pie izquierdo, empezando a girar hacia la izquierda.

Inclinación del hombre: Recto-Derecha-Derecha
Inclinación de la mujer: Recto-Izquierda-Izquierda

2

CUENTA - RÁPIDO

Hombre Retrocede con la punta del pie izquierdo, continuando el giro hacia la izquierda.

Mujer Transfiere el peso del cuerpo hacia adelante sobre el pie derecho y elévate sobre la punta, continuando el giro gradual hacia la izquierda.

3

CUENTA - RÁPIDO

Hombre Retrocede con el pie derecho, completando el giro hacia la izquierda para encarar en contra de la corriente.

Mujer Baja el peso del cuerpo avanzando con el pie izquierdo y completando el giro hacia la izquierda para terminar mirando a favor de la corriente.

Continúa con los pasos del 4 al 6 del Giro Impetuoso o del Giro Impetuoso Abierto. También puedes seguir con el Giro Natural.

Paso Ligero

Muchos bailarines empiezan su Foxtrot Lento con el Paso Ligero, utilizándolo como entrada para el Giro Inverso. El hombre tiene el peso sobre su pie izquierdo en el Zag, encarando la línea central. La mujer tiene el peso sobre su pie derecho en el Zag, de espaldas a la línea central.

1

CUENTA - LENTO

Hombre Avanza por el Zag con el pie derecho y haz oscilar el pie izquierdo hacia adelante.

Mujer Retrocede con el pie izquierdo y empieza a mover el derecho hacia atrás, liberando primero la punta.

Inclinación del hombre: Recto-Derecha-Derecha
Inclinación de la mujer: Recto-Izquierda-Izquierda

2

CUENTA - RÁPIDO

Hombre Permite que la oscilación del pie izquierdo siga su camino hasta llevar el peso del cuerpo sobre la punta. Gira el cuerpo levemente hacia la derecha.

Mujer Retrocede con el pie derecho y empieza a mover el izquierdo hacia atrás, liberando primero la punta y permitiendo que el cuerpo gire levemente hacia la derecha.

3

CUENTA - RÁPIDO

Hombre Avanza con el pie derecho, cruzándolo levemente frente al cuerpo y apoyándolo al costado derecho de la mujer. Baja el peso del cuerpo a los talones.

Mujer Retrocede con el pie izquierdo y empieza a mover el derecho hacia atrás, liberando primero la punta.

Continúa con el Giro Inverso, los Tres Pasos en Curva, el Telemark Abierto o el Giro Inverso Rápido.

Giro Natural en Esquina

Cuando se empieza el Foxtrot Lento con el Paso Ligero, el movimiento llamado Giro Natural se utiliza en la esquina como forma de entrada. El Giro Natural puede usarse en lugar del Giro Impetuoso. Primero, a medida que te acercas a la esquina, baila los pasos del 1 al 3 del Giro Impetuoso. El hombre está ahora en contra de la corriente y tiene el peso en el pie derecho. La mujer está a favor de la corriente y tiene el peso en el pie izquierdo.

1

CUENTA - LENTO

Hombre Retrocede con el pie izquierdo, empezando a tirar del talón derecho en cuanto el pie izquierdo toque el suelo.

Mujer Avanza con el pie derecho.

Inclinación del hombre: Recto-Izquierda-Lento
Inclinación de la mujer: Recto-Derecha-Lento

Consejo de estilo

La pareja debería mantenerse abajo durante estos tres pasos, y evitar correr en las tres cuentas de Lento de este movimiento.

2

CUENTA - LENTO

Hombre Sin juntar los pies, tira del derecho hacia el lateral. Da un cuarto de vuelta (90º) hacia la derecha y mueve el peso del cuerpo sobre el pie derecho. Termina en el Zag de la nueva pared encarando la Línea Central.

Mujer Muévete lateralmente sobre el pie izquierdo, girando levemente hacia la derecha, y arrastra el pie derecho para cerrarlo sobre el izquierdo.

3

CUENTA - LENTO

Hombre Avanza con el pie izquierdo por el Zag hacia la línea central.

Mujer Retrocede con el pie derecho.

Combinar el Giro Natural con otros movimientos

Puedes continuar con un Paso Ligero para avanzar por el nuevo lado de la pista. También puedes omitir el último paso del Giro Natural y pasar directamente al Giro Inverso o los Tres Pasos en Curva. Una buena combinación es bailar los primeros dos pasos del Giro Natural, luego los pasos del 1 al 3 del Giro Inverso girando solo un cuarto de vuelta (90º) para terminar con el hombre en contra de la corriente en el Zig y pasar a la Onda Inversa. El Giro Natural también puede usarse fuera de las esquinas, girando tres octavos de vuelta (135º) y terminando con el hombre en el Zag a favor de la corriente encarado hacia la línea central. Puedes seguir entonces con cualquiera de las combinaciones sugeridas.

Telemark Abierto

El Telemark Abierto es una forma muy elegante de entrar en Posición de Paseo en el Foxtrot Lento. También es una figura muy útil para dirigirte hacia la pared, sin dejar de moverte a lo largo de la pista, en lugar de hacerlo con un Giro Inverso. Empieza con el hombre en el Zag, encarando la línea central, con el peso sobre el pie derecho. La mujer tiene el peso en ese mismo pie.

1

CUENTA – LENTO

Hombre Pasa el cuerpo hacia la punta del pie derecho, girando hacia la derecha para encarar en contra de la corriente.

Mujer Tira del talón izquierdo en contacto con el suelo para cerrarlo sobre el derecho. Con el peso sobre el talón derecho y los pies juntos, gira para encarar a favor de la corriente y elévate sobre la punta del pie izquierdo. Empieza a girar la cabeza hacia la derecha.

2

CUENTA – RÁPIDO

Hombre Avanza con el pie izquierdo en línea con la mujer, empezando a girar hacia la izquierda, y haz oscilar el pie derecho hacia adelante por el Zag.

Mujer Retrocede con el pie derecho, empezando a girar hacia la izquierda.

3

CUENTA – RÁPIDO

Hombre Apunta con el pie izquierdo en dirección Zig, bajando el peso a los talones, en Posición de Paseo.

Mujer Apunta con el pie derecho en dirección Zig, bajando el peso a los talones, en Posición de Paseo con la cabeza girada hacia la derecha.

Continúa con el Final Ligero en Posición de Paseo o con el Giro Natural en Pase. Puedes girar un poco más el Telemark Abierto para terminar en la línea paralela al borde de la pista. Continúa con el Ala y el Chassé Sincopado Progresivo hacia la derecha, seguido por el Final Entretejido, terminado encarando la pared en dirección Zig.

Inclinación del hombre: Recto-Izquierda-Recto
Inclinación de la mujer: Recto-Derecha-Recto

Final Ligero en Posición de Paseo

Esta es una forma muy práctica de salir de la Posición de Paseo que debería estar en el repertorio de Foxtrot Lento de cualquier bailarín. Empieza en Posición de Paseo, saliendo, por ejemplo, del Telemark Abierto.

1

CUENTA – LENTO

Hombre Avanza cruzando el pie derecho por el Zig en Posición de Paseo, haciendo oscilar el pie izquierdo hacia adelante.

Mujer Avanza cruzando el pie izquierdo por el Zig en Posición de Paseo, empezando a girar hacia la izquierda.

Inclinación del hombre: Recto-Derecha-Derecha
Inclinación de la mujer: Recto-Izquierda-Izquierda

2

CUENTA – RÁPIDO

Hombre Pasa el peso de tu cuerpo hacia adelante sobre la punta del pie izquierdo, moviéndote por el Zig.

Mujer Muévete lateralmente sobre el pie derecho y sigue girando para encarar al hombre.

3

CUENTA – RÁPIDO

Hombre Avanza cruzando levemente el pie derecho por el lateral derecho de la mujer y baja el peso hasta los talones.

Mujer Retrocede con el pie izquierdo, completando el giro para encarar al hombre.

> *Continúa con los Tres Pasos o con la Onda Inversa. Recuerda bailar los pasos del 1 al 3 del Giro Inverso.*

Giro Natural en Pase

El Giro Natural en Pase es la forma estándar de entrar en el Giro Exterior y en otra amplia gama de movimientos que tu profesor de baile te enseñará gustoso. Empieza por bailar el Telemark Abierto tal y como se ha descrito antes, y síguelo con el Giro Natural en Pase.

> *Hombre y mujer: sin inclinación*

1

CUENTA – LENTO

Hombre Avanza por el Zig cruzando el pie derecho en Posición de Paseo. Empieza a girar hacia la derecha, para terminar en dirección Zag encarando la pared. Haz oscilar el pie izquierdo por el Zag.

Mujer Avanza por el Zig cruzando el pie izquierdo en Posición de Paseo.

Consejo de estilo
Podrá parecer como si el hombre está impidiendo el paso a la mujer, pero él debe evitar el progreso de ella a lo largo del Zig.

2

CUENTA – RÁPIDO

Hombre Mueve el peso del cuerpo hacia adelante sobre la punta del pie izquierdo y sigue girando para dar la espalda a la línea central.

Mujer Mueve el peso por el Zig hacia adelante sobre la punta del pie derecho, metiéndolo entre los pies del hombre.

3

CUENTA – RÁPIDO

Hombre Retrocede con el pie derecho por el Zig, bajando el peso del cuerpo a los talones y echando el lado derecho del cuerpo atrás con el pie.

Mujer Avanza por el Zig con el pie izquierdo, bajando el peso del cuerpo hasta los talones y llevando el lado izquierdo del cuerpo hacia adelante con el pie.

> *Continúa con el Giro Exterior.*

Giro Exterior

Esta estilosa figura viene tras la combinación del Telemark Abierto y el Giro Natural en Pase. Es un movimiento estándar del Foxtrot Lento que goza de gran popularidad y que espero disfrutéis.

1

CUENTA - LENTO

Hombre Retrocede por el Zig con el pie izquierdo, con la punta girada hacia dentro. Permite que el pie derecho se cruce por delante del pie izquierdo, sin perder contacto con el suelo. Con el peso sobre el pie izquierdo, gira un cuarto de vuelta (90°) hacia la derecha para terminar en el Zag, encarado hacia la línea central. Lleva a la mujer a girar hacia la derecha para terminar en Posición de Paseo.

Mujer Avanza por el Zig con el pie derecho, cruzándolo por delante del cuerpo y por el lateral del hombre. Acerca el pie izquierdo al derecho y, con el peso en el derecho, gira hacia la derecha para terminar en el Zag encarando la línea central. No corras al hacer este paso.

> *Hombre y mujer: sin inclinación*

> *Continúa con el Final Ligero en Posición de Paseo, moviéndote por el Zag hacia la línea central, con el Entretejido, o con el Ala.*

Giro de Impetuoso Abierto

Ya has incorporado el Giro Impetuoso a tu Foxtrot Lento. Ahora introducimos algunas modificaciones para terminar la figura en Posición de Paseo y dar la oportunidad de desarrollar más estilo en la forma del movimiento. El Giro Impetuoso Abierto se baila por la línea paralela al borde de la pista. Empieza con los pasos del 1 al 3 del Giro Impetuoso.

4

CUENTA - LENTO

Hombre Retrocede con el pie izquierdo, empezando a girar hacia la derecha.

Mujer Avanza con el pie derecho, empezando a girar hacia la izquierda, y haz oscilar el pie izquierdo sobrepasando al hombre.

5

CUENTA - RÁPIDO

Hombre Tira del talón derecho en contacto con el suelo para cerrarlo sobre el izquierdo. Con el peso sobre el talón izquierdo y los pies juntos, gira tres octavos de vuelta (135°) hacia la derecha para terminar en el Zag, encarando la línea central. Elévate sobre la punta del pie derecho.

Mujer Sin dejar de girar hacia la derecha, lleva el peso de tu cuerpo lateralmente sobre la punta del pie izquierdo y acerca el derecho para tocar o acariciar el lateral de ese pie.

> *Inclinación del hombre: Recto-Derecha-Recto*
> *Inclinación de la mujer: Recto-Izquierda-Recto*

6

CUENTA - RÁPIDO

Hombre Todavía girando sobre el pie derecho, da un pequeño paso por el Zag hacia la línea central con el pie izquierdo, bajando el peso hasta los talones, en Posición de Paseo.

Mujer Todavía girando sobre la punta del pie izquierdo, da un pequeño paso con la punta del pie derecho por el Zag hacia la línea central. Después baja el peso del cuerpo hasta el talón del pie derecho, en Posición de Paseo.

Continúa con el Final Ligero, el Entretejido o el Ala. Si acabas de pasar una esquina, es posible ir directamente al Giro Natural en Paso y al Giro Exterior al principio del nuevo lado.

Consejo de estilo

Normalmente, la cabeza del hombre se mantiene siempre hacia la izquierda. Sin embargo, para dar un toque extra de estilo, el hombre puede girar la cabeza hacia la derecha y mirar por encima del hombro izquierdo de la mujer al inclinarse y girar en los pasos 4 y 5. Mientras la pareja sube sobre la punta de los pies, ambos pueden sincronizar el movimiento de sus cabezas para acabar en Posición de Paseo.

4a

CUENTA - LENTO

5a

CUENTA - RÁPIDO

Entretejido

El Entretejido es uno de los movimientos internacionalmente estandarizados del Foxtrot Lento, y esta versión está diseñada para ser ejecutada tras el Giro Impetuoso Abierto o el Giro Exterior. La pareja está en Posición de Paseo, preparada para moverse por el Zag hacia la línea central. El hombre tiene su peso sobre el pie izquierdo y la mujer sobre el derecho.

1

CUENTA - LENTO

Hombre Avanza por el Zag hacia la línea central cruzando el pie derecho en Posición de Paseo.

Mujer Avanza por el Zag hacia la línea central cruzando el pie izquierdo en Posición de Paseo.

2

CUENTA - RÁPIDO

Hombre Da un pequeño paso hacia adelante por el Zag con la punta del pie izquierdo entre los pies de la mujer, empezando a girar hacia la izquierda.

Mujer Muévete lateralmente sobre la punta del pie derecho, girando hacia la izquierda encarando al hombre, para terminar en el Zag dando la espalda a la línea central.

> *Inclinación del hombre: Recto-Recto-Izquierda-Izquierda, Recto-Derecha-Derecha*
> *Inclinación de la mujer: Recto-Recto-Derecha-Derecha, Recto-Izquierda-Izquierda*

3

CUENTA - RÁPIDO

Hombre Muévete lateralmente sobre la punta del pie derecho, girando hacia la izquierda para terminar en el Zig de frente a la pared.

Mujer Muévete lateralmente sobre la punta del pie izquierdo, girando hacia la izquierda para dar la espalda a la pared.

4

CUENTA - RÁPIDO

Hombre Retrocede con la punta del pie izquierdo, sin dejar de girar hacia la izquierda.

Mujer Avanza cruzando la punta del pie derecho por el lateral derecho del hombre.

5

CUENTA - RÁPIDO

Hombre Retrocede con la punta del pie derecho, sin dejar de girar hacia la izquierda.

Mujer Avanza con la punta del pie izquierdo en línea con el hombre, y sigue girando hacia la izquierda.

6

CUENTA - RÁPIDO

Hombre Sin dejar de girar hacia la izquierda, apunta con el pie derecho en dirección Zig y mueve el peso sobre la punta de ese pie.

Mujer Muévete lateralmente sobre el pie derecho, girando hacia la derecha para encarar la pared.

7

CUENTA - RÁPIDO

Hombre Avanza por el Zig con la punta del pie derecho, por el lateral derecho de la mujer, y baja el peso hasta los talones.

Mujer Retrocede por el Zig hacia la pared con el pie izquierdo.

Continúa con los Tres Pasos, los pasos del 1 al 3 del Giro Inverso y la Onda Inversa o con el Telemark Flotante.

El Ala y el Chassé Sincopado Progresivo hacia la derecha terminado con un Entretejido Abierto

Los mejores bailarines siempre tienen preparado un movimiento alternativo por si la zona hacia la que se van a desplazar está ocupada. Imagina que acabas de terminar un Giro Impetuoso Abierto o un Giro Exterior, y que no puedes avanza porque hay más parejas por delante bloqueando el tráfico. Es el momento de ejecutar el Ala, figura en la que el hombre detiene el avance de la pareja para llevar a la mujer a bailar tres pasos a su alrededor, terminando en su lado izquierdo, en contra de lo habitual. ¡Eso es conocimiento de pista y estilo!

El Ala

1

CUENTA - LENTO

Hombre Avanza por el Zag hacia la línea central cruzando el pie derecho en Posición de Paseo.

Mujer Avanza con el pie izquierdo, empezando a girar hacia la izquierda alrededor del hombre.

Inclinación del hombre: Recto-Derecha-Derecha
Inclinación de la mujer: Recto-Izquierda-Izquierda

Consejo de estilo

Mientras la mujer camina en torno al hombre, es importante que mantenga su lado derecho adelantado para mantener el contacto con su pareja. La mujer gira gradualmente la cabeza hacia la izquierda a lo largo del movimiento.

2

CUENTA - RÁPIDO

Hombre Con el peso sobre el pie derecho, gira lentamente hacia la izquierda, arrastrando el pie izquierdo por el suelo hacia el derecho sin apoyar peso en él.

Mujer Avanza con la punta del pie derecho, continuando el movimiento alrededor del hombre.

3

CUENTA - RÁPIDO

Hombre Con el peso todavía sobre el pie derecho, sigue girando hacia la izquierda hasta completar el cuarto de vuelta (90°) y sigue arrastrando el pie izquierdo hasta que se cierre sobre el derecho. Termina con el peso sobre el derecho.

Mujer Bajando el peso del cuerpo hasta los talones, avanza con el pie izquierdo, cruzándolo entre tu cuerpo y el lateral izquierdo del hombre.

Continúa con el Chassé Sincopado Progresivo hacia la derecha.

Chassé Sincopado Progresivo hacia la derecha

El Chassé es un movimiento habitual en el Vals y en el Quickstep, pero no es común en el Foxtrot Lento. Esto hace que la figura cree un cierto grado de sorpresa y añade un punto destacable en mitad de la combinación. El Chassé se mueve por el Zag hacia la línea central.

Hombre y mujer: sin inclinación

1

CUENTA - LENTO

Hombre Avanza con el pie izquierdo por el lateral izquierdo de la mujer, empezando a girar hacia ese mismo lado, y haz oscilar el pie derecho hacia adelante por el Zag.

Mujer Retrocede con el pie derecho, empezando a girar hacia la izquierda, y haz oscilar el pie izquierdo hacia atrás por el Zag.

2

CUENTA - RÁPIDO

Hombre Muévete lateralmente por el Zag sobre la punta del pie derecho, todavía girando hacia la izquierda.

Mujer Muévete lateralmente por el Zag con la punta del pie izquierdo, todavía girando hacia la derecha.

3

CUENTA - Y

Hombre Sin bajar el peso ni dejar de girar hacia la izquierda, cierra el pie izquierdo sobre el derecho.

Mujer Sin bajar el peso ni dejar de girar hacia la izquierda, cierra el pie derecho sobre el izquierdo.

4

CUENTA - RÁPIDO

Hombre Muévete hacia el lateral y ligeramente hacia atrás por el Zag con la punta del pie derecho, sin dejar de girar hacia la izquierda para encarar la pared.

Mujer Muévete hacia el lateral y ligeramente hacia adelante por el Zag con la punta del pie izquierdo, sin dejar de girar hacia la izquierda para dar la espalda a la pared.

Continúa con los pasos del 4 al 7 del Entretejido.

El Giro Inverso Rápido Abierto con Giro en Cruz

Giro Inverso Rápido Abierto

El Giro Inverso Rápido Abierto es un movimiento estándar en sí mismo. Para ejecutarlo, baila los pasos del 1 al 3 de la figura descrita a continuación, seguidos de los pasos del 5 al 7 del Entretejido.

Giro Inverso Rápido Abierto con Giro en Cruz

Ahora vamos a mejorar el Giro Inverso Rápido Abierto con un movimiento en cruz. Siempre asocio este movimiento con Len Armstrong, mi antiguo profesor de baile y campeón del mundo de Bailes de Salón, cuyo poderoso movimiento y control encajaban perfectamente con esta figura. Espero que también encaje contigo. Empieza como si fueras a bailar el Giro Inverso.

Inclinación del hombre: Recto-Izquierda-Izquierda, Recto-Derecha-Derecha
Inclinación de la mujer: Recto-Derecha-Derecha, Recto-Izquierda-Izquierda

1

CUENTA - LENTO

Hombre Avanza por el Zag hacia la línea central con el pie izquierdo, en línea con la mujer, empezando a girar hacia la izquierda, y haz oscilar el pie derecho hacia adelante por el Zag.

Mujer Retrocede por el Zag hacia la línea central, empezando a girar hacia la izquierda, y haz oscilar el pie derecho hacia atrás por el Zag.

2

CUENTA - RÁPIDO

Hombre Pasa el peso de tu cuerpo hacia adelante sobre la punta del pie derecho, girando hacia la izquierda para terminar en el Zag de espaldas a la línea central.

Mujer Pasa el peso de tu cuerpo hacia la punta del pie izquierdo, apuntándolo hacia la línea central y girando hacia la izquierda.

3

CUENTA - Y

Hombre Retrocede con la punta del pie izquierdo, continuando el giro hacia la izquierda.

Mujer Avanza cruzando la punta del pie derecho por el lateral derecho del hombre.

4

CUENTA - RÁPIDO

Hombre Retrocede con el pie derecho, girando por el Zag para dar la espalda a la línea central, y baja el peso momentáneamente.

Mujer Avanza con el pie izquierdo en línea con el hombre, girando por el Zag hacia la izquierda para encarar la línea central, bajando el peso momentáneamente.

5

CUENTA - LENTO

Hombre Apunta con la punta del pie izquierdo hacia la línea paralela al borde de la pista y gira para encarar la línea central en el Zig. Pasa el peso del cuerpo a la punta del pie izquierdo.

Mujer Muévete lateralmente sobre la punta del pie derecho, todavía girando hacia la izquierda para dar la espalda a la línea central en el Zig.

6

CUENTA - Y

Hombre Cruza el pie derecho, apoyándolo tras el izquierdo, y sigue girando hacia la izquierda para terminar de encarar la línea central.

Mujer Cruza el pie izquierdo, apoyándolo tras el derecho, y sigue girando hacia la izquierda para terminar de dar la espalda a la línea central.

Continúa con el Telemark Abierto, girándolo un poco más de lo normal, o con el Giro Rápido Inverso Abierto con Giro en Cruz, rotando un poco menos para terminar en el Zig encarando la pared, y seguir con el Telemark Flotante.

Telemark Flotante

El Telemark Flotante es un movimiento maravilloso tanto en el Vals como en el Foxtrot Lento. Ya lo he descrito en la sección de Vals, pero puedes ejecutarlo de la misma manera en el Foxtrot Lento, utilizando el ritmo estándar de Foxtrot Lento de «Lento-Rápido-Rápido».

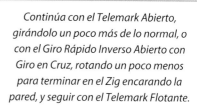

Continúa con el Giro Natural en Pase y el Giro Exterior, o con el Final Ligero en Posición de Paseo.

Vals Vienés

La elegancia y el carisma del Vals Vienés conjuran las espectaculares imágenes de los salones de baile de las grandes casas y palacios de la nobleza europea, aunque el Vals empezó a vivir como *Ländler*, una danza folclórica austríaca. El Vals Vienés sigue siendo un baile específico dentro de los campeonatos oficiales; con él los competidores muestran su gracia, elegancia, estilo, resistencia y control de velocidad, mientras rotan por la pista a la elevada velocidad de 60 compases por minuto.

A pesar de esta imagen de baile rápido, mareante y exigente, el Vals nunca ha perdido su atractivo común y se siguen bailando versiones de este estilo en los eventos de baile social, particularmente europeos. Aquí exploramos esta versión social simplificada, que no es tan extenuante ni vertiginosa. Para los bailarines sociales, el Vals se transforma en una versión bella y cadenciosa que todo el mundo puede disfrutar, independientemente del nivel de habilidad.

En la versión de campeonato, los competidores ejecutan un paso por cada golpe musical. En esta versión simplificada, cada compás musical implica una suave oscilación, dando al baile la misma sensación de deliciosa cadencia sin la velocidad innecesaria. El baile también progresa por la pista, aunque lo hace a un ritmo más amable.

Paso Cadencioso Básico Natural

Empieza en el Zig. El hombre tiene su peso en el pie izquierdo y la mujer en el derecho. Ambos tienen los pies juntos. Cada paso empieza en el primer golpe del compás, y el movimiento se realiza a lo largo de todo el compás. El siguiente paso, por tanto, se ejecuta al empezar el compás siguiente.

1

Hombre Avanza con el pie derecho, empezando a girar hacia la derecha. Permite que el pie izquierdo oscile hacia adelante, hacia el pie derecho.

Mujer Retrocede con el pie izquierdo, empezando a girar hacia la derecha. Permite que el pie derecho oscile hacia atrás, hacia el pie izquierdo.

2

Hombre Retrocede con el pie izquierdo, continuando el giro hacia la derecha. Permite que le pie derecho oscile hacia atrás, hacia el pie izquierdo.

Mujer Avanza con el pie derecho, continuando el giro hacia la derecha. Permite que el pie izquierdo oscile hacia adelante, hacia el pie derecho.

El Giro Cadencioso Básico Natural puede repetirse varias veces, de tal manera que se va realizando un giro gradual hacia la derecha.

Paso Cadencioso Básico Inverso

Este movimiento gira gradualmente a la pareja hacia la izquierda. Convencionalmente, empieza con el hombre en el Zag, preparado para avanzar hacia la línea central. El hombre tiene el peso sobre el pie derecho y la mujer sobre el izquierdo, tras completar un Giro Cadencioso Básico Natural.

1

Hombre Avanza con el pie izquierdo, empezando a girar hacia la izquierda. Permite que el pie derecho oscile hacia adelante, hacia el pie izquierdo.

Mujer Retrocede con el pie derecho, empezando a girar hacia la izquierda. Permite que el pie izquierdo oscile hacia atrás, hacia el pie derecho.

2

Hombre Retrocede con el pie derecho, continuando el giro hacia la izquierda. Permite que el pie izquierdo oscile hacia atrás, hacia el pie derecho.

Mujer Avanza con el pie izquierdo, continuando el giro hacia la izquierda. Permite que el pie derecho oscile hacia adelante, hacia el pie izquierdo.

El Paso Cadencioso Básico Inverso puede repetirse varias veces, de tal manera que se vaya realizando un giro gradual hacia la izquierda. Lo convencional es terminar una serie de Pasos Cadenciosos Básicos Inversos en un Zig, para poder seguir con el Paso Cadencioso Básico Natural.

Paso Cadencioso Estático

La cortesía entre bailarines es muy importante, y los más experimentados siempre dejarán sitio a los más novatos. Por eso, puede ser una buena práctica interrumpir tu avance por la pista temporalmente en deferencia al resto de parejas. Esto es muy sencillo con el Paso Cadencioso Estático, que se baila en el sitio con un movimiento cadencioso lateral. Puede ser bailado todas las veces que sea necesario, en cualquier posición, antes de volver al movimiento deseado. Este movimiento puede empezar con cualquier pie, pero vamos a intentarlo con el pie derecho del hombre. Empieza, por tanto, como el Paso Cadencioso Básico Natural.

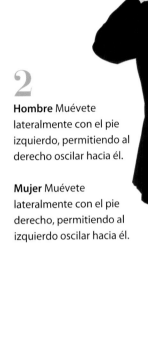

1

Hombre Muévete lateralmente con el pie derecho, permitiendo al izquierdo oscilar hacia él.

Mujer Muévete lateralmente con el pie izquierdo, permitiendo al derecho oscilar hacia él.

2

Hombre Muévete lateralmente con el pie izquierdo, permitiendo al derecho oscilar hacia él.

Mujer Muévete lateralmente con el pie derecho, permitiendo al izquierdo oscilar hacia él.

Baile en Secuencia

El Baile en Secuencia es muy popular en el Reino Unido y en Australia, donde se le llama baile New Vogue. Los Bailes en Secuencia Antiguos emplean las posiciones de pies clásicas del ballet. Los Bailes en Secuencia Modernos se basan en bailes de salón modernos o estándares, y los Bailes en Secuencia Latinos se basan en bailes latinoamericanos. Generalmente, cada baile se coreografía en secuencias estándares de 16 compases. Cada secuencia tiene un nombre, de ahí viene el baile. Los bailarines empiezan todos a la vez, en el principio de la música, y repiten la secuencia hasta que esta termina. El Baile en Secuencia tiende a reducir la exigencia técnica y la necesidad de que el hombre lleve a la mujer, y se está volviendo muy popular entre los bailarines sociales de mayor edad, que disfrutan de la música y del entorno social sin la necesidad de esforzarse por estar bailando a un nivel alto. Hay un suministro constante de nuevas parejas por lo que, cuando los bailarines se cansan de sus acompañantes, pueden cambiar a otra pareja con facilidad.

Sin embargo, una de las contrapartidas es que hay más de diez mil Bailes en Secuencia listados, y cada club de Baile en Secuencia solo practica una cantidad limitada de bailes del repertorio común. Si estás planeando ir a un club de Baile en Secuencia, o tomarte unas vacaciones de Baile en Secuencia, comprueba primero con la organización qué bailes están programados. No es aceptable bailar ninguna secuencia que no sea la que ha sido anunciada. Como recordatorio, la mayor parte de los «líderes» de los Bailes en Secuencia, ejecutarán el baile una vez antes de que los demás bailarines entren en la pista. Algunos Bailes en Secuencia se han convertido en clásicos, como el Mayfair Quickstep, el Saunter Together, el Tango Serida, el Melody Foxtrot y el Square Tango.

Para salir, hay cuatro opciones:

1 Cuando el hombre está sobre el pie izquierdo, sal hacia adelante con el Paso Cadencioso Básico Natural.

2 Cuando el hombre está sobre el pie izquierdo, sal hacia atrás con el paso dos del Paso Cadencioso Básico Inverso.

3 Cuando el hombre está sobre el pie derecho, sal hacia adelante con el Paso Cadencioso Básico Inverso.

4 Cuando el hombre está sobre el pie derecho, sal hacia atrás con el Paso Cadencioso Básico Inverso.

Índice

Agradecimientos

El editor desea agradecer a las siguientes personas su contribución a este libro:

Tanya Janes AIDTA, MGPTD por sus incalculables conocimientos de Salsa; Karina Rebello, por su profundización en los detalles auténticos de la Lambada y la Samba Reggae; Simon Selmon y Dereck Young, F&Exam. UKA, por sus consejos expertos de Lindy Hop y Rock'n'Roll.

Muchas gracias a los siguientes bailarines por su participación en las fotografías. Su profesionalidad y entusiasmo no tienen precio: Elaine Bottomer (cuatro veces Suprema Campeona de Europa y del Mundo de Tango Argentino y Gran Finalista del Campeonato de Baile de Salón Profesional inglés), Goran y Nicola Nordin (Campeones Profesionales Latinoamericanos en Reino Unido), Harm-Jan Schadenberg y Weny Kroeze (tres veces Campeones Profesionales Latinoamericanos de Holanda), John Byrnes y Jane Lyttleton (Campeones Profesionales Rising Star Latinoamericanos), Mark y Jane Shutlar, Steve y Deborah McCormick, Jeff y Teresa Lindley, Michael Burton, Camilla Laitalia, Trevor y Naomi Ironmonger, Karina Rebello, Berg Dias, Andrew Barret, Luis Bittencourt, Tanya Janes, Mina di Placido, Phillippe Laue, Julie Glover, Mark Field, Natascha Hall, Katherine Porter, Anny Ho, Ben Ryley, Shahriar Shariat, Debbie Smith, Debbie Watson, Simon Selmon, Helia Lloyd y Dr. Eric Sille.

Estamos muy agradecidos a Sounds Sensational por su amable permiso para hacer uso de referencias del libro *Tango Argentino: The Technique and Video,* de Paul Bottomer, y por su cooperación en la realización de este volumen.

Muchas gracias a Supadance International por proveernos el calzado de baile para las fotografías.

Los vestidos fueron prestados muy amablemente por: After 6, Consortium, Pineapple, Tadashi y Vera Mont.